어휘력 자신감

초등 국어

5

단계

초등 국어 어휘력 자신감은 이런 교재예요!

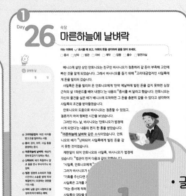

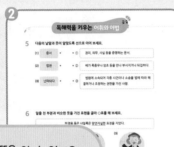

독해력을 키우는
즐거운 공부 습관!

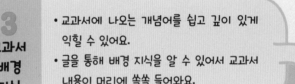

어휘력 UP!

어휘력 쑥쑥 자랑판

하루 15분
어휘력 자신감!

한자로 공부하면 어려울 것 같았는데 그렇지 않았어요!

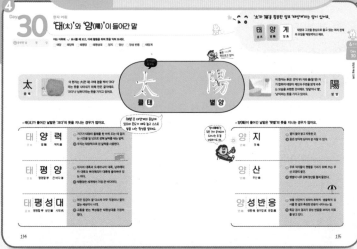

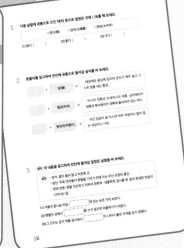

✷ 이 책의 차례 ✷

독해력을 키우는
즐거운 공부 습관

하루 15분

- 어휘력을 위한 하루 15분 즐거운 공부 습관!
- 어휘력 자신감과 함께 시작하세요.

어휘력 자신감 1단계 I 2단계 I 3단계 I 4단계 I 5단계 I 6단계

1주 어휘 미리보기

뜻을 알고 있는 낱말에 V표 해 보세요.
알고 있는 낱말은 글에서 어떻게 쓰였는지 확인하고,
모르는 낱말은 글을 읽으며 재미있게 익혀 보아요.

배울 내용	배울 낱말	공부한 날
Day 01 속담 **아니 땐 굴뚝에 연기 날까**	☐ 고즈넉하다 ☐ 배필 ☐ 휩쓸리다 ☐ 떠밀리다 ☐ 수양 ☐ 이무기 ☐ 승천 ☐ 운명	월 / 일
Day 02 관용어 **어깨를 나란히 하다**	☐ 각광 ☐ 강국 ☐ 국한 ☐ 열풍 ☐ 박차 ☐ 발굴 ☐ 입지 ☐ 산실	월 / 일
Day 03 한자 성어 **타산지석(他山之石)**	☐ 사재기 ☐ 북새통 ☐ 장려 ☐ 의존 ☐ 긴장 ☐ 생존 ☐ 구축 ☐ 자급	월 / 일
Day 04 교과 어휘 – 과학 **밀양 얼음골의 신비**	☐ 폭염 ☐ 희귀 ☐ 현상 ☐ 지형 ☐ 전도 ☐ 단열 ☐ 대류 ☐ 훼손	월 / 일
Day 05 한자 어휘 **'교(交)'와 '류(流)'가 들어간 말**	☐ 교류 ☐ 교체 ☐ 외교 ☐ 교통 ☐ 유통 ☐ 유출 ☐ 표류 ☐ 문물 교류	월 / 일

속담

아니 땐 굴뚝에 연기 날까

아는 어휘에 ✔ 표시를 해 보고, 어휘의 뜻을 생각하며 글을 읽어 보세요.

☐ 고즈넉하다 ☐ 배필 ☐ 휩쓸리다 ☐ 떠밀리다 ☐ 수양 ☐ 이무기 ☐ 승천 ☐ 운명

🕐 **공부한 날**

월   일

❶ **고즈넉한**: 분위기 등이 조용하고 편안한.

❷ **짚신도 제짝이 있다는데**: 보잘것없는 사람도 제짝이 있다는데.

❸ **배필**: 부부가 되는 짝.

❹ **휩쓸리고**: 물, 불, 바람 등에 모조리 휘몰려 쓸리고.

❺ **떠밀린**: 힘껏 힘이 주어져 앞으로 나아가게 된.

❻ **수양한**: 몸과 마음을 갈고닦아 품성이나 지식, 도덕심 등을 기름.

❼ **이무기**: 어떤 저주를 받아 용이 되지 못하고 물속에 산다는 전설상의 큰 구렁이.

❽ **승천하지**: 하늘에 오르지.

❾ **운명**: 인간과 세상 모든 것에 영향을 미치는 힘. 또는 그 힘에 의해 이미 정해진 목숨이나 상태.

❿ **아니 땐 굴뚝에 연기 날까**: 원인이 없으면 결과가 있을 수 없음을 비유적으로 이르는 말.

옛날에 하는 일마다 실패를 거듭하는 청년이 살았어요. 어느 날, 그는 자신에게 복이 없는 이유를 알아보러 길을 떠났습니다.

한참 걷던 청년은 배가 고파 ❶고즈넉한 기와집에 들어갔습니다. 한 여인이 청년에게 음식을 대접해 주며 말했습니다.

"신을 만나시거든 제 이야기도 물어봐 주세요. 저는 오랜 시간 동안 혼자 지내고 있습니다. ❷짚신도 제짝이 있다는데, 왜 저는 여태 ❸배필이 없는 걸까요?"

청년은 여인의 부탁을 들어주기로 하고 다시 길을 떠났습니다. 그러다 바다를 건너려고 배를 탔는데, 그만 거센 바람에 ❹휩쓸리고 말았습니다. 바다 한가운데까지 ❺떠밀린 청년은, 그곳에서 용이 되고자 오랫동안 ❻수양한 ❼이무기를 만났습니다.

"이무기님, 저는 복 없는 이유를 알기 위해 신을 만나러 가는 중입니다. 이제 길을 잃었으니 어찌하면 좋을까요?"

"신을 만나러 간다고? 그럼 하늘로 가는 무지개다리를 놓아 줄 테니, 신을 만나거든 내가 아직도 ❽승천하지 못하고 있는 까닭을 물어봐 다오."

청년은 그 부탁도 들어주기로 하고, 이무기의 도움을 받아 하늘에 올라갔습니다.

마침내 신을 만난 청년은 먼저 자신에게 복이 없는 이유를 물었습니다.

"그것은 다 이유가 있지. 너는 몸이 편하면 일찍 죽는 ❾운명이다. 그래서 네가 오래 살 수 있도록 복을 내리지 않은 것이니라."

"네, 잘 알겠습니다. 그런데 기와집에 사는 여인은 왜 짝을 찾지 못하는 것이고, 바다 한가운데 사는 이무기는 왜 승천하지 못하고 있는 것입니까?"

"모든 일에는 다 원인이 있느니라. ❿아니 땐 굴뚝에 연기 날까. 여인의 짝은 여의주를 가진 사내인데, 아직 그런 사내를 만나지 못한 것이다. 또 이무기는 욕심이 많아 승천하지 못하는 것이다. 여의주를 두 개나 가지고 있으니 너무 무거운 게지."

고개를 끄덕이던 청년은 이무기와 여인에게 이 말을 전해 주러 길을 떠났습니다.

1 이 이야기의 내용으로 알맞은 것에 ○표, 알맞지 <u>않은</u> 것에 ×표를 해 보세요.

(1) 청년은 자신에게 복이 없는 이유를 알고 싶었다. ────────────── (○ / ×)

(2) 이무기는 하늘로 가는 무지개다리를 놓아 주었다. ────────────── (○ / ×)

(3) 청년은 자신에게 복이 없는 이유를 듣고 나서 신에게 화를 냈다. ────── (○ / ×)

2 이 이야기의 내용에 맞게 원인과 결과를 선으로 이어 보세요.

원인		결과

(1) 　청년은 몸이 편하면 일찍 죽는 운명이다. ・ 　・① 승천하지 못하고 있다.

(2) 　여인은 여의주를 가진 사내를 만나지 못했다. ・ 　・② 신이 복을 내리지 않았다.

(3) 　이무기는 욕심이 많아 여의주를 두 개나 가졌다. ・ 　・③ 오랜 시간 동안 혼자 지내고 있다.

3 다음은 이 이야기를 통해 속담 "아니 땐 굴뚝에 연기 날까."의 뜻을 짐작하는 과정입니다. 빈칸에 알맞은 낱말을 써 보세요.

이야기의 내용	1. 신이 청년에게 "모든 일에는 다 □□이 있느니라. 아니 땐 굴뚝에 연기 날까."라고 말했다. 2. 청년, 여인, 이무기에게는 다 □□이 있었기 때문에 복이 없거나, 혼자 지내거나, 승천하지 못하는 □□가 생긴 것이다.
짐작한 뜻	"아니 땐 굴뚝에 연기 날까."라는 속담은 □□이 없으면 □□가 있을 수 없다는 뜻일 것이다.

4 다음의 낱말과 뜻이 알맞도록 선으로 이어 보세요.

(1) 고즈넉하다 •

(2) 떠밀리다 •

(3) 수양하다 •

• ① 분위기 등이 조용하고 편안하다.

• ② 힘껏 힘이 주어져 앞으로 나아가게 되다.

• ③ 몸과 마음을 갈고닦아 품성이나 지식, 도덕심 등을 기르다.

5 낱말의 관계가 보기 와 같은 것에 ○표를 해 보세요.

보기	이유 – 까닭

(1) 얼굴 – 눈   (2) 창조 – 모방   (3) 수양 – 수련

(   )   (   )   (   )

> **단일어** [홀 단(單) 한 일(一) 말씀 어(語)]
> '바늘'처럼 '바'와 '늘'로 나누면 본디의 뜻이 없어져 더는 나눌 수 없는 낱말을 '단일어'라고 해요.
> 예 '포도' - '포'와 '도'로 나누면 아무 뜻을 가지지 못함.
> '사과' - '사'와 '과'로 나누면 아무 뜻을 가지지 못함.

6 단일어에 속하는 낱말을 보기 에서 모두 찾아 써 보세요.

보기	바다	하늘	무지개다리	비구름
	산딸기	고구마	책가방	살며시

7 속담 "아니 땐 굴뚝에 연기 날까."를 알맞게 활용하여 말한 친구의 이름을 써 보세요.

윤하랑 세용이가 사귄다는 소문이 있어. "아니 땐 굴뚝에 연기 날까."라는 속담처럼 두 사람이 진짜 사귀니까 그런 소문이 난 것 아니겠어?

찬미

나 지금 할 일이 너무 많아. "아니 땐 굴뚝에 연기 날까."라는 속담이 있는데, 내가 어떻게 하윤이를 도와줄 수 있겠어?

태수

(   )

틀리기 쉬워요!

8 보기 의 내용을 참고하여 다음 문장에서 띄어쓰기를 해야 할 부분에 ∨표를 해 보세요.

> 보기 단위를 나타내는 낱말은 띄어 써요.
>
> 예 연필 한 자루, 자동차 두 대

> 생일에케이크를두조각먹고,놀이터에서세시간동안놀았다.

9 다음 문장에 어울리는 낱말의 형태를 골라 ○표를 해 보세요.

(1) 파도에 { 휩쓸어서 / 휩쓸려서 } 발이 안 닿는 곳까지 갔다.

(2) 송아지에게 { 떠밀어 / 떠밀려 } 언덕 밑으로 굴러떨어졌다.

관용어
어깨를 나란히 하다

아는 어휘에 ✔ 표시를 해 보고, 어휘의 뜻을 생각하며 글을 읽어 보세요.

☐ 각광 ☐ 강국 ☐ 국한 ☐ 열풍 ☐ 박차 ☐ 발굴 ☐ 입지 ☐ 산실

🕐 공부한 날

　월　　　일

❶ **대중문화**: 대중이 만들고 누리는 문화.

❷ **신조어**: 새로 생긴 말.

❸ **각광**: 많은 사람들의 관심 또는 사회적 주목과 인기.

❹ **콘텐츠**: 인터넷이나 컴퓨터 통신 등을 통하여 제공되는 각종 정보 또는 내용물.

❺ **강국**: 국제적으로 어떤 분야에서 큰 힘을 가진 나라.

❻ **어깨를 나란히 할**: 서로 비슷한 지위나 힘을 가질.

❼ **국한되지**: 범위나 한계가 일정한 부분이나 정도에 한정되지.

❽ **열풍(烈風)**: (비유적으로) 매우 거세게 일어나는 기운이나 현상.

❾ **박차**: 어떤 일을 빨리 되어 나가도록 더하는 힘.

❿ **발굴하고**: 세상에 널리 알려지지 않거나 뛰어난 것을 찾아 밝혀내고.

⓫ **입지**: 개인이나 단체 등이 한 분야에서 차지하고 있는 기반이나 지위.

⓬ **산실**: 어떤 일을 처음 시작하거나 이루어 내는 곳. 또는 그런 바탕.

'K-팝', 'K-드라마'라는 말을 한 번쯤은 들어 보았지요?

우리나라의 ❶대중문화는 한류로 시작되어 최근에는 K-컬처로 불리며 전 세계로 퍼져 나가고 있습니다. 'K-컬처'란 우리나라의 문화 예술을 일컫는 ❷신조어로, 해외에서 한류가 ❸각광을 받으면서 널리 쓰이게 된 말입니다.

한류는 1990년대 중반부터 TV 드라마로 시작되었습니다. 초기에는 홍콩, 대만 등에서 관심을 끌기 시작하여 일본, 베트남, 필리핀 등 주로 아시아 지역을 중심으로 주목을 받았어요. 시간이 지날수록 한류의 영향 범위가 점점 넓어졌고 아시아를 넘어 아메리카, 유럽, 아프리카로 뻗어 나갔습니다. 지금은 세계 곳곳에서 우리나라의 문화 ❹콘텐츠에 빠져든 외국인들의 모습을 쉽게 찾아볼 수 있지요. 다시 말해 대한민국이 세계 속 문화 ❺강국과 ❻어깨를 나란히 할 만한 영향력을 가지게 되었습니다.

K-컬처의 분야도 매우 다양해졌습니다. 2000년대에 들어서자 한류는 드라마에만 ❼국한되지 않고 아이돌 그룹을 바탕으로 한 대중음악으로까지 확대되었습니다. 현재는 의복, 음식, 한글, 순수 문화 예술에서도 K-컬처의 ❽열풍이 불고 있습니다.

그중에서도 가장 두드러진 분야는 바로 한국 영화입니다. 2000년대 초반부터 각종 해외 영화제에서 감독상, 심사 위원 대상, 여우 주연상 등을 수상하며 우리나라 영화 산업에 ❾박차를 가하였고, 최근에는 활약이 더 두드러졌습니다. 봉준호 감독의 영화 '기생충'이 칸 영화제에서 황금종려상을 수상하였고 아카데미 영화제에서 오스카상을 4개나 휩쓸었습니다. 곧이어 영화배우 윤여정 씨가 '미나리'라는 작품을 통해 아카데미 여우 조연상을 받았지요. 이 역시 K-컬처의 힘을 세계에 알리는 중요한 사건이었습니다.

앞으로 영화뿐만 아니라 우리나라 고유의 문화가 깃들어 있는 다양한 분야를 ❿발굴하고 성장시켜 세계 속 K-컬처의 ⓫입지를 굳건히 세우고, 우리나라가 세계를 이끌어 나가는 문화의 ⓬산실이 되기를 기대합니다.

1 이 글의 주제로 알맞은 것을 골라 ○표를 해 보세요.

(1)
TV 드라마의
유행

(   )

(2)
한류의
유래와 원인

(   )

(3)
K-컬처의
성장과 영향력

(   )

2 이 글의 내용으로 바르지 <u>않은</u> 것에 ×표를 해 보세요.

(1) K-컬처는 우리나라의 문화 예술을 일컫는 말이다. ⋯⋯⋯⋯⋯⋯⋯⋯⋯⋯ (   )

(2) K-컬처의 분야가 순수 문화 예술에서 대중문화로 확대되고 있다. ⋯⋯⋯⋯ (   )

(3) 한류의 영향 범위가 아시아를 넘어 아메리카, 유럽, 아프리카로 확산되었다. ⋯⋯ (   )

3 이 글의 내용을 정리한 것입니다. 빈칸에 들어갈 낱말을 보기 에서 찾아 써 보세요.

보기   강국   범위   분야   열풍

(1)
한류의 영향 [   ]가 아시아에서 세계 곳곳으로 확대됨.
→
세계 속 문화 [   ]으로서 큰 영향력을 가지게 됨.

(2)
K-컬처의 [   ]도 드라마뿐만 아니라 대중음악, 영화, 순수 문화 예술까지 매우 다양해짐.
→
K-컬처의 [   ]이 불고 있으며, 특히 각종 해외 영화제 수상을 통해 우리 문화의 힘을 세계에 알림.

4 다음 대화에서 '어깨를 나란히 하다'의 의미로 알맞은 것에 ○표를 해 보세요.

진규가 전국 태권도 대회에서 금상을 받았대!

우아, 대단하다. 국가 대표 선수와 어깨를 나란히 할 수준인걸!

(1) '어깨를 나란히 하다'는 '잔뜩 긴장하다.'라는 의미이다. ⋯⋯⋯⋯⋯⋯⋯⋯⋯⋯ (   )

(2) '어깨를 나란히 하다'는 '서로 비슷한 지위나 힘을 가지다.'라는 의미이다. ⋯⋯⋯⋯ (   )

5 다음의 낱말과 뜻이 알맞도록 선으로 이어 보세요.

(1) 각광 • • ① 많은 사람들의 관심 또는 사회적 주목과 인기.

(2) 산실 • • ② 어떤 일을 처음 시작하거나 이루어 내는 곳. 또는 그런 바탕.

6 밑줄 친 부분과 바꾸어 쓸 수 있는 낱말을 골라 기호를 써 보세요.

> 한류는 드라마에만 ㉠국한되지 않고 대중음악으로까지 ㉡확대되었다.

(1) 확장(시설, 사업, 세력 등을 늘려서 넓힘.) ································· (   )
(2) 한정(수량이나 범위 등을 제한하여 정함. 또는 그런 한도.) ················· (   )

7 다음 글을 읽고, 빈칸에 들어갈 알맞은 낱말을 골라 ○표를 해 보세요.

> 이것은 승마 구두의 뒤꿈치에 달린 작은 톱니바퀴 모양의 도구인데, 말을 탈 때 이것으로 말의 배를 툭툭 차면서 신호를 줄 수 있으며 주로 서 있는 말을 걷거나 달리게 할 때 사용한다. ☐☐를 가한다는 것은 달리는 말에 채찍질을 해서 더 빨리 달리게 하는 것과 같이, 어떤 일을 할 때 일이 빨리 진행되도록 힘을 더하는 것을 뜻하는 말이다.

(1) 고유 (   )   (2) 박차 (   )   (3) 입지 (   )

8 밑줄 친 낱말의 뜻으로 알맞은 것을 보기 에서 찾아 번호를 써 보세요.

> 보기 ① 열풍(烈風): 1. 몹시 사납고 거세게 부는 바람.
> 　　　　　　　　 2. 매우 세차게 일어나는 기운이나 기세를 비유적으로 이르는 말.
> 　　　② 열풍(熱風): 뜨거운 바람.

(1) 이번에 새로 나온 과자는 고구마를 열풍으로 건조하여 만든 것이다. ············ (   )
(2) 최근 초등학생들 사이에서 따돌림 현상을 주제로 한 독서 열풍이 불고 있다. ········· (   )

9 다음 문장에서 올바른 표현을 골라 ○표를 해 보세요.

(1) 어깨를 펴고 $\left\{ \begin{array}{c} \text{꼳꼳이} \\ \text{꼿꼿이} \end{array} \right\}$ 나아가라.

(2) 세계의 평화를 위해 $\left\{ \begin{array}{c} \text{굳건히} \\ \text{굿건히} \end{array} \right\}$ 앞장서야 한다.

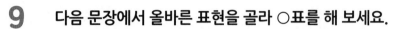
틀리기 쉬워요!

10 밑줄 친 낱말의 발음으로 알맞은 것에 ○표를 해 보세요.

(1) <u>한류</u>는 1990년대 중반부터 시작되었다.
　　① [한뉴] (　　　　) 　② [할류] (　　　　)

(2) 경주는 <u>신라</u> 시대의 도읍지로 관광 자원이 많다.
　　① [신나] (　　　　) 　② [실라] (　　　　)

11 밑줄 친 부분에서 띄어쓰기를 해야 할 곳에 ∨표를 해 보세요.

(1)
> 내 주변에는 <u>믿을만한</u> 친구가 많다.

(2)
> 이미 정해진 규칙에 <u>따를수밖에</u> 없다.

'ㄴ'이 [ㄹ]로 소리 나는 현상

한 낱말에서 자음과 자음이 만나, 서로 영향을 주고받아 한쪽이나 양쪽 모두 비슷한 소리로 바뀌기도 해요. 예를 들어 '인류'라는 낱말에 들어 있는 'ㄴ' 받침은 'ㄹ'의 앞에서 [ㄹ]로 소리 나지요.

• <u>인류</u>는 오랜 세월에 걸쳐 발전되어 왔다.
　[일류]

• 이번 여름 방학에는 온 가족이 <u>한라산</u>에 갈 계획이다.
　[할라산]

스스로
붙임딱지

한자 성어

타산지석 (他 다를 타 山 뫼 산 之 어조사 지 石 돌 석)

아는 어휘에 ✓ 표시를 해 보고, 어휘의 뜻을 생각하며 글을 읽어 보세요.

☐ 사재기 ☐ 북새통 ☐ 장려 ☐ 의존 ☐ 긴장 ☐ 생존 ☐ 구축 ☐ 자급

❶ **사재기**: 물건값이 오를 것이라고 생각하여 미리 물건을 많이 사 두는 것.

❷ **북새통**: 많은 사람이 한곳에 모여서 북적거리는 상황.

❸ **3모작**: 같은 경작지에서 1년에 세 차례 농작물을 재배하여 수확하는 농법.

❹ **장려했습니다**: 좋은 일을 하도록 권하거나 북돋아 주었습니다.

❺ **곡물 자급률**: 국내에서 소비하는 곡물의 공급량 중에서 국내에서 생산할 수 있는 양이 차지하는 비율.

❻ **의존하고**: 어떠한 일을 자신의 힘으로 하지 못하고 다른 어떤 것의 도움을 받아 의지하고.

❼ **긴장**: 마음을 놓지 않고 정신을 바짝 차림.

❽ **생존**: 살아 있음. 또는 살아 남음.

❾ **타산지석**: (비유적으로) 다른 사람의 좋지 않은 태도나 행동도 자신의 몸과 마음을 바로잡는 데에 도움이 될 수 있음.

❿ **구축해야**: 어떤 일을 하기 위한 기초 또는 체계를 만들어야.

⓫ **자급하지**: 자기에게 필요한 것을 스스로 마련하여 채우지.

　　2008년 봄, 필리핀의 수도 마닐라에서는 쌀 ❶사재기를 하러 몰려든 사람들로 쌀가게 앞이 ❷북새통을 이루었습니다. 쌀이 모자란다는 소문이 퍼지고 쌀값이 계속 올랐기 때문이지요. 1970년대 초만 해도 필리핀은 ❸3모작을 하는 세계적 쌀 생산국이자 수출국이었습니다. 그런데 왜 이런 일이 벌어진 걸까요?

　　필리핀 정부는 바나나, 파인애플, 망고, 사탕수수 같은 작물이 경제적으로 큰 이익을 얻자 쌀농사 대신 이 작물의 생산을 적극 ❹장려했습니다. 사람들은 앞다투어 논을 갈아엎었고 그에 따라 쌀 생산량도 줄어들었지요. 그 뒤로 필리핀 사람들은 망고와 파인애플 등을 팔아서 번 돈으로 베트남, 태국 같은 나라에서 쌀을 사 먹었습니다. 그러나 2000년대에 들어서면서 더 이상 웃는 얼굴로 쌀을 사 먹을 수 없는 상황이 되었습니다. 주변 다른 나라들도 쌀농사를 포기하고 이익이 많이 남는 작물을 재배하기 시작했고, 전 세계 곡물 생산량은 점차 줄어드는 데 반해 필리핀의 곡물 소비량은 늘어났기 때문이지요. 필리핀 국민들은 쌀농사를 내팽개친 정부를 원망하기 시작했어요.

　　농림축산식품부에 따르면, 우리나라는 2019년 국내 ❺곡물 자급률이 21퍼센트에 불과하고 밀은 소비량의 거의 대부분을 수입에 ❻의존하고 있습니다. 다행히도 필리핀과 같은 위기가 닥칠 가능성은 아직 낮아 보이지만 우리나라는 식량 자급률이 낮은 편이라 ❼긴장을 늦출 수 없는 처지입니다.

　　우리는 '식량 위기'에 놓여 있습니다. 이제 식량은 각 나라의 경제와 ❽생존을 위협할 수 있는 무기가 될 것입니다. 필리핀의 농업을 ❾타산지석으로 삼아 우리에게 벼농사가 얼마나 중요한지 다시 한번 생각해 보아야 합니다.

▲ 벼 베기를 하는 모습

　　국가는 농민들이 자연재해로 인해 손해를 입더라도 벼농사를 포기하지 않도록 보조금을 늘리고 농민과 소비자 간의 직거래 시스템을 ❿구축해야 합니다. 또한 소비자들은 값싼 외국 농산물보다 조금 비싸더라도 안전한 우리 농산물을 사 먹어야 합니다.

　　농업과 농촌, 농민을 살리는 일은 곧 우리 국민 모두를 살리는 일입니다. 우리가 쌀을 ⓫자급하지 못하고 수입에 의존해야 한다면 우리 국민들의 생활도 흔들릴 수밖에 없으니까요.

1 이 글의 내용으로 알맞지 <u>않은</u> 것에 ×표를 해 보세요.

(1) 식량은 각 나라의 경제와 생존을 위협하는 무기가 될 것이다. ──────── (　　　)

(2) 필리핀은 1970년대 초에 3모작을 하는 세계적 쌀 생산국이자 수출국이었다. ──── (　　　)

(3) 우리나라는 곡물 자급률이 낮은 편이지만 밀은 생산량이 많아 수출할 정도이다. ─── (　　　)

2 다음은 필리핀이 식량난을 겪게 된 원인과 결과를 나타낸 것입니다. 빈칸에 들어갈 내용
으로 알맞은 것에 ○표를 해 보세요.

원인	→	결과

전 세계 곡물 생산량은 점차 줄어드는 데 반해 필리핀의 곡물 소비량은 늘어났다.

→ 필리핀 내의 쌀 생산량은 물론이고 주변 다른 나라들의 쌀 생산량도 줄어들었다.

→ 쌀이 모자라서 쌀값이 계속 오르기 시작했다.

(1) 농업에 대한 국가 보조금을 줄였다. ─────────────────── (　　　)

(2) 농민과 소비자 간의 직거래 시스템을 구축했다. ─────────── (　　　)

(3) 쌀농사 대신 바나나, 파인애플, 망고, 사탕수수 같은 작물을 생산했다. ──── (　　　)

3 농업을 장려하기 위해 글쓴이가 주장한 내용입니다. 빈칸을 알맞게 채워 보세요.

(1) 국가는 농촌과 농민을 위한 ☐☐☐☐☐☐ 을 늘리고 직거래 시스템을 구축해야 한다.

(2) 소비자는 값싼 외국 ☐☐☐☐☐ 보다 안전한 우리 ☐☐☐☐☐☐ 을 사 먹어야 한다.

4 '타산지석'의 뜻을 살펴보고 밑줄 친 부분이 의미하는 것에 각각 ○표를 해 보세요.

他
다를 타

山
뫼 산

之
어조사 지

石
돌 석

➡ <u>다른 산에서 나는 거칠고 나쁜 돌</u>이라도 <u>자신의 옥돌</u>을 가는 데에 쓸 수 있다.

(1) (필리핀의 농업 / 우리나라의 농업)　　　(2) (필리핀의 농업 / 우리나라의 농업)

5 다음의 낱말과 뜻이 알맞도록 선으로 이어 보세요.

(1) 긴장 • • ① 마음을 놓지 않고 정신을 바짝 차림.

(2) 사재기 • • ② 많은 사람이 한곳에 모여서 북적거리는 상황.

(3) 북새통 • • ③ 물건값이 오를 것이라고 생각하여 미리 물건을 많이 사 두는 것.

6 빈칸에 들어갈 알맞은 낱말을 보기 에서 찾아 써 보세요.

보기	생존	의존	자급

(1) 대기가 오염되어 인류의 [   ]이 위협받고 있다.
↳ 살아 있음. 또는 살아남음.

(2) 환자가 지나치게 약에 [   ]하면 오히려 건강에 해롭다.
↳ 어떠한 일을 자신의 힘으로 하지 못하고 다른 어떤 것의 도움을 받아 의지함.

(3) 시안이네 가족은 텃밭을 가꿔 각종 채소를 [   ]하는 생활을 하고 있다.
↳ 자기에게 필요한 것을 스스로 마련하여 채움.

7 밑줄 친 부분과 바꾸어 쓸 수 있는 말을 골라 번호를 써 보세요.

(1) 정부는 농민들에게 보조금을 지급하여 벼농사를 <u>장려하고</u> 있다. ·········( )
　　　　　① 권장하고　　② 시험하고　　③ 재촉하고

(2) 농가 소득을 높이기 위해서는 소비자와의 직거래 시스템을 <u>구축해야</u> 한다. ·········( )
　　　　　① 강조해야　　② 공개해야　　③ 만들어야

틀리기 쉬워요!

8   다음 문장에서 올바른 표현을 골라 ○표를 해 보세요.

(1) 학교 도서관은 방학 동안 좌석 수를 { 늘리고 / 늘이고 } 새 단장을 했다.

(2) 세연이는 50 대 1의 높은 { 경쟁율 / 경쟁률 } 을 뚫고 방송부 시험에 합격했다.

9   다음 문장에서 틀린 부분을 찾아 바르게 고쳐 써 보세요.

(1) | 이 로봇은 인간의 활동을 도와주는 기계에 불가하다. |

(　　　　　　) ➜ (　　　　　　)

(2) | 농장에서는 옥수수를 대량으로 제배하여 수출한다. |

(　　　　　　) ➜ (　　　　　　)

10   다음 문장에 어울리는 낱말의 형태를 골라 ○표를 해 보세요.

(1) 음식이 { 모자라서 / 모자라고 } 배불리 먹지 못했다.

(2) 자동차가 심하게 { 흔들어 / 흔들려 } 머리가 어지러웠다.

경쟁율 vs 경쟁률 결과는?

일부 낱말의 끝에 붙어서 법칙(律)이나 비율(率)의 뜻을 나타내는 말이 있어요. 모음이나 'ㄴ' 받침 뒤에서는 '-율'로 적고, 나머지 받침 뒤에서는 '-률'로 적어야 올바른 표현이지요.

• '-율'로 적는 경우: 예 비율, 실패율, 투표율, 할인율
• '-률'로 적는 경우: 예 법률, 출석률, 합격률, 성공률

맞은 개수 _____ /10개

스스로
붙임딱지

교과 어휘 | 과학 5학년   온도와 열

밀양 얼음골의 신비

아는 어휘에 ✔ 표시를 해 보고, 어휘의 뜻을 생각하며 글을 읽어 보세요.

☐ 폭염 ☐ 희귀 ☐ 현상 ☐ 지형 ☐ 전도 ☐ 단열 ☐ 대류 ☐ 훼손

☕ **공부한 날**

월   일

무더운 여름에도 얼음이 녹지 않는 신기한 곳이 우리나라에 있습니다. 천연기념물로 지정된 경상남도 밀양의 얼음골이 바로 그곳입니다.

얼음골에서 흐르는 계곡물은 ❶폭염에도 맨발로 서 있기 힘들 정도로 차가울 뿐만 아니라, 바위틈으로 찬 공기가 뿜어져 나옵니다. 밀양 얼음골에서 이처럼 ❷희귀한 ❸현상이 일어나는 까닭을 알아봅시다.

첫째, 열의 이동을 막는 암석 때문입니다. 얼음골은 산기슭에 바위가 쌓여서 이루어진 독특한 ❹지형입니다. 이곳에는 20~50센티미터에 이르는 바위 조각들이 얼기설기 얽혀 계곡을 뒤덮고 있습니다. 안산암에 속하는 이 바위들은 열의 ❺전도가 매우 낮습니다. 즉, 햇볕이 내리쬐면 바위의 표면 온도는 올라가지만, 겹겹이 쌓인 바위 밑에서는 외부 온도의 영향을 거의 받지 않은 채 ❻단열이 이루어집니다. 그렇기 때문에 찬 공기가 오랫동안 유지되어 4월에도 얼음이 만들어지고, 이 얼음이 한여름까지 녹지 않은 채 남아 있는 것입니다.

❶ **폭염**: 매우 심한 더위.

❷ **희귀한**: 드물어서 특이하거나 매우 귀한.

❸ **현상**: 나타나 보이는 현재의 상태.

❹ **지형**: 땅의 생긴 모양이나 형세.

❺ **전도**: 고체에서 열은 온도가 높은 곳에서 온도가 낮은 곳으로 고체 물질을 따라 이동하는데, 이러한 열의 이동을 말함.

❻ **단열**: 두 물질 사이에서 열의 이동을 줄이는 것.

❼ **대류**: 액체나 기체에서 온도가 높아진 물질이 위로 올라가고 위에 있던 물질이 아래로 밀려 내려오는 과정.

❽ **훼손된**: 헐리거나 깨져 못 쓰게 된.

▲ 바위로 뒤덮인 밀양 얼음골

▲ 겹겹이 쌓인 바위 조각들

둘째, 기체의 ❼대류 현상 때문입니다. 여름이 되면 외부의 더운 공기에 밀려 바위 밑에 있던 찬 공기가 땅속 깊숙이 내려옵니다. 이때 얼음을 만나 더욱 차가워진 공기는 천천히 흐르면서 냉기를 유지하다가 바위틈으로 계속 뿜어져 나옵니다. 그래서 여름철에도 얼음장 같은 시원함을 느낄 수 있는 것입니다.

최근 들어 얼음골에서는 한여름에 얼음을 보기가 점차 어려워지고 있다고 합니다. 일부 환경 단체는 얼음골 입구에 무분별하게 들어선 각종 시설물 때문에 주변 환경이 ❽훼손된 게 가장 큰 원인이라고 말합니다. 과학자들은 지구 온난화로 뜨거워진 기온이 얼음골에 어떤 영향을 미치는지에 대하여 연구를 진행하고 있습니다.

1 이 글의 내용으로 알맞은 것에 ○표, 알맞지 <u>않은</u> 것에 ×표를 해 보세요.

(1) 밀양 얼음골은 천연기념물로 지정되어 있다. ──────────── (○ / ×)

(2) 밀양 얼음골에서는 한여름에도 찬 공기가 뿜어져 나온다. ────── (○ / ×)

(3) 밀양 얼음골은 지형이 독특하여 햇볕이 내리쬐지 않는다. ────── (○ / ×)

2 오른쪽 그림의 내용과 관련 있는 낱말에 ○표를 해 보세요.

(1) 전도   (2) 단열   (3) 대류

  (   )   (   )   (   )

3 밀양 얼음골에서 희귀한 현상이 일어나는 원인과 관련 <u>없는</u> 것에 ×표를 해 보세요.

(1) 열의 전도 (   )   (2) 단열 현상 (   )

(3) 지구 온난화 (   )   (4) 기체의 대류 현상 (   )

4 이 글을 읽고 중요한 내용을 정리한 것입니다. 빈칸을 알맞게 채워 보세요.

신기한 밀양 얼음골	• 무더운 여름에도 ☐☐이 녹지 않음. • 계곡물은 폭염에도 매우 차가울 뿐만 아니라, ☐☐틈으로 찬 공기가 뿜어져 나옴.
밀양 얼음골에서 희귀한 현상이 일어나는 까닭	• 계곡을 뒤덮고 있는 암석은 열의 ☐☐가 매우 낮기 때문에 겹겹이 쌓인 바위 밑에서는 ☐☐이 이루어짐. • 기체의 ☐☐ 현상 때문에 얼음을 만나 차가워진 공기가 천천히 흐르면서 바위틈으로 뿜어져 나옴.
최근 밀양 얼음골의 상태	• 주변 환경이 ☐☐되어 한여름에 얼음을 보기가 어려워지고 있음. • 과학자들은 ☐☐☐☐☐가 얼음골에 미치는 영향을 연구하고 있음.

5 다음의 낱말과 뜻이 알맞도록 선으로 이어 보세요.

(1) 지형 •   • ① 땅의 생긴 모양이나 형세.

(2) 현상 •   • ② 나타나 보이는 현재의 상태.

(3) 희귀하다 •   • ③ 드물어서 특이하거나 매우 귀하다.

6 빈칸에 들어갈 알맞은 낱말을 보기 에서 찾아 써 보세요.

보기	영향 환경 산기슭

(1) 사냥꾼이 토끼를 잡으려고 [   ]에 덫을 놓았다.

(2) 의료 기술의 발달은 인류에게 큰 [   ]을 끼쳤다.

(3) 각종 쓰레기로 인해 [   ] 오염 문제가 심각해지고 있다.

> **동형어** [같을 동(同) 모양 형(形) 말씀 어(語)]
> 신체 부위인 '다리'와 두 곳을 잇는 '다리'는 형태가 같을 뿐이지 서로 다른 낱말이에요. 이처럼 형태는 같지만 뜻이 다른 낱말을 동형어라고 해요.   예 밤(먹는 밤) / 밤(깜깜한 밤)

7 밑줄 친 동형어의 뜻으로 알맞은 것을 보기 에서 찾아 번호를 써 보세요.

> 보기 ① 조각: 한 물건에서 따로 떼어 내거나 떨어져 나온 작은 부분.
> ② 조각(彫刻): 재료를 새기거나 깎아서 모양을 만듦. 또는 그런 미술 분야.

(1) 교실 뒤편에 나무로 만든 <u>조각</u> 작품을 전시하였다. ……………………… (   )

(2) 거실 바닥에는 여동생이 먹던 빵 <u>조각</u>들이 떨어져 있었다. ……………… (   )

8 밑줄 친 부분과 뜻이 비슷한 낱말을 글에서 찾아 빈칸에 써 보세요.

(1) 무더운 여름에도 바위틈으로 <u>찬 공기</u>가 뿜어져 나온다. → ☐☐

(2) 햇볕이 내리쬐어도 <u>바위</u> 밑에서는 외부 온도의 영향을 거의 받지 않는다. → ☐☐

틀리기 쉬워요!

9 다음 문장에서 틀린 부분을 찾아 바르게 고쳐 써 보세요.

(1)
> 아버지께서 서랍 깊숙히 넣어 둔 사진을 꺼내셨다.

(   ) ➜ (   )

(2)
> 눈보라가 거세지자 옷을 겹겹히 껴입고 길을 나섰다.

(   ) ➜ (   )

10 다음 문장에 어울리는 낱말의 형태를 골라 ○표를 해 보세요.

(1) 담쟁이덩굴이 건물을 { 뒤덮고 / 뒤덮어 } 있다.

(2) 이곳에서는 날씨의 영향을 거의 { 받고 / 받지 } 않는다.

깊숙이 vs 깊숙히 결과는?

'깊숙이'와 '깊숙히' 중에서 어떤 것이 올바른 표현일까요?
한글 맞춤법에서는 끝소리가 분명히 [이]로만 나는 것은 '-이'로 적고, [히]로만 나거나 [이]나 [히]로 나는 것은 '-히'로 적기로 했어요. 헷갈리기 쉬우니까 꼭 알아 두어야 해요.

- 틈틈이[틈트미] / 깨끗이[깨끄시] / 따뜻이[따뜨시]
- 가만히[가만히] / 말끔히[말끔히] / 고요히[고요히]

스스로
붙임딱지

'교(交)'와 '류(流)'가 들어간 말

아는 어휘에 ✔ 표시를 해 보고, 아래 활동을 하며 뜻을 익혀 보세요.

☐ 교류 ☐ 교체 ☐ 외교 ☐ 교통 ☐ 유통 ☐ 유출 ☐ 표류 ☐ 문물 교류

交
사귈 교

이 한자는 다리를 엇갈리게 꼬고 있는 사람의 모습을 본떠서 만들었어요. '사귀다'의 뜻을 가지고 있어요.

> 순서대로 써 봐요.

사귈 교

> '교류'는 '문화나 사상 등이 서로 오감.'이라는 뜻이에요.

● 교(交)가 들어간 낱말은 '사귀다'의 뜻을 지니는 경우가 많아요.

교 체	
사귈 交 　 바꿀 替	뜻 특정한 역할을 하던 사람이나 사물, 제도 등을 다른 사람, 사물, 제도 등으로 바꿈. 예 컴퓨터 교체 비용이 얼마나 들까?
외 교 바깥 外 　 사귈 交	뜻 다른 나라와 정치적, 경제적, 문화적 관계를 맺는 일. 예 두 나라의 외교 문제로 인해 회의가 열리지 못했다.
교 통 사귈 交 　 통할 通	뜻 자동차, 기차, 배, 비행기 등의 탈것을 이용하여 사람이나 짐이 오고 가는 일. 예 우리나라는 도로 교통이 발달하였다.

> 교통이 혼잡할 때는 지하철이 편리하지.

 '交'와 '流'를 활용한 말로 '문물 교류'라는 말이 있어요.

문	물	교	류
글월 文	물건 物	사귈 交	흐를 流

'문물 교류'는 정치, 경제, 학문, 종교, 예술과 같은 문화의 모든 산물이 서로 오고 감을 의미해요.

 동서양의 문화 교류가 점점 활발해지고 있어.

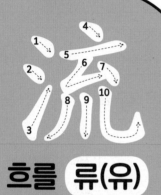

流
흐를 류(유)

 이 한자는 뜻을 나타내는 氵(물 수)와 음을 나타내는 글자 㐬(깃발 류)가 합하여 이루어진 글자예요. '흐르다'나 '전하다'의 뜻을 가지고 있어요.

流
흐를 류(유)

● 류/유(流)가 들어간 낱말은 '흐르다'의 뜻을 지니는 경우가 많아요.

유 통	
흐를 流 / 통할 通	뜻 화폐나 물품 등이 널리 쓰임. 예 농산물의 유통 단계를 줄이면 가격이 떨어지게 된다.

유 출	
흐를 流 / 날 出	뜻 귀한 물건이나 정보 등이 불법적으로 외부로 나가 버림. 또는 그것을 내보냄. 예 우리 문화재의 해외 유출을 막아야 한다.

표 류	
떠다닐 漂 / 흐를 流	뜻 물 위에 떠서 이리저리 흘러감. 예 해양 경찰은 한 선박이 표류 중이라는 신고를 받고 출동하였다.

1 다음 낱말에 공통으로 쓰인 '교'의 뜻으로 알맞은 것에 ○표를 해 보세요.

> 교류(交流)   교체(交替)   교통(交通)   외교(外交)

(1) 만나다 (   )   (2) 사귀다 (   )   (3) 흐르다 (   )

2 다음의 낱말과 뜻이 알맞도록 선으로 이어 보세요.

(1) 유통(流通) •

(2) 유출(流出) •

(3) 문물 교류 (文物交流) •

• ① 화폐나 물품 등이 널리 쓰임.

• ② 문화의 모든 산물이 서로 오고 감.

• ③ 귀한 물건이나 정보 등이 불법적으로 외부로 나가 버림. 또는 그것을 내보냄.

3 빈칸에 들어갈 알맞은 낱말을 보기 에서 찾아 써 보세요.

> 보기   교통(交通)   외교(外交)   표류(漂流)

(1) 낡은 배 한 척이 [   ] 끝에 무인도에 도착했다.

(2) 두 나라는 [   ] 문제를 해결하기 위해 대화를 하고 있다.

(3) 부모님께서는 [   ] 혼잡을 줄이기 위해 대중교통을 이용하신다.

4 다음 대화에서 빈칸에 들어갈 낱말로 알맞은 것에 ○표를 해 보세요.

우리나라가 축구 경기에서 우승을 했는데, 그 비결이 무엇일까?

감독이 선수 [   ]을/를 아주 잘한 것 같아.

(1) 교류(交流) (   )   (2) 교체(交替) (   )   (3) 유통(流通) (   )

5 지욱이는 여름 방학 때 우리나라의 여러 지역을 여행하였습니다. 빈칸에 들어갈 낱말을 지도에서 찾아 선으로 이어 보면 지욱이가 여행한 경로를 알 수 있습니다. 지욱이가 여행한 차례대로 도시 이름을 써 보세요.

① 자전거가 낡아서 부품을 [＿＿＿] 해야 한다.

② 은행에서 개인 정보가 [＿＿＿] 되는 사고가 발생했다.

③ 아버지께서는 식료품 [＿＿＿] 과 관련된 일을 하신다.

④ 인터넷을 통해 다양한 문화와 기술을 쉽고 빠르게 [＿＿＿] 할 수 있다.

⑤ 비가 오는 궂은 날씨인데도 출근길 [＿＿＿] 이 혼잡하지 않아서 다행이다.

⑥ 연평도 근처에서 꽃게를 잡던 어선 한 척이 [＿＿＿] 중이라는 신고가 들어왔다.

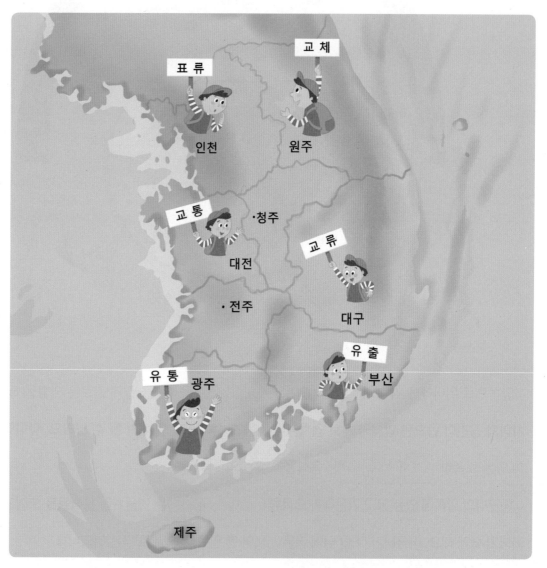

지욱이의 여행 경로: 원주 ➡ 부산 ➡ [＿＿＿] ➡ 대구 ➡ [＿＿＿] ➡ [＿＿＿]

입 안을 살펴보아요!

사람이나 동물의 입 안에 있으며 무엇을 물거나 음식물을 씹는 일을 하는 기관을 '이'라고 해요. '이빨'은 '이'를 낮잡아 이르는 말로, 짐승의 이를 일컬을 때 주로 사용하지요. 사람의 '이'를 '이빨'이라고 말하는 것은 '눈'을 '눈깔'이라고 말하는 것과 같아요. 그러니까 '치아'나 '이'라고 말하는 것이 올바른 표현이에요.

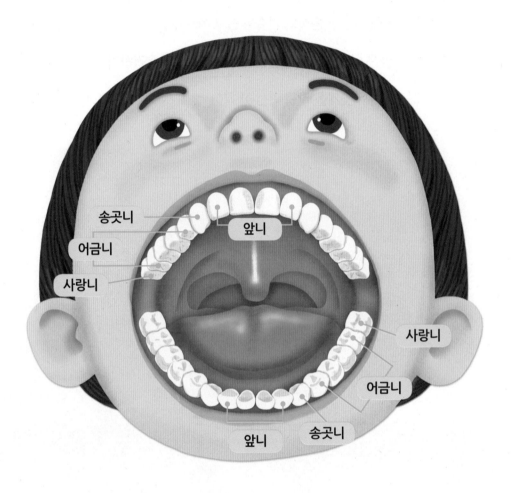

앞쪽으로 위아래에 각각 네 개씩 나 있는 ☐☐는 음식물을 잘게 자르는 역할을 해요. 만약 앞니 사이의 공간이 좁으면 앞니가 서로 겹치거나 삐뚤게 솟아나서 '덧니'가 될 수 있어요. 앞니와 어금니 사이에 있는 뽀족한 ☐☐☐는 음식물을 찢는 역할을 해요.

송곳니의 안쪽에 있는 크고 가운데가 오목한 ☐☐☐는 맷돌처럼 음식물을 으깨고 잘게 갈아 소화되기 쉽게 해요. 어금니가 다 난 뒤에 어른이 되어 맨 안쪽 끝에 새로 나는 어금니를 ☐☐☐라고 하는데, 지혜를 알 때쯤 나는 치아라고 해서 '지치'라고도 한답니다.

정답: (차례대로) 앞니, 송곳니, 어금니, 사랑니

28

2주 어휘 미리보기

뜻을 알고 있는 낱말에 V표 해 보세요.
알고 있는 낱말은 글에서 어떻게 쓰였는지 확인하고,
모르는 낱말은 글을 읽으며 재미있게 익혀 보아요.

		배울 내용	배울 낱말		공부한 날
Day 06	속담	구르는 돌은 이끼가 안 낀다	☐ 학사 ☐ 흡족 ☐ 신뢰 ☐ 기여	☐ 몰두 ☐ 손수 ☐ 창제 ☐ 정진	월 / 일
Day 07	관용어	어깨가 무겁다	☐ 북진 ☐ 우호 ☐ 담판 ☐ 수교	☐ 배척 ☐ 정벌 ☐ 계승 ☐ 요충지	월 / 일
Day 08	한자 성어	정저지와(井底之蛙)	☐ 사절단 ☐ 궁핍 ☐ 낙후 ☐ 허례허식	☐ 실소 ☐ 자급자족 ☐ 명분 ☐ 선구자	월 / 일
Day 09	교과 어휘 - 사회	해남 땅끝 마을을 다녀와서	☐ 한반도 ☐ 북위 ☐ 장관 ☐ 선착장	☐ 최남단 ☐ 다도해 ☐ 돛 ☐ 해안	월 / 일
Day 10	한자 어휘	'속(速)'과 '도(度)'가 들어간 말	☐ 속도 ☐ 졸속 ☐ 정도 ☐ 난이도	☐ 고속 ☐ 속전속결 ☐ 제도 ☐ 주행 속도	월 / 일

구르는 돌은 이끼가 안 낀다

아는 어휘에 ✓ 표시를 해 보고, 어휘의 뜻을 생각하며 글을 읽어 보세요.

☐ 학사 ☐ 몰두 ☐ 흡족 ☐ 손수 ☐ 신뢰 ☐ 창제 ☐ 기여 ☐ 정진

⏱ 공부한 날

월 일

    늦은 밤까지 책을 읽던 세종은 잠시 머리를 식히러 산책을 나갔습니다. 궁 안을 거닐던 세종은 집현전에 불이 켜져 있는 것을 보았습니다.

    "집현전 안에 누가 있는지 확인하고 오거라."

    신하가 집현전에 다녀와 아뢰었습니다.

    "집현전 안에는 신숙주라는 ❶학사가 있사옵니다."

    "신숙주는 이 늦은 시간까지 무얼 하고 있었는가?"

    "반듯한 자세로 책을 읽고 있었사옵니다."

    이 말을 듣고 방으로 돌아온 세종은 다시 책을 펼쳐 들고 학문에 ❷몰두했습니다. 세종은 한 번씩 신하를 불러 신숙주를 지켜보고 오도록 했습니다. 새벽이 되어 첫닭이 울자, 신숙주를 지켜보러 갔던 신하가 돌아와 아뢰었습니다.

    "신숙주가 막 잠이 들었사옵니다."

    젊은 학사가 밤새워 공부하고 새벽이 되어서야 잠들었다는 말을 듣고 세종은 ❸흐뭇해하며 말했습니다.

    "내가 직접 가 보아야겠다."

    집현전에 찾아가니, 신숙주는 읽던 책을 펼쳐 놓은 채 책상에 엎드려 자고 있었습니다. 세종은 노력하는 신하의 모습에 감동하여 ❹흡족한 미소를 지었습니다. 그러고는 자신이 입고 있던 옷을 벗어 신숙주에게 ❺손수 덮어 주었습니다. 얼마 뒤, 잠에서 깬 신숙주는 자신이 임금의 옷을 덮고 있다는 것을 깨닫고 매우 놀랐습니다.

    그 일이 있은 뒤, 신숙주는 더욱 학문에 힘썼습니다. 그리하여 세종의 ❻신뢰를 받는 신하가 되어 훈민정음 ❼창제와 같은 업적을 이루는 데 크게 ❽기여했습니다.

    "구르는 돌은 이끼가 안 낀다."라는 속담이 있습니다. 부지런하게 노력하는 사람은 계속 발전한다는 뜻입니다. 바로 신숙주와 세종처럼 발전해 나가기 위해 끊임없이 노력하는 사람을 '구르는 돌'이라고 할 수 있겠지요. 움직이지 않는 돌은 이끼가 끼고 고인 물은 썩게 됩니다. 노력하지 않으면 오히려 뒤처지게 되니, 자신의 발전을 위해서는 성실하게 ❾정진하는 자세가 무엇보다 중요한 것입니다.

❶ **학사**: 학술 연구에 온 힘을 기울이는 사람.

❷ **몰두했습니다**: 다른 일에 관심을 가지지 않고 한 가지 일에만 집중했습니다.

❸ **흐뭇해하며**: 마음에 들어 매우 만족스러워하며.

❹ **흡족한**: 조금도 모자람이 없을 정도로 넉넉하여 만족한.

❺ **손수**: 남의 힘을 빌리지 않고 자기 손으로 직접.

❻ **신뢰**: 굳게 믿고 의지함.

❼ **창제**: 전에 없던 것을 처음으로 만들거나 정함.

❽ **기여했습니다**: 도움이 되었습니다.

❾ **정진하는**: 힘쓰고 노력하여 나아가는.

1 **이 글의 내용으로 알맞은 것에 ○표, 알맞지 않은 것에 ×표를 해 보세요.**

(1) 세종은 늦은 밤까지 책을 읽다가 산책을 나갔다. ───────── (○ / ×)

(2) 세종은 신하를 시켜 신숙주에게 옷을 덮어 주도록 했다. ───────── (○ / ×)

(3) 신숙주는 훈민정음 창제와 같은 세종의 업적에 크게 기여했다. ───── (○ / ×)

2 **세종이 옷을 벗어 신숙주에게 덮어 준 이유로 알맞은 것을 골라 번호를 써 보세요.**

> ① 자신이 입고 있던 옷이 불편했기 때문이다.
>
> ② 노력하는 신하의 모습에 감동했기 때문이다.
>
> ③ 신숙주가 추운 날씨에 몸을 떨고 있었기 때문이다.

(   )

3 **이 글에서 '세종'과 '신숙주'를 비유한 표현으로 알맞은 것에 ○표를 해 보세요.**

(1) 이끼   (2) 고인 물   (3) 구르는 돌

(   )   (   )   (   )

4 **속담 "구르는 돌은 이끼가 안 낀다."의 뜻으로 알맞은 말을 골라 ○표를 해 보세요.**

> 끊임없이 구르는 돌은 이끼가 낄 틈이 없다. 반대로 움직이지 않는 돌은 이끼가 끼게 된다. "구르는 돌은 이끼가 안 낀다."라는 속담은 부지런하고 꾸준히 { 노력 / 상상 }하는 사람은 계속 { 후퇴 / 발전 }한다는 뜻이다.

5 다음의 낱말과 뜻이 알맞도록 선으로 이어 보세요.

(1) 몰두하다 • • ① 도움이 되다.

(2) 기여하다 • • ② 힘쓰고 노력하여 나아가다.

(3) 정진하다 • • ③ 다른 일에 관심을 가지지 않고 한 가지 일에만 집중하다.

6 낱말의 관계를 생각하여 빈칸에 들어갈 알맞은 낱말에 ○표를 해 보세요.

| 신뢰: 굳게 믿고 의지함. | ↔ | ⬚ : 믿지 않음. |

(1) 만족 (　　　)　　　(2) 불신 (　　　)　　　(3) 자신 (　　　)

7 빈칸에 공통으로 들어갈 알맞은 낱말을 써 보세요.

⬚⬚ : 남의 힘을 빌리지 않고 자기 손으로 직접.

예 어버이날 아침에 ⬚⬚ 만든 카네이션을 부모님 가슴에 달아 드렸다.

8 "구르는 돌은 이끼가 안 낀다."라는 속담과 비슷한 뜻을 가진 표현에 ○표를 해 보세요.

(1) 식은 죽 먹기　　　(2) 꼬리가 길면 밟힌다　　　(3) 흐르는 물은 썩지 않는다

(　　　)　　　　　　　(　　　)　　　　　　　　(　　　)

9 다음 문장에서 밑줄 친 부분을 바르게 고쳐 써 보세요.

(1)
> 머리가 아파 책상에 <u>업드려</u> 있었다.

(   )

(2)
> 날씨가 추워서 이불을 머리끝까지 <u>덥고</u> 잤다.

(   )

(3)
> 해 뜨는 모습을 보고 싶어서 <u>새벽에</u> 일찍 일어났다.

(   )

틀리기 쉬워요!

10 다음 문장에서 밑줄 친 표현이 올바른 것을 골라 ○표를 해 보세요.

(1) ① 나는 동생을 <u>놀라</u> 주려고 살금살금 걸어갔다. ─────── (   )

    ② 나는 동생을 <u>놀래</u> 주려고 살금살금 걸어갔다. ─────── (   )

(2) ① 지우가 벌레를 보고 깜짝 <u>놀라</u> 소리를 질렀다. ─────── (   )

    ② 지우가 벌레를 보고 깜짝 <u>놀래</u> 소리를 질렀다. ─────── (   )

(3) ① 별안간 천둥 치는 소리가 들려서 깜짝 <u>놀랐다</u>. ─────── (   )

    ② 별안간 천둥 치는 소리가 들려서 깜짝 <u>놀랬다</u>. ─────── (   )

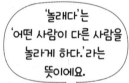

'놀래다'는 '어떤 사람이 다른 사람을 놀라게 하다.'라는 뜻이에요.

11 다음 문장에 어울리는 낱말의 형태를 골라 ○표를 해 보세요.

(1) 실험실에 촛불이 { 켜고 / 켜져 } 있는 것을 보았다.

(2) 우리가 환경 보호에 { 기여할 / 기여될 } 수 있는 일은 무엇일까?

(3) 미술 선생님께서는 학생들의 솜씨를 { 흡족하게 / 흡족되게 } 생각하셨다.

스스로 붙임딱지

어깨가 무겁다

아는 어휘에 ✓ 표시를 해 보고, 어휘의 뜻을 생각하며 글을 읽어 보세요.

☐ 북진 ☐ 배척 ☐ 우호 ☐ 정벌 ☐ 담판 ☐ 계승 ☐ 수교 ☐ 요충지

🕐 공부한 날

월   일

❶ **북진**: 어떤 집단이나 세력 등이 북쪽으로 향하여 감.

❷ **유역**: 강의 영향을 받는 강의 주변 지역.

❸ **배척하게**: 싫어하여 끼워 주지 않거나 따돌려 밀어내게.

❹ **우호**: 개인이나 나라가 서로 사이가 좋음.

❺ **눈엣가시**: 몹시 미워서 보기가 싫은 사람.

❻ **정벌하기**: 적이나 나쁜 무리를 힘으로 물리치기.

❼ **조정**: 임금이 나라의 정치를 신하들과 의논하거나 집행하는 곳.

❽ **담판**: 서로 맞선 관계에 있는 둘이 논의하여 옳고 그름을 따져 결론을 내림.

❾ **어깨가 무거웠어요**: 힘겹고 중대한 일을 맡아 책임감을 느끼고 마음의 부담이 컸어요.

❿ **눈 하나 깜짝 안 하고**: 태도나 눈치 등이 아무렇지도 않은 듯이 보통 때와 같이 행동하거나 대하고.

⓫ **계승하여**: 조상의 전통이나 문화, 업적 등을 물려받아 계속 이어 나가.

⓬ **수교**: 두 나라가 외교 관계를 맺음.

⓭ **요충지**: 교통이나 상업, 군사적인 면에서 아주 중요한 지역.

약 1천 년 전, 동아시아 지역은 고려, 송나라, 거란, 여진 등 여러 나라가 서로 경쟁하고 있었습니다. 그중 고려는 거란과 여진에 맞서 ❶북진 정책을 펼치면서 압록강 ❷유역까지 영토를 확장하여 새로운 강대국으로 떠오르고 있었지요. 고려는 여러 나라들 사이에서 누구와 손을 잡을지 결정해야 했습니다. 고민 끝에 고려는 발전된 문화를 지닌 송나라를 가까이하고 발해를 멸망시켰던 거란을 ❸배척하게 되었어요.

고려가 송나라와 ❹우호 관계를 맺자, 거란은 이를 ❺눈엣가시처럼 여겼습니다. 결국 고구려의 옛 땅을 돌려 달라는 핑계를 대며 거란의 소손녕 장군이 이끄는 80만 명의 군사가 고려를 ❻정벌하기 위해 압록강을 넘어왔습니다.

거란군의 공격에 놀란 고려 ❼조정에서는 거란에 항복하고 서경 이북의 땅을 넘겨주자는 의견이 많았습니다. 당시 왕이었던 성종 역시 거란의 요구를 받아들이려고 했지요. 이 와중에 서희는 거란의 속셈이 고려의 영토를 빼앗는 게 아니라 고려와 송나라의 관계를 끊는 것에 있다고 판단했습니다. 서희는 자신이 소손녕을 직접 만나서 ❽담판을 짓겠다고 나섰어요.

마침내 서희는 성종을 설득시켰고, 이 일을 해결하기 위해 고려를 대표하는 신하 자격으로 길을 떠났습니다. 고려의 운명을 짊어진 채 거란의 장수를 만나러 가는 서희의 ❾어깨가 무거웠어요.

고려는 고구려를 계승한 나라이지요.

소손녕을 마주한 서희는 ❿눈 하나 깜짝 안 하고 고려는 고구려를 ⓫계승하여 세워진 나라임을 밝혔어요. 오히려 거란이 남의 땅을 차지하고 있는 것이라 주장하였지요. 또한 서희는 거란과 ⓬수교를 맺고 싶지만, 중간에 여진이 끼여 있어 어렵다고 말하며 소손녕을 달랬습니다. 결국 거란은 서희의 주장을 받아들였고, 소손녕과 군사들은 거란으로 되돌아갔어요.

얼마 뒤, 서희는 군사를 이끌고 압록강 지역에 살고 있던 여진족을 몰아내고 강동 6주를 고려의 땅으로 만들었습니다. 서희의 현명한 판단 덕분에 군사와 교통의 ⓭요충지인 강동 6주를 차지하게 된 것입니다.

— 서희의 외교 담판

1 **이 글의 내용으로 알맞은 것에 ○표, 알맞지 않은 것에 ×표를 해 보세요.**

(1) 거란이 침입해 오자 고려 조정에서는 거란에게 항복하였다. .... (○ / ×)

(2) 고려가 송나라를 가까이하자 거란의 군대가 고려를 정벌하러 왔다. .... (○ / ×)

(3) 소손녕 장군은 거란으로 되돌아가며 서희에게 강동 6주를 선물하였다. .... (○ / ×)

2 **이 글의 중요한 내용을 차례대로 정리한 것입니다. 빈칸에 들어갈 알맞은 낱말을 보기에서 찾아 써 보세요.**

> 보기   계승   설득   정벌

> 고려가 송나라와 우호 관계를 맺자, 거란이 고려를 [   ]하기 위해 소손녕 장군과 80만 대군을 보내 공격해 옴.

↓

> 거란의 공격에 놀란 조정에서는 거란에 항복하자고 하였으나, 서희는 자신이 소손녕을 만나 담판을 짓겠다고 나서서 왕을 [   ]시킴.

↓

> 소손녕을 만난 서희는 고려가 고구려를 [   ]한 나라임을 밝히며 소손녕을 달래 거란으로 돌려보낸 뒤, 여진족을 몰아내고 군사와 교통의 요충지인 강동 6주를 차지함.

3 **관용어 '어깨가 무겁다'를 바르게 활용하여 말한 친구의 이름을 써 보세요.**

(1) 어젯밤에 잠을 잘못 잤는지 어깨가 무거워.
수민

(2) 모둠 활동에서 사회자 역할을 맡게 되어서 어깨가 무거워.
서아

(3) 책가방에 교과서를 많이 넣었더니 어깨가 무거워.
도현

(   )

4 다음의 낱말과 뜻이 알맞도록 선으로 이어 보세요.

(1) 북진 •

(2) 정벌하다 •

(3) 계승하다 •

• ① 적이나 나쁜 무리를 힘으로 물리치다.

• ② 어떤 집단이나 세력 등이 북쪽으로 향하여 감.

• ③ 조상의 전통이나 문화, 업적 등을 물려받아 계속 이어 나가다.

5 주어진 낱말의 뜻을 살펴보고 빈칸에 알맞은 낱말을 써 보세요.

(1)
낱말의 뜻	교통이나 상업, 군사적인 면에서 아주 중요한 지역.
문장 예	이곳은 공항이 가까워서 교통의 ☐☐☐라고 할 수 있다.

(2)
낱말의 뜻	서로 맞선 관계에 있는 둘이 논의하여 옳고 그름을 따져 결론을 내림.
문장 예	주인과 직접 만나 누가 옳은지 ☐☐을 지어야겠다.

6 다음은 의미가 비슷한 것끼리 짝 지은 것입니다. 빈칸에 들어갈 알맞은 낱말을 보기 에서 찾아 써 보세요.

보기	배척	수교	우호	눈엣가시

(1) ☐☐ – ☐☐ 하다 – 몰아내다

(2) ☐☐ 를 다지다 – ☐☐ 를 맺다 – 가까이 지내다

7 밑줄 친 부분의 뜻으로 알맞은 것을 보기 에서 찾아 번호를 써 보세요.

> 보기 ① 하던 일을 그만두다.
>
> ② 서로 도와서 함께 일을 하다.

(1) 서로 경쟁하던 두 후보자가 결국 손을 잡았다. ⋯⋯⋯⋯⋯⋯⋯⋯⋯⋯⋯ (   )

(2) 아버지께서는 의류 사업에서 손을 떼고 시골로 내려가셨다. ⋯⋯⋯⋯⋯⋯ (   )

틀리기 쉬워요!

8 다음 문장에서 올바른 표현을 골라 ○표를 해 보세요.

(1) 이번에는 확실하게 담판을 { 짓도록 / 짖도록 } 하자.

(2) 친구의 물건을 { 빼앗는 / 빼았는 } 것은 옳지 않은 행동이다.

(3) 유비, 관우, 장비는 복숭아나무 아래에서 형제의 인연을 { 맺기로 / 맽기로 } 했다.

> **호응** [부를 호(呼) 응할 응(應)]
> '호응'은 문장에서 어떤 말이 앞에 나오면 뒤에 어울리는 말이 뒤따라오는 것을 의미해요. 문장에서 앞뒤 말이 호응을 이루지 않으면 어색한 문장이 되거나, 의미가 잘못 전달될 수 있어요.

9 다음 문장에서 호응 관계가 알맞은 것을 골라 ○표를 해 보세요.

(1) 고양이가 생쥐를 { 잡았다 / 잡혔다 }.

(2) 내일 우리 학급은 체험학습을 { 갔다 / 갈 것이다 }.

(3) 우리는 { 반드시 / 절대로 } 모둠 과제를 완성할 것이다.

한자 성어

정저지와 (井 우물 정 底 밑 저 之 어조사 지 蛙 개구리 와)

아는 어휘에 ✔ 표시를 해 보고, 어휘의 뜻을 생각하며 글을 읽어 보세요.

☐ 사절단 ☐ 실소 ☐ 궁핍 ☐ 자급자족 ☐ 낙후 ☐ 명분 ☐ 허례허식 ☐ 선구자

공부한 날
월   일

❶ **실학자**: 실학(17세기 후반부터 조선 말기까지, 실생활의 향상과 사회 제도의 개선을 이루고자 한 학문)을 연구하는 학자.

❷ **사절단**: 나라를 대표하여 어떤 일을 맡고 다른 나라에 가는 사람들의 무리.

❸ **실소**: 어처구니 없어 자기도 모르게 웃음이 툭 터져 나옴. 또는 그 웃음.

❹ **궁핍함**: 물질적으로나 정신적으로 가난하고 여유가 없는 상태.

❺ **자급자족**: 필요한 것을 스스로 생산하여 채움.

❻ **낙후되어**: 기술, 문화, 생활 등이 일정한 기준에 미치지 못하고 뒤떨어져.

❼ **명분**: 어떤 일을 하기 위해 내세우는 이유나 핑계.

❽ **허례허식**: 형편에 맞지 않게 겉만 화려하게 꾸밈. 또는 그런 예절.

❾ **이용후생**: 기구를 편리하게 쓰고 먹을 것과 입을 것을 넉넉하게 하여, 국민의 생활을 나아지게 함.

❿ **선구자**: 사회적으로 중요한 일이나 사상에서 다른 사람보다 앞선 사람.

『열하일기』는 조선 후기의 ❶실학자이자 소설가인 연암 박지원이 1780년에 청나라 건륭 황제의 생일을 축하하기 위한 ❷사절단을 따라 심양, 연경, 북경, 열하 등을 여행하고 돌아와 쓴 기행문으로, 당시 조선 사회에서 큰 관심을 불러일으키며 인기를 끌었습니다.

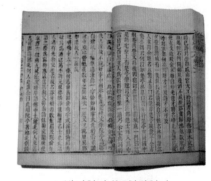

▲ 박지원이 쓴 『열하일기』

박지원은 북경에서 돌아올 때 큰 보따리 하나를 들고 왔다고 합니다. 사람들은 박지원이 무엇을 가져왔을지 잔뜩 기대하며 궁금해했지요. 마침내 그가 보따리를 풀자, 사람들은 모두 ❸실소를 터뜨리며 돌아갔다고 합니다. 왜냐하면 보따리 안에는 온통 종이들만 가득했기 때문이에요. 그 종이에는 청나라의 도서 목록과 각종 자료는 물론, 여행지에서 만난 사람들에게 들은 내용까지 꼼꼼하게 적혀 있었습니다.

박지원은 왜 청나라의 모든 것을 빠짐없이 기록하여 소중하게 가져왔을까요? 박지원은 당시 조선보다 문명이 발달한 청나라를 배우는 것이야말로 가난하고 힘이 약한 조선이 '정저지와'와 같은 신세에서 벗어날 수 있는 길이라고 생각했던 것입니다.

청나라에서 본 반듯하게 정리된 넓은 길, 기와, 벽돌, 크고 단단한 배, 화물을 실은 수레는 박지원의 가슴을 뛰게 만들었습니다. 넓은 길 위로 수레들이 바삐 오갔고 사람들 옷차림에서 살림살이의 ❹궁핍함이란 찾아볼 수가 없었습니다. 당시 조선에도 수레가 있었지만, 바퀴가 완벽하게 둥글지 않았고 길도 험하여 여간 불편한 게 아니었습니다. 수레가 자유롭게 다니지 못하니 조선은 ❺자급자족에 머물고 나라 경제가 ❻낙후되어 백성이 가난에서 벗어나지 못했던 것입니다.

그 당시 조선의 선비들은 청나라를 오랑캐로 여기고 무시했습니다. 쓸데없는 자존심과 ❼명분에 얽매여 청나라의 선진 문물을 받아들이지 못하고 있었지요. 반면에 연암 박지원은 홍대용, 박제가 등과 더불어 양반들의 ❽허례허식을 비판하고 나라의 발전과 백성들의 실생활에 도움이 되는 ❾이용후생의 학문을 주장했습니다. 당시 조선의 선비들이 '우물 안 개구리'였다면, 박지원은 『열하일기』를 통해 조선 사람들이 우물을 벗어나 새로운 세상을 품게 해 주었던 ❿선구자였습니다.

1 연암 박지원이 『열하일기』를 쓴 까닭으로 알맞은 것에 ○표를 해 보세요.

(1) 청나라 황제의 생일을 축하하기 위해서이다. ┄┄┄┄┄┄┄┄┄┄┄┄┄┄┄┄┄┄ (   )

(2) 청나라를 오랑캐로 생각하고 무시했기 때문이다. ┄┄┄┄┄┄┄┄┄┄┄┄┄┄┄ (   )

(3) 청나라를 배워야 조선이 가난에서 벗어날 수 있다고 생각했기 때문이다. ┄┄┄ (   )

2 이 글로 미루어 볼 때, 당시 조선의 모습으로 알맞은 것을 골라 ○표를 해 보세요.

(1)
> 길이 험하여 물자 운반이나 사람의 이동이 쉽지 않았다.

(   )

(2)
> 넓은 길 위로 수레들이 바삐 오갔고 사람들이 궁핍해 보이지 않았다.

(   )

3 조선 후기에 선비들과 실학자들의 생각은 어떠했는지 모두 찾아 선으로 이어 보세요.

(1) 선비들 •

• ① 양반들의 허례허식을 비판함.

• ② 청나라를 오랑캐로 여기고 무시함.

• ③ 자존심과 명분에 얽매여 선진 문물을 받아들이지 못함.

(2) 실학자들 •

• ④ 나라의 발전과 백성들의 실생활에 도움이 되는 이용후생의 학문을 주장함.

4 '정저지와'의 뜻을 살펴보고, 이 글에서 '우물'이 의미하는 것을 골라 ○표를 해 보세요.

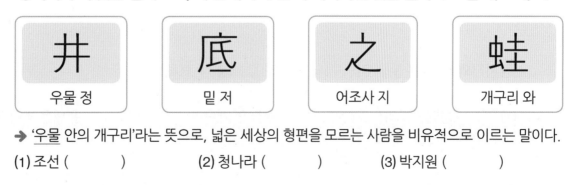

井	底	之	蛙
우물 정	밑 저	어조사 지	개구리 와

➡ '우물 안의 개구리'라는 뜻으로, 넓은 세상의 형편을 모르는 사람을 비유적으로 이르는 말이다.

(1) 조선 (   )　　　(2) 청나라 (   )　　　(3) 박지원 (   )

5 다음의 낱말과 뜻이 알맞도록 선으로 이어 보세요.

(1) 허례허식 •

(2) 자급자족 •

(3) 궁핍하다 •

(4) 낙후되다 •

• ① 필요한 것을 스스로 생산하여 채움.

• ② 물질적으로나 정신적으로 가난하고 여유가 없다.

• ③ 형편에 맞지 않게 겉만 화려하게 꾸밈. 또는 그런 예절.

• ④ 기술, 문화, 생활 등이 일정한 기준에 미치지 못하고 뒤떨어지게 되다.

6 빈칸에 들어갈 알맞은 낱말을 보기 에서 찾아 써 보세요.

보기	명분	사절단	선구자

(1) 국토 개발이라는 [   ]으로도 환경을 파괴해서는 안 된다.
↳ 어떤 일을 하기 위해 내세우는 이유나 핑계.

(2) 우리 모두가 더 좋은 세상을 만드는 데 [   ]가 되어야 한다.
↳ 사회적으로 중요한 일이나 사상에서 다른 사람보다 앞선 사람.

(3) 정부는 새로 당선된 미국 대통령에게 축하 [   ]을 보내기로 했다.
↳ 나라를 대표하여 어떤 일을 맡고 다른 나라에 가는 사람들의 무리.

7 '정저지와'와 같은 뜻을 지닌 속담을 골라 ○표를 해 보세요.

(1) 개밥에 도토리   (2) 우물 안 개구리   (3) 꿀 먹은 벙어리

(   )   (   )   (   )

8 밑줄 친 부분을 네 글자로 이루어진 한자어로 바꾸어 써 보세요.

(1)
> 양반들은 형편에 맞지 않게 겉만 화려하게 꾸미고 그런 예절을 중요하게 생각했다.

→ ㅎ | ㄹ | ㅎ | ㅅ

(2)
> 실학자들은 기구를 편리하게 쓰고 살림을 넉넉하게 하여 나라의 발전과 백성들의 실생활에 도움이 되는 학문을 주장했다.

→ ㅇ | ㅇ | ㅎ | ㅅ

틀리기 쉬워요!

9 다음 문장에서 올바른 표현을 골라 ○표를 해 보세요.

(1) 누나는 가족에게 { 얽매어 / 얽매여 } 꿈을 포기하고 말았다.

(2) { 보따리 / 봇다리 } 속에는 할머니께서 담그신 고추장이 들어 있었다.

(3) 아무리 노력해도 피아노 실력이 늘지 않은 채 그 상태로 { 머물러 / 머물어 } 있다.

'여간'은 주로
'~지 않다.', '~이 아니다.'와
함께 써요.

틀리기 쉬워요!

10 다음 문장의 밑줄 친 부분을 바르게 고쳐 써 보세요.

(1) 국어 공부를 꾸준히 하는 게 여간 어렵다.

→ ( )

(2) 우리 반 남자아이들은 야구를 여간 좋아한다.

→ ( )

해남 땅끝 마을을 다녀와서

아는 어휘에 ✔ 표시를 해 보고, 어휘의 뜻을 생각하며 글을 읽어 보세요.

☐ 한반도 ☐ 최남단 ☐ 북위 ☐ 다도해 ☐ 장관 ☐ 돛 ☐ 선착장 ☐ 해안

😊 **공부한 날**

월   일

지난 주말에 우리 가족은 해남으로 여행을 다녀왔습니다. 오랜만에 떠나는 가족 여행이라서 무척 설렜습니다.

곧게 뻗은 고속 국도를 신나게 달려 오후 2시쯤 해남 땅끝 마을에 도착했습니다. 구름 한 점 없는 맑은 날씨가 우리를 반겨 주는 듯했습니다.

전라남도 해남군 송지면 갈두산 사자봉 땅끝은 [1]한반도의 [2]최남단으로, [3]북위 34도 17분 32초에 위치해 있습니다. '한반도의 끝'인 이곳에는 [4]다도해의 아름다운 풍경을 즐기려는 관광객의 발길이 일 년 내내 끊이지 않는다고 합니다.

우리 가족은 제일 먼저 땅끝 전망대로 향했습니다. 주차장에서 전망대까지는 약 200미터쯤 경사진 언덕길을 올라가야 했습니다. 이마에 땀이 송골송골 맺히기도 했지만, 이야기를 나누며 걷다 보니 어느새 지상 9층 높이의 전망대가 가까이 보였습니다.

횃불 모양을 하고 있는 땅끝 전망대에 오르니 탁 트인 다도해의 풍경이 한눈에 들어왔습니다. 드넓은 바다 위에 흩뿌려 놓은 듯한 아름다운 섬들이 [5]장관이었습니다. 주변 섬을 오가는 배와 전복 양식장의 모습도 보였습니다. 날씨가 맑은 날에는 멀리 제주도 한라산까지 보인다고 합니다.

▲ 땅끝 전망대

전망대에서 나온 우리는 내리막길을 따라 500미터쯤 걸어 땅끝탑에 도착했습니다. [6]돛을 펼쳐 놓은 것 같은 삼각뿔 모양의 땅끝탑 앞은 사진을 찍으려는 사람들로 혼잡했습니다. 우리도 저녁노을이 붉게 물든 하늘과 바다 풍경을 배경으로 가족 사진을 찍었습니다.

우리는 갈두항 [7]선착장으로 이동하여 근처 식당에서 싱싱한 생선회를 먹었습니다. 그리고 나서 [8]해안 산책길을 따라 걸었습니다. 갯바위에 부딪히는 파도 소리가 맑고 시원하게 느껴졌습니다.

숙소에 도착한 우리 가족은 내일 맴섬 사이로 해가 떠오르는 모습을 보기 위하여 일찍 잠자리에 들었습니다.

---

❶ **한반도**: 아시아 대륙의 동북쪽 끝에 있는, 우리나라가 속한 반도. 반도는 대륙에서 바다 쪽으로 길게 내민 땅으로, 삼면이 바다로 둘러싸이고 한 면은 육지에 이어진 땅을 말함.

❷ **최남단**: 어떤 지역에서 남쪽의 맨 끝.

❸ **북위**: 적도로부터 북극에 이르기까지의 위도.

❹ **다도해**: 전라남도와 대한 해협 사이에 있는, 섬이 많은 바다.

❺ **장관**: 훌륭하고 대단한 광경.

❻ **돛**: 배 바닥에 세운 기둥에 매어 펴 올리고 내리고 할 수 있도록 만든 넓은 천. 바람을 받아 배를 가게 함.

돛 →

❼ **선착장**: 배가 와서 닿는 곳.

❽ **해안**: 바다와 맞닿은 육지 부분으로 갯벌이 나타나거나 모래사장이 있는 곳도 있음.

1 **해남 땅끝 마을에 대한 설명으로 알맞은 것에 ○표, 알맞지 않은 것에 ×표를 해 보세요.**

(1) 아시아 대륙의 남쪽 끝이다. ⸺⸺⸺⸺⸺⸺⸺⸺⸺ (○ / ×)

(2) 행정 구역상 전라남도 해남군 송지면에 속한다. ⸺⸺⸺⸺ (○ / ×)

(3) 동해의 아름다운 풍경을 즐기려는 관광객이 많이 찾는다. ⸺ (○ / ×)

2 **다음은 땅끝 전망대에 대하여 정리한 내용입니다. 빈칸을 알맞게 채워 보세요.**

- 지상 9층 높이의 ▢▢ 모양으로, ▢▢▢의 풍경이 한눈에 들어옴.
- 아름다운 섬들, 주변 섬을 오가는 배, 전복 ▢▢▢의 모습을 볼 수 있음.

3 **다음 문장을 읽고 기행문의 3요소에 맞게 선으로 이어 보세요.**

(1) 갯바위에 부딪히는 파도 소리가 맑고 시원하게 느껴졌습니다. •

(2) 날씨가 맑은 날에는 멀리 제주도 한라산까지 보인다고 합니다. •

(3) 전망대에서 나온 우리는 내리막길을 따라 500미터쯤 걸어 땅끝탑에 도착했습니다. •

• ① 여정

• ② 견문

• ③ 감상

4 **글쓴이가 해남 땅끝 마을에 도착하여 이동한 순서에 따라 번호를 써 보세요.**

① 땅끝탑   ② 해안 산책길
③ 땅끝 전망대   ④ 갈두항 선착장 근처 식당

(   ) ➡ (   ) ➡ (   ) ➡ (   ) ➡ 숙소

5 다음의 낱말과 뜻이 알맞도록 선으로 이어 보세요.

(1) 반도 •

(2) 북위 •

(3) 최남단 •

• ① 어떤 지역에서 남쪽의 맨 끝.

• ② 적도로부터 북극에 이르기까지의 위도.

• ③ 대륙에서 바다 쪽으로 길게 내민 땅으로, 삼면이 바다로 둘러싸이고 한 면은 육지에 이어진 땅을 말함.

6 빈칸에 들어갈 알맞은 낱말을 보기 에서 찾아 써 보세요.

보기   해안   다도해   선착장

(1) 철새들이 알을 낳으려고 [　　　　] 가까이로 모여들었다.

(2) 유람선이 [　　　　]에 도착하자마자 사람들이 줄지어 내렸다.

(3) 산꼭대기에서 보면 [　　　　]의 크고 작은 섬들이 한눈에 들어온다.

복합어 [겹칠 복(複) 합할 합(合) 말씀 어(語)]
'사과나무', '검붉다'처럼 뜻이 있는 두 낱말을 합한 낱말과 '맨주먹', '햇밤', '덧신'처럼 뜻을 더해 주는 말과 뜻이 있는 낱말을 합한 낱말을 복합어라고 해요.

7 다음 복합어에서 밑줄 친 '길'과 의미가 다른 것을 골라 ×표를 해 보세요.

• 언덕 + 길 → 언덕길   • 내리막 + 길 → 내리막길

(1) 꿈길   (2) 골목길   (3) 시골길

(　　　)   (　　　)   (　　　)

8 다음 문장에서 밑줄 친 표현이 올바른 것을 골라 ○표를 해 보세요.

(1) ① <u>오랜만에</u> 만난 친구와 반갑게 인사를 했다. ⸺⸺⸺⸺⸺⸺ (   )

② <u>오랫만에</u> 만난 친구와 반갑게 인사를 했다. ⸺⸺⸺⸺⸺⸺ (   )

(2) ① 그녀는 <u>설레는</u> 마음으로 약속 장소에 나갔다. ⸺⸺⸺⸺⸺ (   )

② 그녀는 <u>설레이는</u> 마음으로 약속 장소에 나갔다. ⸺⸺⸺⸺ (   )

(3) ① 농부가 밭에 씨앗을 <u>흐뿌리며</u> 잘 자라기를 기원했다. ⸺⸺⸺ (   )

② 농부가 밭에 씨앗을 <u>흩뿌리며</u> 잘 자라기를 기원했다. ⸺⸺⸺ (   )

2주차
Day
09

정답과 해설 23쪽

9 다음 문장에서 틀린 부분을 찾아 바르게 고쳐 써 보세요.

(1)

유람선이 돗을 활짝 펴고 천천히 바다로 나아갔다.

(   ) ➜ (   )

(2)

산에서 내려다본 도시의 모습은 그야말로 장간이었다.

(   ) ➜ (   )

(3)

체육 대회가 열리자 아이들의 응원 소리가 끈이지 않는다.

(   ) ➜ (   )

10 다음 문장에 어울리는 낱말의 형태를 골라 ○표를 해 보세요.

(1) 아이들의 콧등에 땀방울이 { 맺혀 / 맺혀져 } 있다.

(2) 현관문에 { 부딪혀 / 부딪히는 } 바람에 머리에 혹이 났다.

(3) 아빠와 함께 언덕 위에 { 올라 / 오르니 } 밤하늘의 별을 바라보았다.

'속(速)'과 '도(度)'가 들어간 말

아는 어휘에 ✔ 표시를 해 보고, 아래 활동을 하며 뜻을 익혀 보세요.

☐ 속도 ☐ 고속 ☐ 졸속 ☐ 속전속결 ☐ 정도 ☐ 제도 ☐ 난이도 ☐ 주행 속도

速
빠를 속

이 한자는 辶(쉬엄쉬엄 갈 착) 자와 나뭇단을 묶어 놓은 모습을 나타내는 束(묶을 속) 자가 합하여 이루어진 글자예요. '빠르다'의 뜻을 가지고 있어요.

순서대로 써 봐요.

速
빠를 속

'속도'는 물체가 움직이거나 일이 진행되는 빠르기를 말해요.

● 속(速)이 들어간 낱말은 '빠르다'의 뜻을 지니는 경우가 많아요.

고	속
높을 高	빠를 速

뜻 매우 빠른 속도.

예 이번 명절에는 고속 전철을 타고 고향에 다녀왔다.

졸	속
옹졸할 拙	빠를 速

뜻 허술하고 어설프며 빠름. 또는 그런 태도.

예 이번 개교기념일 행사는 졸속으로 진행되어 문제가 많았다.

속	전	속	결
빠를 速	싸움 戰	빠를 速	결단할 決

뜻 어떤 일을 빨리 진행하여 빨리 끝냄을 비유적으로 이르는 말.

예 국회 의원들은 새 법안을 속전속결로 처리했다.

이번 일은 속전속결로 처리하자!

'速'과 '度'를 활용한 말로 '주행 속도'라는 말이 있어요.

주	행	속	도
달릴 走	다닐 行	빠를 速	법도 度

'주행 속도'는 자동차 따위의 교통수단이 움직여 가는 속도를 의미해요.

인구가 빠른 속도로 늘어나고 있어.

법도 도

이 한자는 广(집 엄), 廿(스물 입), 又(또 우) 자가 합하여 이루어졌어요. 집 주위로 돌멩이를 던지는 모습을 표현한 글자예요. '법도'나 '헤아리다'의 뜻을 가지고 있어요.

度

법도 도

● 도(度)가 들어간 낱말은 '법도'의 뜻을 지니는 경우가 많아요.

정 도	
한도 程 법도 度	뜻 사물의 성질이나 가치를 좋고 나쁨이나 더하고 덜한 정도로 나타내는 분량이나 수준. 예 이번 태풍으로 인해 농촌 지역의 피해 정도가 크다.
제 도	
절제할 制 법도 度	뜻 관습, 도덕, 법률 등의 규범이나 사회 구조의 체계. 예 우리나라의 교육 제도를 개선해야 한다는 의견이 많다.
난 이 도	
어려울 難 쉬울 易 법도 度	뜻 공부, 시험 문제, 운동, 기술 등의 어렵고 쉬운 정도. 예 이번 시험의 난이도가 작년과 비슷하다.

1 다음 낱말에 공통으로 쓰인 '속'의 뜻으로 알맞은 것에 ○표를 해 보세요.

속도(速度)　　　고속(高速)　　　졸속(拙速)　　　속전속결(速戰速決)

(1) 빠르다 (　　　　)　　　　(2) 지나다 (　　　　)　　　　(3) 흐르다 (　　　　)

2 다음의 낱말과 뜻이 알맞도록 선으로 이어 보세요.

(1) 고속(高速)　•

(2) 졸속(拙速)　•

(3) 속전속결
(速戰速決)　•

•① 매우 빠른 속도.

•② 어떤 일을 빨리 진행하여 빨리 끝냄.

•③ 허술하고 어설프며 빠름. 또는 그런 태도.

3 밑줄 친 낱말의 뜻으로 알맞은 것을 골라 번호를 써 보세요.

(1) 홍수로 인한 피해 정도(程度)가 심하다. ·· (　　　　)
　　① 사람이 따라야 할 올바른 길이나 정당한 도리.
　　② 사물의 성질이나 가치를 좋고 나쁨이나 더하고 덜한 정도로 나타내는 분량이나 수준.

(2) 시험 문제의 난이도(難易度)를 조정하기가 쉽지 않다. ·················· (　　　　)
　　① 어려움과 쉬움의 정도.
　　② 같은 일이나 현상이 나타나는 횟수.

4 빈칸에 들어갈 알맞은 낱말을 보기 에서 찾아 써 보세요.

보기　　　정도(程度)　　　제도(制度)　　　난이도(難易度)

(1) 교육 [　　　　]가 계속 바뀌고 있다.

(2) 체조 선수가 국제 대회에서 [　　　　] 높은 기술에 성공했다.

(3) 초등학생의 작품이라고는 믿기지 않을 [　　　　]로 그림 실력이 뛰어나다.

5 빈칸에 들어갈 알맞은 낱말을 그림에서 찾아 써 보세요.

문제 **❶** [   ]에 따라 점수를 다르게 주는 경우가 대부분이다.

눈이나 비가 오는 날에는 자동차의 **❷** [   ]를 줄여야 한다.

지수는 천재라는 소문이 돌 **❸** [   ]로 암기력이 뛰어나다.

이 책에서는 조선 시대의 결혼 **❹** [   ]에 대하여 설명하고 있다.

공사 기간을 절반으로 줄이면 **❺** [   ] 공사를 할 수밖에 없다.

학교에서 돌아오자마자 방 청소와 숙제를 **❻** [   ]로 끝내 버렸다.

속전속결(速戰速決)

졸속
(拙速)

속도
(速度)

정도
(程度)

난이도
(難易度)

제도
(制度)

잠의 종류를 알아보아요!

'잠이 보약'이라는 말을 들어 보았죠? 잠은 단순히 쉬는 것이 아니라, 다음 날 정상적인 활동을 하기 위해 몸과 마음의 피로를 회복시키는 과정입니다. 잠은 집중력과 기억력을 향상시키고 면역력을 높이는 등 많은 역할을 해요.

잠 자는 모습은 사람이나 상황에 따라 달라요. 우리말에는 잠의 종류를 가리키는 재미있는 말이 아주 많답니다.

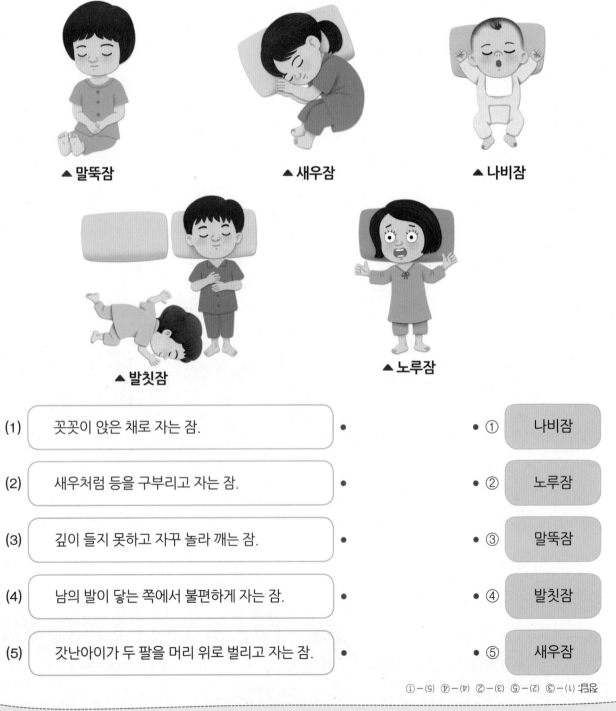

▲ 말뚝잠   ▲ 새우잠   ▲ 나비잠

▲ 발칫잠   ▲ 노루잠

(1)	꼿꼿이 앉은 채로 자는 잠.	• ①	나비잠
(2)	새우처럼 등을 구부리고 자는 잠.	• ②	노루잠
(3)	깊이 들지 못하고 자꾸 놀라 깨는 잠.	• ③	말뚝잠
(4)	남의 발이 닿는 쪽에서 불편하게 자는 잠.	• ④	발칫잠
(5)	갓난아이가 두 팔을 머리 위로 벌리고 자는 잠.	• ⑤	새우잠

정답: (1)-③ (2)-⑤ (3)-② (4)-④ (5)-①

3주 어휘 미리보기

뜻을 알고 있는 낱말에 V표 해 보세요.
알고 있는 낱말은 글에서 어떻게 쓰였는지 확인하고,
모르는 낱말은 글을 읽으며 재미있게 익혀 보아요.

	배울 내용	배울 낱말		공부한 날
Day 11	속담 지렁이도 밟으면 꿈틀한다	☐ 무시 ☐ 우대 ☐ 부치다 ☐ 업신여기다	☐ 거르다 ☐ 호소 ☐ 빈정거리다 ☐ 핍박	월 / 일
Day 12	관용어 물불을 가리지 않다	☐ 비일비재 ☐ 부당 ☐ 동참 ☐ 위헌	☐ 만석 ☐ 기미 ☐ 저항 ☐ 촉발	월 / 일
Day 13	한자 성어 대기만성(大器晚成)	☐ 낙제 ☐ 독학 ☐ 전공 ☐ 첨단	☐ 어눌하다 ☐ 생활고 ☐ 계기 ☐ 신념	월 / 일
Day 14	교과 어휘 – 과학 백신을 만든 루이 파스퇴르	☐ 감염병 ☐ 미생물 ☐ 명성 ☐ 면역력	☐ 부패 ☐ 발효 ☐ 세균 ☐ 독성	월 / 일
Day 15	한자 어휘 '특(特)'과 '별(別)'이 들어간 말	☐ 특별 ☐ 특징 ☐ 별개 ☐ 차별화	☐ 특성 ☐ 대서특필 ☐ 별도	월 / 일

속담

지렁이도 밟으면 꿈틀한다

아는 어휘에 ✔ 표시를 해 보고, 어휘의 뜻을 생각하며 글을 읽어 보세요.

☐ 무시   ☐ 거르다   ☐ 우대   ☐ 호소   ☐ 부치다   ☐ 빈정거리다   ☐ 업신여기다   ☐ 핍박

공부한 날

월   일

❶ **무시했습니다:** 얕보거나 하찮게 여겼습니다.

❷ **거른:** 차례대로 나아가다가 중간의 어느 순서나 자리를 빼고 넘긴.

❸ **우대:** 특별히 잘 대우함. 또는 그런 대우.

❹ **호소할:** 어렵거나 억울한 사정을 알려 도움을 청할.

❺ **맨주먹:** 아무것도 쥐고 있지 않은 주먹.

❻ **부쳐:** 어떤 일을 하기에 힘이나 능력이 부족하여.

❼ **빈정거렸습니다:** 은근히 비웃으며 자꾸 비꼬는 말을 하거나 놀렸습니다.

❽ **업신여김:** 남을 낮추어 보거나 하찮게 여김.

❾ **지렁이도 밟으면 꿈틀한다:** 아무리 지위가 낮거나 순하고 좋은 사람이라도 너무 업신여기면 가만히 있지 않는다.

❿ **핍박한:** 강하게 억눌러서 몹시 괴롭게 한.

고려는 나라가 세워질 때부터 문신을 중심으로 정치를 했습니다. 과거 시험을 치러 관리가 된 문신들은 군사 일을 맡아보는 무신들을 ❶무시했습니다. 심지어 계급이 낮은 군인들은 온갖 일을 떠맡아 여기저기 불려 다니기 일쑤였습니다.

의종이 왕이 되자 문신과 무신의 차별은 더욱 심해졌습니다. 의종은 문신들을 불러 잔치를 자주 열었습니다. 왕과 문신들이 웃고 떠들며 잔치를 즐길 때, 무신들은 꼼짝 못 하고 보초를 서야 했습니다. 밤새 이어지는 잔치에서 무신들은 끼니도 ❷거른 채 심부름까지 했습니다. 젊은 문신이 나이 든 무신을 함부로 대하는 일도 자주 있었습니다. 또 문신이 실수한 일 때문에 죄 없는 무신들이 처벌받는 일도 있었습니다. 그러나 문신이 ❸우대를 받는 세상이다 보니, 무신들은 아무리 억울하고 서러운 일을 겪어도 딱히 ❹호소할 곳이 없었습니다.

어느 날, 의종이 문신들과 함께 잔치를 하기 위해 파주 근처 보현원으로 길을 나섰습니다. 가는 도중에 왕은 지루함을 달래려고 무신들에게 ❺맨주먹으로 무예를 겨루게 했습니다. 무예를 겨루던 사람 중에는 대장군이라는 높은 관직에 있는 무신이 있었습니다. 나이가 많은 대장군은 젊은 군인과 겨루는 것이 힘에 ❻부쳐 시합을 포기했습니다. 그러자 젊은 문신 한 명이 앞으로 나가 대장군의 뺨을 때리며 ❼빈정거렸습니다.

"대장군이라는 자가 계급 낮은 군인도 이기지 못하다니. 창피한 줄 알아야지!"

그 바람에 대장군은 뜰 아래로 굴러떨어졌습니다. 이 모습을 보고 문신들은 손뼉을 치며 비웃었습니다.

그동안 차별과 ❽업신여김을 받았던 것도 모자라 대장군이 뺨을 맞고 굴러떨어지기까지 하는 모습을 보자, 마침내 무신들의 분노가 폭발했습니다. ❾지렁이도 밟으면 꿈틀한다는 말처럼, 무신들은 더 이상 참지 않았습니다.

무신들은 그동안 자신들을 ❿핍박한 문신들을 모조리 잡아 죽이고 의종을 임금의 자리에서 쫓아냈습니다.

그 후 고려의 권력을 잡게 된 무신들의 세상은 60여 년 동안이나 이어졌습니다.

1 무신들의 분노가 폭발한 까닭을 모두 골라 ○표를 해 보세요.

(1) 의종이 무신들만 데리고 보현원으로 길을 나섰다. ──────────── (　　　　)

(2) 문신 대신에 죄 없는 무신들이 처벌받는 일이 있었다. ──────────── (　　　　)

(3) 대장군이 젊은 문신에게 뺨을 맞고 뜰 아래로 굴러떨어졌다. ──────────── (　　　　)

2 빈칸에 들어갈 낱말로 알맞은 것에 ○표를 해 보세요.

> 젊은 문신이 나이가 많은 대장군을 　　　　　 무신들도 더 이상 참을 수 없었다.

(1) 공경하니 　　　　(2) 존중하니 　　　　(3) 업신여기니

(　　　　)　　　　　　　(　　　　)　　　　　　　(　　　　)

3 이 이야기의 중심 내용을 생각하며 빈칸에 알맞은 낱말을 채워 보세요.

> 고려는 □□을 우대하는 정치를 했다. 그런데 차별이 점점 심해지고 무시를 당하게 되자, 결국 □□들의 분노가 폭발했다.

4 속담 "지렁이도 밟으면 꿈틀한다."의 뜻을 생각하며 알맞게 선으로 이어 보세요.

(1) 지렁이도 ● 　　　　● ① 너무 업신여기면

(2) 밟으면 ● 　　　　● ② 아무리 지위가 낮거나 순하고 좋은 사람이라도

(3) 꿈틀한다 ● 　　　　● ③ 가만히 있지 않는다.

5 다음의 낱말과 뜻이 알맞도록 선으로 이어 보세요.

(1) 거르다 •

(2) 핍박하다 •

(3) 빈정거리다 •

• ① 강하게 억눌러서 몹시 괴롭게 하다.

• ② 은근히 비웃으며 자꾸 비꼬는 말을 하거나 놀리다.

• ③ 차례대로 나아가다가 중간의 어느 순서나 자리를 빼고 넘기다.

6 빈칸에 들어갈 알맞은 낱말을 보기 에서 찾아 써 보세요.

보기	무시	우대	호소

(1) 나이가 적다고 [ ] 하다가는 큰코다친다.

(2) 억울함을 [ ] 하기 위해 누리 소통망에 글을 썼다.

(3) 정부에서는 노인을 [ ] 하는 정책을 실시하고 있다.

7 밑줄 친 낱말의 뜻으로 알맞은 것을 보기 에서 찾아 번호를 써 보세요.

보기 ① 부치다: 편지나 물건 등을 보내다.
② 부치다: 어떤 일을 하기에 힘이나 능력 등이 부족하다.
③ 부치다: 부채나 넓은 종이 등을 흔들어서 바람을 일으키다.

(1) 농부가 그늘에 앉아 부채를 부치고 있다. ────────────── ( )

(2) 물건을 교환하기 위해 택배를 부치고 왔다. ────────────── ( )

(3) 오늘 안으로 숙제를 끝내는 것은 힘에 부치는 일이다. ────────────── ( )

8 속담 "지렁이도 밟으면 꿈틀한다."를 알맞게 활용하여 대화한 것에 ○표를 해 보세요.

(1)

평소에 순한 연수가 화내서 깜짝 놀랐어.

"지렁이도 밟으면 꿈틀한다."라는 말처럼, 네가 연수를 계속 놀려서 그런 거야.

(   )

(2)
방 청소는 다 했니?

네. "지렁이도 밟으면 꿈틀한다."라는 말처럼, 동생과 함께 청소하니까 금방 끝났어요.

(   )

틀리기 쉬워요!

9 띄어쓰기를 바르게 한 것을 골라 ○표를 해 보세요.

'~은/는' 뒤에 붙는 '채'는 앞말과 띄어 써요.

(1) 친구의 실수를 { 모르는채 / 모르는 채 } 눈감아 주었다.

(2) 남자아이들은 끼니도 { 거른채 / 거른 채 } 물놀이를 하고 있다.

10 보기 의 내용을 참고하여, 주어진 낱말 중 복합어를 모두 골라 빈칸에 써 보세요.

보기   '맨주먹'은 다른 것이 없다는 뜻을 더해 주는 '맨-'과 '주먹'을 합한 낱말이에요.

맨- + 주먹 ➡ 맨주먹
↳ 다른 것이 없는.   ↳ 아무것도 쥐고 있지 않은 주먹.

낱말	가방 구름 맨손 바늘 나무꾼 햇곡식

복합어	

스스로 붙임딱지

관용어

물불을 가리지 않다

아는 어휘에 ✔ 표시를 해 보고, 어휘의 뜻을 생각하며 글을 읽어 보세요.

☐ 비일비재 ☐ 만석 ☐ 부당 ☐ 기미 ☐ 동참 ☐ 저항 ☐ 위헌 ☐ 촉발

공부한 날

월　　　일

❶ **비일비재하게**: 어떤 현상이나 일이 한두 번이 아니라 흔하게 자주.

❷ **인종 차별**: 특정한 인종에게 편견을 갖고 사회적, 경제적, 법적으로 불평등하게 대하는 일.

❸ **재봉사**: 양복 등의 옷을 만드는 일을 직업으로 하는 사람.

❹ **만석(滿席)**: 모든 자리에 사람이 다 차서 빈자리가 없음.

❺ **부당하다고**: 도리에 어긋나서 정당하지 않다고.

❻ **기미**: 어떤 일이 되어 가는 상황이나 상태를 짐작할 수 있는 분위기.

❼ **동참했어요**: 어떤 일이나 모임에 같이 참가했어요.

❽ **물불을 가리지 않고**: 어떠한 어려움이나 위험이 있어도 신경 쓰지 않고 적극적으로 행동하고.

❾ **저항한**: 어떤 힘이나 조건에 굽히지 않고 거역하거나 견딘.

❿ **위헌**: 법률, 명령, 규칙 등의 내용이나 절차가 헌법을 어김.

⓫ **촉발하여**: 어떤 일을 당해 감정이나 충동 등이 일어나.

　　1950년대 미국은 흑인과 백인을 분리하는 일이 ❶비일비재하게 일어났습니다. 그중에서도 남부의 앨라배마주는 ❷인종 차별이 매우 심한 곳이었지요. 심지어 버스에도 앞좌석에는 백인, 뒷좌석에는 흑인이 앉도록 구분되어 있었습니다. 중간 좌석 역시 백인에게 우선권이 있어서 자리가 비어 있을 경우에는 흑인이 앉아도 되지만, 백인이 오면 언제든지 자리를 양보해야만 했습니다. 이것이 바로 '인종 분리 버스'였지요.

　　1955년 12월 1일, 앨라배마주 몽고메리에 살던 흑인 여자 ❸재봉사 로자 파크스는 일을 끝내고 집으로 가기 위해 버스에 올라탔습니다. 처음에는 승객이 별로 없어서 로자는 아무 생각 없이 중간 좌석에 앉았어요. 시간이 지나면서 버스는 ❹만석이 되었고, 앉을 자리가 없었던 백인들과 버스 기사가 로자 파크스와 주변의 흑인들에게 자리를 양보하라고 강요했습니다. 하지만 로자는 인종 분리 버스의 규칙이 ❺부당하다고 여겨 백인들에게 자리를 양보하지 않았어요. 몇몇 흑인들은 말썽이 일어날 ❻기미가 보이자 버스에서 조용히 내렸지요. 수차례에 걸쳐 강요했는데도 불구하고 자리를 양보하지 않자, 로자는 결국 현장에서 경찰에 체포되고 말았습니다.

　　이 사건을 계기로 하여 몽고메리에서는 '버스 안 타기 운동'이 시작되었습니다. 몽고메리에 사는 흑인 3만 5000여 명이 이 운동에 적극적으로 ❼동참했어요. 흑인들은 버스 대신 자전거를 타거나 걸어 다녔고, 흑인 택시 기사들은 버스 차비만 받고 택시를 태워 주었습니다. 버스 승객의 약 70퍼센트 이상을 차지하던 흑인들이 이 운동에 동참하면서 백인들이 운영하던 버스 회사들은 큰 손실을 입게 되었지요.

　　흑인들이 ❽물불을 가리지 않고 ❾저항한 끝에 1956년 11월 13일, 미국의 연방 대법원은 마침내 흑인들의 손을 들어주었습니다. 인종 분리 버스가 ❿위헌이라는 판결을 내린 것이지요.

　　이 사건은 개인의 작은 저항이 거대한 저항을 ⓫촉발하여 역사를 바꾼 의미 있는 일이 되었습니다.

1 이 글의 내용으로 알맞은 것에 ○표, 알맞지 <u>않은</u> 것에 ×표를 해 보세요.

(1) 미국의 남부 앨라배마주는 다른 지역에 비해 인종 차별이 매우 심했다. ─────── (○ / ×)

(2) 몽고메리에서 일어난 '버스 안 타기 운동'은 백인들에 의하여 시작되었다. ─────── (○ / ×)

(3) 1956년에 미국의 연방 대법원은 인종 분리 버스가 합당하다는 판결을 내렸다. ─────── (○ / ×)

2 인종 분리 버스가 있었던 당시의 상황을 바르게 짐작하여 말한 친구의 이름을 써 보세요.

(1) 흑인은 백인들과 화장실도 함께 쓰지 못했을 것 같아.
민석

(2) 흑인은 백인들과 같은 학교에 다니며 잘 지냈을 거야.
지우

(3) 백인들은 흑인보다 낮은 대우를 받는 것에 불만을 품었을 거야.
서진

(   )

3 이 글의 흐름에 맞게 중요한 내용을 정리한 것입니다. 빈칸에 들어갈 알맞은 낱말을 보기 에서 찾아 써 보세요.

> 보기   양보   저항   차별

> 1950년대 미국 남부에서는 인종 [   ]이 매우 심했음.

↓

> 흑인 여자 재봉사 로자 파크스가 인종 분리 버스의 중간 좌석에 앉음.

↓

> 자리를 [   ]해 달라고 한 백인의 요구를 들어주지 않자 경찰에 체포됨.

↓

> 몽고메리에서 '버스 안 타기 운동'이 시작되었고, 흑인들의 거센 [   ]을 통해 인종 분리 버스가 위헌이라는 판결이 내려짐.

4 주어진 내용을 바탕으로 하여 빈칸을 알맞게 채워 보세요.

(1) 부당하다

낱말의 뜻	도리에 어긋나서 ㅈ ㄷ 하지 않다.
예	주민들은 이번 결정이 부당하다고 생각한다.

(2) 동참하다

낱말의 뜻	어떤 일이나 모임에 같이 ㅊ ㄱ 하다.
예	차별을 금지하는 서명에 동참해 주세요.

(3) 강요하다

낱말의 뜻	어떤 일을 강제로 ㅇ ㄱ 하다.
예	내가 하기 싫은 일을 남에게 강요하면 안 된다.

5 밑줄 친 낱말의 뜻으로 알맞은 것을 골라 ○표를 해 보세요.

> 갑작스럽게 체험학습 장소가 바뀌어 학생들의 혼란을 <u>촉발하였다</u>.

(1) 어떤 일을 당해 감정이나 충동 등이 일어났다. ⸻⸻⸻⸻ ( )
(2) 새로운 물건을 만들거나 새로운 생각을 내놓았다. ⸻⸻⸻⸻ ( )
(3) 어떤 곳을 향하여 길을 떠나거나 어떤 일을 시작하였다. ⸻⸻⸻ ( )

6 다음 기사문을 읽고 '물불을 가리지 않다'의 의미를 짐작하여 빈칸에 알맞은 낱말을 써 보세요.

> 지난달 21일, ○○동의 한 아파트에서 불이 났다. 아파트 주민들이 신속하게 대피하였지만, 남매 2명이 7층에 갇혀 미처 대피하지 못한 채 남아 있었다. 신고를 받고 출동한 김○○ 소방대원은 주저하지 않고 불길 속으로 뛰어들어 그들을 구조해 냈다.
>
> 소방 본부에서는 도움의 손길이 절실했던 남매를 위해 <u>물불을 가리지 않고</u> 구조 활동을 벌인 김○○ 소방대원에게 표창을 할 예정이다.

➡ 어떠한 어려움이나 □ □ 이 있어도 신경 쓰지 않고 적극적으로 행동하다.

7 관용어 '물불을 가리지 않다'를 쓸 수 있는 상황으로 어울리는 것에 ○표를 해 보세요.

(1)
좋아하는 가수의 콘서트 티켓을 구입하려고 했어. 그런데 매번 3분이 채 되기도 전에 매진이 되는 거야. 이번에는 온 가족이 나서서 여러 번 시도한 끝에 티켓 예매에 성공했어!

( )

(2)
평소에 사고 싶었던 휴대용 선풍기가 있었어. 그 선풍기를 구입하기 전에 성능과 가격, 안전성까지 꼼꼼히 따져 보고 다른 제품과 충분히 비교해 본 다음에 구매했어.

( )

틀리기 쉬워요!

8 다음 문장에서 밑줄 친 부분을 바르게 고쳐 써 보세요.

(1) 국어 교과서를 가방에 넣지 <u>안코</u> 학교에 갔다.

➜ ( )

(2) 다리가 아파서 <u>안꼬</u> 싶지만 버스에 빈 좌석이 없다.

➜ ( )

(3) 귀여운 여자아이가 커다란 곰 인형을 품에 꼭 <u>안꼬</u> 있다.

➜ ( )

9 띄어쓰기를 바르게 한 것을 골라 ○표를 해 보세요.

(1) 운동장에는 { 몇몇 / 몇 몇 } 친구들이 남아 있었다.

(2) { 수차례 / 수 차례 } 경고를 하였지만 조금도 달라진 점이 없다.

(3) 친구들과 함께 봉사 활동을 한 것은 참 { 의미있는 / 의미 있는 } 일이었다.

스스로
붙임딱지

한자 성어

대기만성 (大큰 대 器그릇 기 晚늦을 만 成이룰 성)

아는 어휘에 ✓ 표시를 해 보고, 어휘의 뜻을 생각하며 글을 읽어 보세요.

☐ 낙제 ☐ 어눌하다 ☐ 독학 ☐ 생활고 ☐ 전공 ☐ 계기 ☐ 첨단 ☐ 신념

공부한 날

월   일

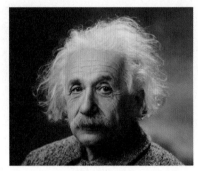
▲ 아인슈타인

세계적인 과학자 아인슈타인은 1879년에 독일 울름에서 태어났습니다. 그의 이름을 들으면 우리는 곧 '천재'라는 말을 떠올리지요. 그러나 아인슈타인은 어린 시절에 수학, 과학 외에는 거의 **❶낙제** 수준이었고 말도 **❷어눌**했다고 합니다.

학교에서는 곧잘 어려운 질문을 해서 선생님들을 당황하게 만들었는데, 이것 때문에 오히려 문제아 취급을 당하기도 했습니다. 교육 방식에 적응하지 못하고 자신의 관심 분야 외에는 흥미를 갖지 못했던 아인슈타인은 선생님으로부터 더 이상 학교에 나오지 말라는 말까지 들어야 했습니다. 결국 아인슈타인은 **❸독학**을 하여 1896년에 취리히 공과대학에 입학하였는데, 물리학에서만큼은 항상 높은 성적을 유지했습니다.

하지만 대학 졸업 후, 아인슈타인은 원하는 일을 구하지 못해 **❹생활고**를 겪었고 주변의 도움으로 스위스 특허청에 취직하게 되었지요. 그는 **❺전공**과 관계없는 일을 하면서도 1905년에 다섯 편의 물리학 논문을 발표했습니다. 그 유명한 상대성 이론도 이때 발표한 논문 중 하나입니다. 이 논문을 **❻계기**로 아인슈타인은 1908년에 베른대학의 교수가 되었는데 이때부터 **❼대기만성**의 모습을 보이기 시작했지요. 아인슈타인은 끊임없는 노력으로 연구를 거듭했습니다. 그리고 그의 노력은 결국 1922년에 노벨 물리학상이라는 결실을 맺었습니다.

어느 날 신문 기자가 위대한 물리학자의 실험실은 어떤 모습인지 보고 싶다고 하자, 아인슈타인은 주머니에서 만년필을 꺼내 보여 주었다고 합니다. **❽첨단** 과학 장비들이 갖춰진 실험실을 상상했던 기자는 어리둥절했지요.

"이 만년필이 나를 실험실로 데려다주지요. 나는 아이디어가 떠오르면 언제 어디서나 메모하는데 이 만년필만 있으면 어디든 실험실이 됩니다. 모든 것이 갖춰진 환경이 아니라, 의문을 가지고 생각하려는 마음과 행동이 위대한 결과를 낳지요."

자신이 어떤 분야에 관심과 재능이 있는지 찾아가는 단계에서는 여러 가지 경험을 해 보는 것이 중요합니다. 실패와 좌절도 겪을 수 있지요. 하지만 주위의 평가나 환경에 휩쓸리지 말고 **❾신념**을 갖고 나아가세요. 반드시 대기만성을 할 날이 올 것입니다.

❶ 낙제: 시험이나 검사에 떨어짐.

❷ 어눌했다고: 말을 잘하지 못하고 떠듬떠듬하는 면이 있었다고.

❸ 독학: 학교에 다니지 않고, 또는 다른 사람의 가르침 없이 혼자서 공부함.

❹ 생활고: 가난 때문에 생활에서 느끼는 고통.

❺ 전공: 어떤 분야를 전문적으로 연구하거나 공부함. 또는 그 분야.

❻ 계기: 어떤 일이 일어나거나 결정되도록 하는 원인이나 기회.

❼ 대기만성: 큰 그릇을 만드는 데는 시간이 오래 걸린다는 뜻으로, 크게 될 사람은 많은 노력을 한 끝에 늦게 성공함.

❽ 첨단: 시대나 학문, 유행 등의 가장 앞서는 자리.

❾ 신념: 어떤 생각을 굳게 믿는 마음. 또는 그것을 이루려는 의지.

1 이 글의 내용으로 알맞은 것에 ○표, 알맞지 <u>않은</u> 것에 ×표를 해 보세요.

(1) 아인슈타인은 어린 시절에 선생님으로부터 문제아 취급을 받았다. ─────── (○ / ×)

(2) 아인슈타인은 전공과 관계없는 일을 하면서도 상대성 이론을 발표했다. ─────── (○ / ×)

(3) 아인슈타인은 대학을 졸업하자마자 연구에 몰두할 수 있는 경제적 안정을 얻었다. ·· (○ / ×)

2 다음 친구들이 한 말을 읽고, 이 글을 <u>잘못</u> 이해한 친구의 이름을 써 보세요.

> 시언: 나도 좋아하는 과목만 열심히 공부해야겠어.
>
> 건호: 만년필에는 아인슈타인의 탐구 정신이 담겨 있는 것 같아.
>
> 다연: 특허청 일을 하면서 물리학 연구까지 했다니 정말 노력과 끈기가 대단해.

(   )

3 '대기만성'의 뜻을 생각하며 빈칸에 알맞은 낱말을 써 보세요.

大	器	晚	成
큰 대	그릇 기	늦을 만	이룰 성

➡ 큰 ☐☐ 을 만드는 데는 ☐☐ 이 오래 걸린다는 뜻으로, 크게 될 사람은 많은

☐☐ 을 한 끝에 늦게 성공한다는 의미이다.

4 다음 아인슈타인이 한 말로 보아, 그가 대기만성을 할 수 있었던 힘은 무엇이었을지 두 글자로 써 보세요.

> • "나는 똑똑한 것이 아니라, 단지 문제를 더 오래 연구할 뿐이다."
> • "지혜는 학교에서 배우는 것이 아니라, 평생 노력해서 얻는 것이다."
> • "삶은 자전거 타기와 같다. 균형을 잡으려면 계속 움직여야 하기 때문이다."

(   )

5 다음의 낱말과 뜻이 알맞도록 선으로 이어 보세요.

(1) 신념 •

(2) 생활고 •

(3) 어눌하다 •

• ① 가난 때문에 생활에서 느끼는 고통.

• ② 말을 잘하지 못하고 떠듬떠듬하는 면이 있다.

• ③ 어떤 생각을 굳게 믿는 마음. 또는 그것을 이루려는 의지.

6 빈칸에 들어갈 알맞은 낱말을 보기 에서 찾아 써 보세요.

보기   독학   낙제   전공

(1) 어머니는 [   ]으로 피아노를 배우셨다고 한다.
↳ 학교에 다니지 않고, 또는 다른 사람의 가르침 없이 혼자서 공부함.

(2) 현수는 이번 시험에서 가까스로 [   ]를 하지 않았다.
↳ 시험이나 검사에 떨어짐.

(3) 삼촌은 대학에서 경제학을 [   ]으로 강의를 하고 계신다.
↳ 어떤 분야를 전문적으로 연구하거나 공부함. 또는 그 분야.

7 빈칸에 공통으로 들어갈 낱말로 알맞은 것에 ○표를 해 보세요.

• 많은 과학자들이 [   ] 기술 개발에 노력하고 있다.
• 이곳은 세계적으로 유행의 [   ]을 걷는 도시로 손꼽힌다.

(1) 관심 (   )   (2) 논문 (   )   (3) 첨단 (   )

8 빈칸에 '대기만성'이 들어가기에 알맞은 상황을 골라 ○표를 해 보세요.

(1)

이번에 피아노 대회에 나가서 상을 못 탔어.

포기하지 않고 열심히 노력하다 보면 꼭 [   ] 할 거야.

(   )

(2)

친구한테 거짓말을 했다가 들키고 말았어.

[   ] 하지 않으면 친구들이 모두 너를 믿지 않을 거야.

(   )

틀리기 쉬워요!

9 다음 문장에서 올바른 표현을 골라 ○표를 해 보세요.

(1) 아버지께서 생일 선물로 { 만연필 / 만년필 } 을 주셨다.

(2) 이번 대회를 { 개기 / 계기 } 로 하여 축구에 대한 관심이 높아졌다.

(3) 우리 모둠의 종이접기 활동은 이제 마무리 { 단개 / 단계 } 에 이르렀다.

10 밑줄 친 낱말의 뜻으로 알맞은 것을 보기 에서 찾아 번호를 써 보세요.

> 보기 ① 배 속의 아이, 새끼, 알을 몸 밖으로 내보내다.
> ② 어떤 결과를 이루거나 가져오다.
> ③ 어떤 환경이나 상황의 영향으로 어떤 인물이 나타나게 하다.

(1) 이모가 낳은 딸이 벌써 세 살이 되었다. ⋯⋯⋯⋯⋯⋯ (   )

(2) 조수미는 한국이 낳은 세계적인 성악가이다. ⋯⋯⋯⋯ (   )

(3) 우리 축구 팀의 이번 승리는 꾸준한 훈련이 낳은 결과이다. ⋯⋯ (   )

맞은 개수 _____ /10개   63

스스로
붙임딱지

백신을 만든 루이 파스퇴르

아는 어휘에 ✔ 표시를 해 보고, 어휘의 뜻을 생각하며 글을 읽어 보세요.

☐ 감염병 ☐ 부패 ☐ 미생물 ☐ 발효 ☐ 명성 ☐ 세균 ☐ 면역력 ☐ 독성

🕐 공부한 날

월   일

❶ **백신**: 전염병에 대한 면역력을 기르기 위해 병의 균이나 독소를 이용하여 만든 약품.

❷ **감염병**: 병균이 몸 안에 들어가 일으키는 병.

❸ **부패**: 단백질이나 지방 등이 미생물의 작용에 의하여 썩는 것.

❹ **미생물**: 맨눈으로 관찰하기 어려운 아주 작은 크기의 생물.

❺ **발효**: 효모나 미생물에 의해 유기물이 분해되고 변화하는 작용.

❻ **살균법**: 균을 죽여 없애는 방법.

❼ **보존**: 중요한 것을 잘 보호하여 그대로 남김.

❽ **명성**: 사람들에게 높은 평가를 받으며 세상에 널리 알려진 이름.

❾ **세균**: 크기가 매우 작고 생김새가 단순한 생물.

❿ **면역력**: 몸 밖에서 들어온 병균을 이겨 내는 힘.

⓫ **독성**: 독이 있는 성분이나 독한 성질.

⓬ **위협**: 무서운 말이나 행동으로 상대방이 두려움을 느끼도록 함.

인간은 끊임없이 온갖 질병에 맞서 싸워 왔습니다. 우리가 ❶백신을 만들어 ❷감염병을 예방하는 데 큰 업적을 남긴 인물이 바로 루이 파스퇴르입니다.

파스퇴르는 1822년 12월 27일에 프랑스 동부 작은 마을에서 태어났습니다. 어려서부터 관찰력이 뛰어났고 그림 그리기를 좋아했던 그는 1843년에 파리 고등사범학교에 입학하여 화학과 물리학을 공부했습니다.

1856년에 포도주의 ❸부패를 막는 방법을 연구하기 시작한 파스퇴르는 포도주를 상하게 하는 ❹미생물을 찾아냈습니다. 그리고 ❺발효가 끝난 포도주를 약 60~65℃에서 30분 동안 가열하면 맛과 영양소는 지

▲ 루이 파스퇴르

키면서 부패를 막을 수 있다는 것도 알아냈습니다. 그가 개발한 이 저온 ❻살균법은 우유, 치즈 등의 ❼보존 기간을 늘리는 데에도 크게 기여하였습니다.

그는 1861년에 S자 플라스크 실험을 통해 생명체가 자연적으로 생겨나지 않는다는 사실을 증명해 내어 큰 ❽명성을 얻었습니다. 1868년에는 뇌출혈로 쓰러져 몸이 마비되는 고통을 겪으면서도 인체에 침입하여 감염병을 일으키는 원인이 미생물이라는 사실을 밝혀내기도 했습니다.

파스퇴르는 점차 감염병을 예방하고 극복하는 기술에 몰두했습니다. 1880년에 프랑스에서 닭 콜레라가 걷잡을 수 없이 퍼져 나갔습니다. 이 질병에 대하여 연구하던 그는 콜레라에 걸린 닭의 피에서 뽑아낸 ❾세균을 건강한 닭에게 접종하였습니다. 파스퇴르는 이 실험을 통해 약해진 세균으로 병을 가볍게 앓고 나면 그 병에 대한 ❿면역력이 생긴다는 사실을 깨닫고, 마침내 ⓫독성이 약한 세균으로 백신을 만들었습니다. 곧이어 탄저병, 광견병 등의 백신도 만들어 냈습니다. 그가 개발한 예방 접종법은 인류가 다양한 감염병을 이겨 내는 데 큰 도움이 되었습니다.

밤낮을 가리지 않고 연구하던 파스퇴르는 1895년 9월 28일에 73세의 나이로 조용히 눈을 감았습니다. 감염병의 ⓬위협에서 수많은 생명을 구해 낸 파스퇴르는 '미생물학의 아버지'라는 이름으로 우리 곁에 남아 있습니다.

1 어린 시절 파스퇴르의 모습으로 알맞은 것에 ○표, 알맞지 <u>않은</u> 것에 ×표를 해 보세요.

(1) 어려서부터 관찰력이 뛰어났다. ———————————————————————— (○ / ×)

(2) 파리 고등사범학교에서 회화를 공부했다. ——————————————————— (○ / ×)

(3) 어릴 때부터 부모님을 도와 포도밭에서 일했다. ———————————————— (○ / ×)

2 밑줄 친 '이 방법'은 무엇을 말하는지 글에서 찾아 써 보세요.

> • 파스퇴르가 개발한 <u>이 방법</u>은 발효가 끝난 포도주를 약 60~65℃에서 30분 동안 가열하면 맛과 영양소는 지키면서 부패를 막을 수 있다는 것이다.
>
> • <u>이 방법</u>을 통해 우유, 치즈 등의 보존 기간이 늘어났고 장거리 운송도 가능해졌다.

(   )

3 다음 문장을 읽고 전기문의 구성 요소에 맞게 선으로 이어 보세요.

(1) 파스퇴르는 감염병을 일으키는 원인이 미생물이라는 사실을 밝혀냈습니다.   •

(2) 1880년에 프랑스에서 닭 콜레라가 걷잡을 수 없이 퍼져 나갔습니다.   •

(3) 파스퇴르는 1822년 12월 27일에 프랑스 동부 작은 마을에서 태어났습니다.   •

(4) 파스퇴르는 '미생물학의 아버지'라는 이름으로 우리 곁에 남아 있습니다.   •

• ① 인물

• ② 사건

• ③ 배경

• ④ 평가

4 다음은 파스퇴르의 업적을 정리한 것입니다. 빈칸에 알맞은 낱말을 채워 보세요.

> • 약해진 세균으로 병을 가볍게 앓고 나면 [ ][ ][ ]이 생긴다는 사실을 깨닫고, 독성이 약한 세균으로 콜레라, 탄저병, 광견병의 [ ][ ]을 만들어 냄.
>
> • 그가 개발한 예방 접종법은 인류가 [ ][ ][ ]을 이겨 내는 데 큰 도움이 됨.

5 다음의 낱말과 뜻이 알맞도록 선으로 이어 보세요.

(1) 독성 •

(2) 발효 •

(3) 미생물 •

• ① 독이 있는 성분이나 독한 성질.

• ② 맨눈으로 관찰하기 어려운 아주 작은 크기의 생물.

• ③ 효모나 미생물에 의해 유기물이 분해되고 변화하는 작용.

6 빈칸에 들어갈 알맞은 낱말을 보기 에서 찾아 써 보세요.

보기 부패   세균   면역력

(1) 음식물 쓰레기가 [   ] 하면서 악취가 났다.

(2) [   ] 이 치아 표면을 썩게 하여 충치가 생긴다.

(3) 스트레스를 받으면 [   ] 이 떨어져서 질병에 걸리기 쉽다.

포함하는 낱말
낱말 중에는 어떤 낱말이 다른 낱말을 포함하는 경우가 있어요. 이때 포함하는 낱말을 '상의어'라고 하고, 포함되는 낱말을 '하의어'라고 해요. 예를 들어 '나무'와 '소나무' 중에서 '나무'는 상의어에 속하고, '소나무'는 하의어에 속하지요.

7 보기 의 낱말들을 모두 포함하는 낱말을 골라 ○표를 해 보세요.

보기 감기   폐렴   홍역   심장병   소아마비

(1) 병원   (2) 전염   (3) 질병

(   )   (   )   (   )

8 다음 문장에서 밑줄 친 표현이 올바른 것을 골라 ○표를 해 보세요.

(1) ① 수많은 사람들이 전쟁의 고통을 <u>겪고</u> 있다. ──────────────── ( )

② 가뭄으로 농사를 짓는 데 어려움을 <u>격고</u> 있다. ──────────── ( )

(2) ① 과학자들이 첨단 과학 기술을 <u>개발하고</u> 있다. ──────────── ( )

② 새로운 제품을 <u>계발하고</u> 경쟁력을 키워야 한다. ──────────── ( )

9 다음 문장에서 틀린 부분을 찾아 바르게 고쳐 쓰세요.

(1)

> 핵무기는 인류의 안전에 큰 위험이 되고 있다.

( ) ➔ ( )

(2)

> 약의 효능을 증명하기 위해서는 과학적인 시험이 필요하다.

( ) ➔ ( )

10 다음 문장에 어울리는 낱말의 형태를 골라 ○표를 해 보세요.

(1) 독서에 { 몰두하는 / 몰두하여 } 아무 소리도 듣지 못했다.

(2) 꾸중을 듣고 나서야 내 잘못을 { 깨닫고 / 깨달아 } 말았다.

겪다 vs 격다 결과는?

'어렵거나 경험될 만한 일을 당하여 치르다.'라는 뜻을 가진 낱말은 '겪다'일까요, '격다'일까요? 올바른 표현은 '겪다'인데요, 우리 주변에서 '격다'라고 잘못 쓰는 경우를 자주 볼 수 있어요. 그럼 비슷한 경우를 좀 더 알아볼까요?

• 꽃을 { 꺾으면 (○) / 꺽으면 (×) } 안 된다.

• 그릇을 깨끗이 { 닦아야 (○) / 닥아야 (×) } 한다.

한자 어휘

'특(特)'과 '별(別)'이 들어간 말

😊 공부한 날　　월　　일

아는 어휘에 ✔ 표시를 해 보고, 아래 활동을 하며 뜻을 익혀 보세요.

☐ 특별　☐ 특성　☐ 특징　☐ 대서특필　☐ 별개　☐ 별도　☐ 차별화

特
특별할 **특**

옛날에 관청[寺]에서 중대한 일을 결정할 때에 크고 힘센 소[牛]를 제단에 바쳤어요. 그런 특별한 소라는 의미에서 '특별하다'의 뜻을 가지고 있어요.

순서대로 써 봐요.

特
특별할 특

'특별'은 보통과 차이가 나게 다르다는 뜻이에요.

● **특(特)**이 들어간 낱말은 '특별하다'의 뜻을 지니는 경우가 많아요.

특 성
특별할 特　성품 性

뜻 일정한 사물에만 있는 보통과 매우 차이가 나게 다른 성질.

예 이 식물은 추위에 강한 특성이 있어서 겨울에도 잘 자란다.

특 징
특별할 特　부를 徵

뜻 다른 것에 비해 특별히 달라 눈에 띄는 점.

예 화려한 꽃무늬가 특징인 이 옷은 젊은이들에게 인기가 높다.

대 서 특 필
큰 大　글 書　특별할 特　붓 筆

뜻 특별히 두드러지게 보이도록 글자를 크게 쓴다는 뜻으로, 신문 따위의 출판물에서 어떤 사건을 특별히 중요한 기사로 알리는 것.

예 신문마다 아카데미 영화제에서 수상한 일을 대서특필하였다.

'특성'과 '특징'의 미묘한 차이를 아시나요?

일정한 사물에만 있는 특수한 성질.

특 성 vs **특 징**

특별할 特 　성품 性 　특별할 特 　부를 徵

다른 것에 비하여 특별히 눈에 띄는 점.

'특성'은 보통 밖으로 드러나지 않는 것을 표현하고, '특징'은 주로 겉에 있거나 눈에 보이는 것을 표현한다는 점에서 차이가 있어요.

오늘은 학교에서 특별 행사가 열릴 예정이야.

別

나눌 **별**

이 한자는 另(헤어질 령) 자와 刀(칼 도) 자가 결합하여 이루어진 글자예요. 사람의 뼈와 살이 '나누어졌다'는 뜻을 표현하고 있어요.

別

나눌 **별**

● 별(別)이 들어간 낱말은 '나누다'의 뜻을 지니는 경우가 많아요.

별 개	
나눌 別 　낱 個	뜻 서로 달라 관련되는 것이 없음. 예 연구 결과에 따르면 뇌의 크기와 뇌의 능력은 별개라고 한다.
별 도	
나눌 別 　길 途	뜻 원래의 것에 덧붙여 추가되거나 따로 마련된 것. 예 태풍 피해를 입은 사람에게는 정부의 별도 지원이 필요하다.
차 별 화	
다를 差 　나눌 別 　될 化	뜻 둘 이상의 대상을 등급이나 수준 등에 차이를 두어서 구별된 상태가 되게 함. 예 신제품을 널리 알리려면 차별화 전략으로 관심을 끌어야 한다.

우승하려면 차별화 전략이 필요해!

1 다음 낱말에 공통으로 쓰인 '특'의 뜻으로 알맞은 것에 ○표를 해 보세요.

특별(特別)　　특성(特性)　　특징(特徵)　　대서특필(大書特筆)

(1) 다르다 (　　　　)　　　(2) 통하다 (　　　　)　　　(3) 특별하다 (　　　　)

2 다음의 낱말과 뜻이 알맞도록 선으로 이어 보세요.

(1) 특징(特徵) •

(2) 특별(特別) •

(3) 특성(特性) •

• ① 보통과 차이가 나게 다름.

• ② 다른 것에 비해 특별히 달라 눈에 띄는 점.

• ③ 일정한 사물에만 있는 보통과 매우 차이가 나게 다른 성질.

3 밑줄 친 '별'이 '나누다'의 뜻으로 쓰이지 않은 것에 ×표를 해 보세요.

(1) 별도 (　　　　)　　　(2) 별주부 (　　　　)　　　(3) 차별화 (　　　　)

4 빈칸에 들어갈 알맞은 낱말을 보기 에서 찾아 써 보세요.

보기　　　　별개(別個)　　　별도(別途)　　　특성(特性)

(1) 예술 작품의 크기와 가치는 [　　　　]인 경우가 많다.

(2) 사춘기가 되면 감정 변화가 심해지는 [　　　　]이 있다.

(3) 이 음식점에는 어린이를 위한 놀이방이 [　　　　]로 마련되어 있다.

5 친구들이 지역 신문에 소개할 우리 학교의 자랑거리를 말하였습니다. 빈칸에 들어갈 알맞은 낱말을 보기 에서 찾아 써 보세요.

보기   특별   특징   차별화   대서특필

물건을 세는 단위를 알아보아요!

우리말에는 물건을 세는 단위가 무척 다양해요. 물건의 종류와 특성에 따라 단위가 다를 뿐만 아니라, 그 수나 양도 다르지요. 현대식 계량법을 사용하면서 단위를 나타내는 우리말도 점차 잊혀 가고 있지만, 옛날부터 사용해 오던 이런 말들을 잘 살펴보면 조상들의 생활 모습을 엿볼 수 있어요.

실 세 **타래**

바늘 한 **쌈**
↳ 바늘 24개

비단 세 **끗**

두부 한 **모**

달걀 한 **꾸러미**
↳ 달걀 10개

김 한 **톳**
↳ 김 100장

접시 한 **죽**
↳ 접시 10개

밥 한 **술**
↳ 밥 한 숟가락 분량

(1) 두부나 묵 등을 세는 단위. • • ① 끗

(2) 옷, 그릇 등의 열 벌을 묶어 세는 단위. • • ② 모

(3) 접어서 파는 천의 길이를 나타내는 단위. • • ③ 죽

(4) 동그랗게 감아서 뭉쳐 놓은 실이나 노끈 등의 뭉치를 세는 단위. • • ④ 타래

4주 어휘
미리보기

뜻을 알고 있는 낱말에 V표 해 보세요.
알고 있는 낱말은 글에서 어떻게 쓰였는지 확인하고,
모르는 낱말은 글을 읽으며 재미있게 익혀 보아요.

배울 내용		배울 낱말		공부한 날
Day 16	속담 **제 버릇 개 줄까**	☐ 담력 ☐ 비범하다 ☐ 서슴다 ☐ 연회	☐ 도술 ☐ 으름장 ☐ 직책 ☐ 제압	월 / 일
Day 17	관용어 **가슴에 새기다**	☐ 동지 ☐ 거사 ☐ 식음 ☐ 무장	☐ 스러지다 ☐ 밀정 ☐ 전폐 ☐ 항일	월 / 일
Day 18	한자 성어 **유비무환(有備無患)**	☐ 정복 ☐ 정황 ☐ 주둔 ☐ 조달	☐ 예견 ☐ 백병전 ☐ 공략 ☐ 유인	월 / 일
Day 19	교과 어휘 – 사회 **교무실 청소 지시는 학생 인권 침해**	☐ 인권 ☐ 진정 ☐ 권위 ☐ 실태	☐ 침해 ☐ 복종 ☐ 권고 ☐ 대책	월 / 일
Day 20	한자 어휘 **'기(基)'와 '본(本)'이 들어간 말**	☐ 기본 ☐ 기초 ☐ 본질 ☐ 자본	☐ 기준 ☐ 기반 ☐ 본격적	월 / 일

제 버릇 개 줄까

아는 어휘에 ✔ 표시를 해 보고, 어휘의 뜻을 생각하며 글을 읽어 보세요.

☐ 담력 ☐ 도술 ☐ 비범하다 ☐ 으름장 ☐ 서슴다 ☐ 직책 ☐ 연회 ☐ 제압

🕐 공부한 날

월   일

먼 옛날 손오공이라는 원숭이가 돌에서 태어났습니다. 손오공은 태어날 때부터 힘이 세고 ❶담력이 뛰어나 금세 원숭이들의 대장이 되었습니다. 그리고 신선으로부터 구름을 타고 날아다니는 방법과 다양한 ❷도술을 배웠습니다.

❸비범한 기운을 타고난 데다가 새로운 능력까지 얻은 손오공은 ❹거칠 것 없이 행동했습니다. 용궁에 가서 자신이 쓸 무기를 내놓으라며 ❺으름장을 놓아 여의봉을 ❻손에 넣었고, 요괴들과 ❼의형제를 맺어 주변을 두려움에 떨게 했습니다. 또 저승에 가서 자신과 요괴들의 수명 기록을 지워 버리는 일도 ❽서슴지 않았습니다.

손오공이 많은 문제를 일으키자 옥황상제는 손오공을 잘 달래어 타일러야겠다고 생각했습니다. 그래서 손오공에게 하늘에서 제일 큰 별이라는 뜻을 가진 '제천대성'이라는 이름을 붙여 주었습니다. 그리고 하늘나라의 복숭아나무를 관리하는 일을 맡겼습니다. 하늘나라의 복숭아는 삼천 년마다 딱 한 번씩 열매를 맺고, 그 열매가 익는 데에는 구천 년이나 걸린다는 보배였습니다. 손오공은 하늘나라에서 ❾직책을 맡았다는 것에 신나서 열심히 복숭아나무를 돌보았습니다.

하지만 ❿제 버릇 개 줄까, 손오공은 얼마 안 가서 말썽을 부리기 시작했습니다. 자신이 돌보던 귀한 복숭아를 허락 없이 모두 따 먹었습니다. 걸핏하면 하늘나라 ⓫연회를 망쳐 놓았고, 늙지 않고 오래 살게 해 준다는 귀한 약도 몰래 훔쳐 먹었습니다.

이를 보다 못한 옥황상제는 장군들에게 손오공을 체포하라는 명령을 내렸습니다. 하지만 하늘나라의 장군들조차 손오공을 ⓬제압하는 것은 불가능했습니다. 손오공은 동에 번쩍, 서에 번쩍 하면서 계속해서 하늘나라를 뒤집어 놓았습니다. 옥황상제는 하는 수 없이 부처님에게 손오공을 잡아 달라고 부탁했습니다. 자신의 힘을 믿고 소란을 피우던 손오공이었지만 부처님을 이길 수는 없었습니다. 결국 손오공은 부처님에게 잡혀 500년 동안 바위산에 갇히는 벌을 받았습니다.

－『서유기』

❶ **담력**: 겁이 없고 용감한 기운.

❷ **도술**: 도를 닦아서 얻게 된 능력으로 부리는 기이한 기술.

❸ **비범한**: 수준이 보통을 넘어 아주 뛰어난.

❹ **거칠 것 없이**: 사람을 대하거나 행동을 할 때 조심하거나 두려워하지 않고.

❺ **으름장**: 말과 행동으로 으르고 협박하는 짓.

❻ **손에 넣었고**: 완전히 자신의 것으로 만들었고.

❼ **의형제**: 남남인 사람들끼리 의로 맺은 형제.

❽ **서슴지**: 어떤 행동을 선뜻 하지 못하고 망설이지.

❾ **직책**: 직업상 맡은 일에 따른 책임.

❿ **제 버릇 개 줄까**: 한번 들인 나쁜 버릇은 고치기 어려움을 뜻하는 말.

⓫ **연회**: 여러 사람이 모여 음식을 먹으며 즐기는 잔치.

⓬ **제압하는**: 강한 힘이나 기세로 상대를 누르는.

1 이 이야기의 내용으로 알맞은 것에 ○표, 알맞지 <u>않은</u> 것에 ×표를 해 보세요.

(1) 손오공은 돌에서 태어난 원숭이이다. ──────────────────── (○ / ×)

(2) '제천대성'은 하늘에서 제일 큰 별이라는 뜻이다. ─────────── (○ / ×)

(3) 손오공은 하늘나라 장군들에게 잡혀 500년 동안 바위산에 갇히는 벌을 받았다. ── (○ / ×)

2 이 이야기에서 손오공이 말썽을 일으킨 차례대로 번호를 써 보세요.

① 하늘나라에서 열리는 연회를 망쳐 놓음.

② 자신이 돌보던 복숭아를 허락 없이 모두 따 먹음.

③ 요괴들과 의형제를 맺어 주변을 두려움에 떨게 함.

④ 늙지 않고 오래 살게 해 준다는 약을 몰래 훔쳐 먹음.

⑤ 저승에 가서 자신과 요괴들의 수명 기록을 지워 버림.

⑥ 용궁에 가서 자신이 쓸 무기를 내놓으라며 으름장을 놓음.

⑥ → (   ) → (   ) → (   ) → (   ) → ④

3 손오공의 성격을 표현한 말로 알맞은 것에 ○표를 해 보세요.

(1) 온순하다. (   )   (2) 상냥하다. (   )

(3) 제멋대로이다. (   )   (4) 인내심이 강하다. (   )

4 다음 친구들의 대화를 보고, 속담 "제 버릇 개 줄까."의 뜻을 생각하여 빈칸을 알맞게 채워 보세요.

손오공은 원래 이곳저곳을 다니며 말썽을 많이 부렸어.

그래. 하늘나라에서 직책을 맡은 뒤 한동안 얌전하게 지내나 싶었는데, 얼마 안 가서 다시 말썽을 부렸지.

손오공과 같이 나쁜 행동이나 습관을 고치지 못한 채 반복하는 것을 보고 "제 버릇 개 줄까."라고 해.

→ 한번 들인 ☐☐ 버릇은 ☐☐☐ 어렵다.

5 다음의 낱말과 뜻이 알맞도록 선으로 이어 보세요.

(1) 담력 •

(2) 서슴다 •

(3) 제압하다 •

• ① 겁이 없고 용감한 기운.

• ② 강한 힘이나 기세로 상대를 누르다.

• ③ 어떤 행동을 선뜻 하지 못하고 망설이다.

6 밑줄 친 낱말과 바꾸어 쓸 수 있는 낱말을 골라 번호를 써 보세요.

(1) 그는 어릴 적부터 바이올린 연주 실력이 비범했다. ·· (   )

① 뛰어났다

② 평범했다

(2) 손오공의 으름장에 용왕님은 여의봉을 내놓을 수밖에 없었다. ·········· (   )

① 의리

② 협박

7 주어진 글자 카드를 이용하여 빈칸에 알맞은 말을 채워 보세요.

발	거	배	칠	손	할

(1) 상대 팀 선수들이 ☐☐ 것 없이 공격해 왔다.

↳ 사람을 대하거나 행동을 할 때 조심하거나 두려워하지 않고.

(2) 억울하게 빼앗겼던 물건을 다시 ☐에 넣고 환하게 웃었다.

↳ 완전히 자신의 것으로 만들고.

76

8 속담 "제 버릇 개 줄까."의 의미를 생각하며 빈칸에 들어갈 알맞은 내용을 골라 ○표를 해 보세요.

> 민수는 자주 지각을 한다. 왜냐하면 밤늦게까지 게임을 하다가 늦잠을 자기 때문이다. 그런 민수가 어제는 일찍 학교에 와서 반 친구들을 놀라게 했다. 하지만 "제 버릇 개 줄까.",
>
>

(1) 민수는 오늘 다시 지각을 하였다. ·· (   )
(2) 민수는 완전히 달라져서 오늘도 일찍 학교에 왔다. ·········· (   )

틀리기 쉬워요!

9 다음 문장에서 올바른 표현을 골라 ○표를 해 보세요.

(1) 결승전에서 { 만만지 / 만만치 } 않은 상대를 만났다.

(2) 이사를 하니 모든 게 { 익숙지 / 익숙치 } 않아 불편하다.

(3) 그는 화가 나면 마구 소리를 지르는 일도 { 서슴지 / 서슴치 } 않았다.

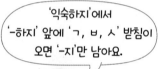

'익숙하지'에서 '-하지' 앞에 'ㄱ, ㅂ, ㅅ' 받침이 오면 '-지'만 남아요.

10 보기 의 내용을 참고하여 주어진 낱말과 반대되는 뜻을 가진 낱말을 빈칸에 써 보세요.

> **보기** 일부 낱말 앞에 '비(非)-'나 '불(不)-'을 붙이면 '아님'의 뜻을 더할 수 있어요.
>
> 예 정상 ↔ 비정상, 가능 ↔ 불가능

(1) 어떤 사실이나 내용을 사람들에게 널리 알림. : 공개 ↔ □□□

(2) 한쪽으로 치우치지 않고 모든 사람에게 고름. : 공평 ↔ □□□

가슴에 새기다

아는 어휘에 ✔ 표시를 해 보고, 어휘의 뜻을 생각하며 글을 읽어 보세요.

☐ 동지 ☐ 스러지다 ☐ 거사 ☐ 밀정 ☐ 식음 ☐ 전폐 ☐ 무장 ☐ 항일

⏱ **공부한 날**

월   일

남자현은 자신의 집을 찾아온 독립군 **❶동지** 공서에게 말했습니다.

"올해는 우리 민족이 독립 만세를 부르짖은 지 14년째 되는 해입니다. 그 당시 대한의 독립을 위해 **❷스러져** 간 조상들의 희생을 **❸가슴에 새기고**, 우리 역시 이 땅의 독립을 위해 멈추지 말고 나아가야 합니다. 나는 어차피 늙은 몸, 얼마나 더 살겠습니까? 후손들의 미래를 위해 영광스럽게 죽을 수 있다면 그것을 축복으로 알 것이오."

▲ 독립운동가 남자현 선생

공서가 돌아간 뒤, 잠자리에 누운 남자현은 쉽사리 잠을 청하지 못했습니다. 며칠 뒤에 있을 **❹거사**를 앞두고 과연 잘 해낼 수 있을까, 혹여 일을 **❺그르치면** 뜻을 함께하는 동지들에게 **❻폐**를 끼치는 것은 아닌지 걱정하는 마음이 태산과도 같았습니다.

뜬눈으로 밤을 새운 남자현은 자리에서 일어나 깨끗하게 목욕을 하고 죽은 남편의 피 묻은 군복을 꺼냈습니다. 을미 의병 때 세상을 떠난 남편의 군복을 입고 그 위로 허름한 거지 옷을 걸쳤어요. 남편의 군복을 입으니 더 이상 두렵지 않았습니다. 남자현은 당당한 태도로 집을 나섰습니다.

하얼빈에서 과일 상자에 들어 있는 무기를 건네받아 일본 장교 무토 노부요시를 죽이는 것이 남자현과 동지들의 계획이었습니다. 하지만 무기를 손에 넣기도 전에 남자현은 일본 경찰의 손에 체포되고 말았습니다. **❼밀정**의 신고로 거사를 망친 것이었어요.

남자현은 여섯 달이나 감옥에 갇힌 채 모진 고문을 당했습니다. 이 와중에도 일제에 저항하기 위해 보름 동안이나 **❽식음**을 **❾전폐했지요**. 결국 몸이 너무나 쇠약해져 목숨이 위태로워지자, 겁이 난 일본 경찰은 서둘러 그녀를 감옥 밖으로 내보냈습니다.

그녀는 숨이 끊어지기 전 마지막 순간에 아들에게 말했습니다.

"아들아, 내가 가진 248원 중 200원은 우리나라가 독립이 되면 독립 축하금으로 바쳐 다오. 사람이 죽고 사는 것이 먹는 데 있는 것이 아니고 정신에 있다. 독립은 정신으로 이루어지느니라."

'독립군의 어머니'라 불리며 적지 않은 나이에도 **❿무장 ⓫항일** 투쟁에 뛰어든 남자현은 조용히 눈을 감았습니다.

❶ **동지**: 뜻이나 목적이 서로 같은 사람.

❷ **스러져**: 무엇이 죽거나 망하여.

❸ **가슴에 새기고**: 잊지 않게 단단히 마음에 기억하고.

❹ **거사**: 사회적으로 크고 중요한 일을 일으킴.

❺ **그르치면**: 어떤 일이나 형편을 좋지 않게 하거나 잘못되게 하면.

❻ **폐**: 남에게 손해를 끼치거나 남을 귀찮게 하는 일.

❼ **밀정**: 남몰래 사정을 살핌. 또는 그런 사람.

❽ **식음**: 먹고 마심. 또는 그런 일.

❾ **전폐했지요**: 완전히 그만두었지요.

❿ **무장**: 전쟁이나 전투를 하기 위한 장비 등을 갖춤. 또는 그 장비.

⓫ **항일**: 일본 제국주의의 침략과 통치에 맞서서 싸움.

1 남자현이 겪은 일로 알맞은 것에 ○표, 알맞지 <u>않은</u> 것에 ×표를 해 보세요.

(1) 죽은 남편의 피 묻은 군복을 꺼내 입었다. ———————————— (○ / ×)

(2) 허름한 거지 옷을 걸친 채 당당히 집을 나섰다. ———————————— (○ / ×)

(3) 하얼빈에서 무기를 건네받아 거사를 성공시켰다. ———————————— (○ / ×)

2 다음은 남자현이 한 말입니다. 빈칸에 들어갈 알맞은 낱말을 [보기] 에서 찾아 써 보세요.

보기	독립	축복	희생

(1) 대한의 독립을 위한 조상들의 [　　　　　]을 가슴에 새겨야 한다.

(2) 우리도 이 땅의 [　　　　　]을 위해 멈추지 말고 나아가야 한다.

(3) 후손들의 미래를 위해 영광스럽게 죽을 수 있다면 [　　　　　]으로 알 것이다.

3 다음은 남자현에게 일어난 일입니다. 일이 일어난 차례대로 번호를 써 보세요.

① 보름 동안이나 식음을 전폐함.	② 독립군 동지인 공서를 만남.
③ 쇠약해진 몸으로 감옥에서 풀려남.	④ 밀정의 신고로 일본 경찰에게 체포됨.

(　　　) ➔ (　　　) ➔ (　　　) ➔ (　　　)

4 빈칸에 들어갈 알맞은 낱말을 [보기] 에서 찾아 써 보세요.

보기	그리움	아쉬움	부끄러움

일어난 일		남자현의 마음 상태
죽은 남편의 피 묻은 군복을 꺼내 입음.	➔	당당함
일본 경찰에게 체포되어 거사를 망침.	➔	
죽기 전 아들에게 독립을 위한 당부의 말을 함.	➔	간절함

5 다음의 낱말과 뜻이 알맞도록 선으로 이어 보세요.

(1) 거사 •

(2) 밀정 •

(3) 무장 •

(4) 항일 •

• ① 남몰래 사정을 살핌. 또는 그런 사람.

• ② 사회적으로 크고 중요한 일을 일으킴.

• ③ 일본 제국주의의 침략과 통치에 맞서서 싸움.

• ④ 전쟁이나 전투를 하기 위한 장비 등을 갖춤. 또는 그 장비.

6 밑줄 친 낱말과 바꾸어 쓸 수 있는 낱말을 골라 ○표를 해 보세요.

(1) 일제 식민지 통치에 저항하였던 독립군의 정신을 되새겨야 한다.

① 대항하였던 (   )

② 투항하였던 (   )

(2) 몸이 쇠약한 노인들은 영양분이 많은 음식을 먹어야 건강에 좋다.

① 유약한 (   )

② 병약한 (   )

7 다음 글에서 밑줄 친 '가슴에 새기다'의 의미로 알맞은 것에 ○표를 해 보세요.

지난 일요일에 엄마와 함께 서대문 형무소 역사관에 다녀왔다.

해설사 선생님의 안내에 따라 전시관에서부터 시작하여 중앙사, 12옥사 순서로 관람하였다. 서대문 형무소는 일제 강점기 때 독립운동가들을 잡아 가두고 갖가지 고문을 일삼았던 장소이다. 지하 고문실에 전시되어 있는 수갑, 족쇄 등을 보면서 '내가 독립운동을 하다가 고문을 당했다면 어땠을까?' 하고 생각하니 온몸에 소름이 돋았다.

빼앗긴 나라를 되찾기 위하여 목숨을 바친 독립운동가들의 희생정신을 우리 모두의 가슴에 새겨야 하겠다.

(1) 단단히 기억해 두다. .... (   )

(2) 마음속 깊이 상처를 주다. .... (   )

8 '가슴에 새기다'의 의미를 바르게 이해한 친구를 골라 ○표를 해 보세요.

(1)
전혀 예상하지 못한 일이 갑자기 일어나서 마음이 불안하거나 초조할 때 사용할 수 있는 표현이야!

(   )

(2)
책을 읽고 나서 얻은 교훈을 마음에 잘 간직하려고 할 때 사용할 수 있는 표현이야!

(   )

틀리기 쉬워요!

9 다음 문장에서 올바른 표현을 골라 ○표를 해 보세요.

(1) 전쟁으로 수많은 생명이 { 스러져 / 쓰러져 } 갔다.

(2) 너무나 급한 나머지 대강 외투를 { 거치고 / 걸치고 } 집 밖으로 뛰어나갔다.

10 밑줄 친 낱말을 소리 나는 대로 써 보세요.

(1) 온 가족의 <u>축복</u> 속에 결혼식이 열렸다.

　　[　　　　　　　　　　]

(2) 배고픈 나그네는 <u>국밥</u> 한 그릇을 금세 먹어 치웠다.

　　[　　　　　　　　　]

[국밥] vs [국빱] 결과는?

'국밥'은 [국빱]으로 소리 나지요. 앞 글자의 끝소리가 'ㄱ', 'ㄷ', 'ㅂ'으로 끝나고 뒷글자의 첫소리로 'ㄱ', 'ㄷ', 'ㅂ', 'ㅅ', 'ㅈ'이 오면, 뒷글자의 첫소리가 [ㄲ, ㄸ, ㅃ, ㅆ, ㅉ]으로 바뀌어 소리 나요.

예 국수[국쑤], 역도[역또], 먹보[먹뽀]

맞은 개수 _____ /10개

스스로 붙임딱지

한자 성어

유비무환 (有 있을 유　備 갖출 비　無 없을 무　患 근심 환)

아는 어휘에 ✔ 표시를 해 보고, 어휘의 뜻을 생각하며 글을 읽어 보세요.

☐ 정복　☐ 예견　☐ 정황　☐ 백병전　☐ 주둔　☐ 공략　☐ 조달　☐ 유인

🕐 **공부한 날**

월　　일

❶ **정복**: 다른 민족이나 나라를 무력으로 쳐서 복종시킴.

❷ **예견했습니다**: 앞으로 일어날 일을 미리 알거나 짐작했습니다.

❸ **증언**: 어떤 사실을 증명함. 또는 그런 말.

❹ **정황**: 어떤 일에 관련된 여러 가지 사정과 상황.

❺ **화포**: 대포처럼 화약의 힘으로 탄환을 쏘는 무기.

❻ **전함**: 전쟁할 때 쓰는 배.

❼ **백병전**: 칼이나 창, 총검 따위와 같은 무기를 가지고 적과 직접 몸으로 맞붙어서 싸우는 전투.

❽ **주둔하고**: 군대가 임무를 수행하기 위해 어떤 곳에 얼마 동안 머무르고.

❾ **공략함으로써**: 군대의 힘으로 적을 공격하여 적의 영토, 재물, 주권 등을 빼앗음으로써.

❿ **조달하려고**: 필요한 돈이나 물건 등을 대어 주려고.

⓫ **학익진**: 학이 날개를 편 듯이 치는 진. 적을 둘러싸기에 편리한 진형.

⓬ **유인하였습니다**: 관심이나 흥미를 일으켜 꾀어냈습니다.

⓭ **유비무환**: 미리 준비를 해 놓으면 걱정할 것이 없음.

　　1590년에 일본을 통일한 도요토미 히데요시는 '명나라로 쳐들어가려 하니 길을 내 달라'는 핑계를 들어 조선 땅을 넘보았습니다. 이로 인해 일본과 명나라 사이에 위치해 있는 조선은 일본의 첫 ❶정복 대상이 되었지요.

　　1591년부터 전라 좌수사를 맡고 있었던 이순신 장군은 조만간 일본이 조선을 침략할 것이라고 ❷예견했습니다. 왜냐하면 일본에 포로로 잡혀갔다가 풀려난 백성들의 ❸증언과 여러 가지 ❹정황이 있었기 때문이지요. 그래서 이순신 장군은 일본 수군에 대한 정보를 수집하기 시작했습니다.

　　일본 수군은 조총을 갖추고 있었으나 ❺화포는 적었습니다. 따라서 ❻전함을 적군의 배에 접근시킨 뒤에 올라타서 ❼백병전을 벌이는 전투 방식을 택했지요. 또한 일본의 전함은 속도는 빠르지만 튼튼하지 못했고, 화포의 힘도 강하지 않았습니다. 이 같은 적군의 형편을 파악한 뒤, 이순신 장군은 화포와 화약을 갖추고 적의 전함보다 높고 튼튼한 거북선을 준비하였습니다.

　　마침내 1592년 4월, 일본은 수많은 군사를 이끌고 조선을 침략하였습니다. 전쟁에 대비하지 못한 조선의 군사들은 20여 일 만에 한양을 왜군들에게 빼앗겼습니다.

　　같은 해 7월, 일본 수군이 70여 척의 전함을 갖춘 채 견내량에 ❽주둔하고 있었습니다. 일본은 남해안 지역을 ❾공략함으로써 육지에 있던 일본 군사들에게 식량과 무기를 ❿조달하려고 했지요. 이때 한산도 앞바다가 물길이 좁아 싸우기 힘든 지형임을 미리 파악한 이순신 장군은 ⓫학익진 형태로 전투 준비를 마친 다음, 5척의 군함을 보내 일본 수군을 한산도 근처로 ⓬유인하였습니다. 이순신 장군은 이곳에서 일본 전함 47척을 침몰시키고 12척을 빼앗는 등 큰 승리를 거두었는데, 이것이 바로 한산도 대첩입니다. 바닷길이 막혀 버리자 왜군들은 더 이상 나아갈 수 없었습니다.

　　이순신 장군은 평소에 작은 무기 하나라도 철저하게 관리하였을 뿐만 아니라, 전투에 필요한 물자를 보충, 공급하는 것도 직접 지휘하였습니다. 게다가 죽음을 무릅쓰고 전투에 앞장서서 두려움에 떠는 병사들에게 용기를 심어 주었습니다.

　　이순신 장군이 일본 수군과의 전투에서 23전 23승이라는 놀라운 기록을 세울 수 있었던 것은 ⓭유비무환의 정신이 밑바탕에 깔려 있었기 때문입니다.

1 이 글의 내용으로 알맞은 것에 ○표, 알맞지 <u>않은</u> 것에 ×표를 해 보세요.

(1) 일본 전함은 속도가 빠르고 튼튼하며 화포의 힘이 강했다. ──────── (○ / ×)

(2) 도요토미 히데요시는 명나라 정벌을 구실로 하여 조선을 침략했다. ──────── (○ / ×)

(3) 이순신 장군은 왜구의 침략을 예견하고 정보를 수집하는 등 전쟁에 대비했다. ──── (○ / ×)

2 다음은 이순신 장군이 한 일입니다. 빈칸에 들어갈 알맞은 말을 보기 에서 찾아 써 보세요.

| 보기 | 예견 | 유인 | 전함 | 정황 | 증언 | 학익진 |

(1) 일본에 포로로 잡혀갔다가 풀려난 백성들의 ⬜⬜과 ⬜⬜을 바탕으로 하여 일본의 침략을 ⬜⬜했다.

(2) 일본 수군의 형편을 먼저 파악한 뒤, 화포와 화약을 갖추고 적의 ⬜⬜보다 높고 튼튼한 거북선을 준비했다.

(3) 한산도 앞바다에 ⬜⬜⬜ 형태로 전투 준비를 마친 다음, 일본 수군을 ⬜⬜하여 큰 승리를 거두었다.

4주차
Day
18

정답과 해설 27쪽

3 이 글을 통해 알 수 있는 이순신 장군의 마음가짐과 어울리는 말을 찾아 번호를 써 보세요.

| ① 대기만성 | ② 유비무환 | ③ 정저지와 | ④ 타산지석 |

(   )

4 '유비무환'의 뜻을 생각하며 빈칸에 알맞은 낱말을 써 보세요.

有	備	無	患
있을 유	갖출 비	없을 무	근심 환

➔ 미리 ⬜⬜를 해 놓으면 걱정할 것이 없다.

83

5 다음의 낱말과 뜻이 알맞도록 선으로 이어 보세요.

(1) 정황 •

(2) 예견하다 •

(3) 조달하다 •

• ① 필요한 돈이나 물건 등을 대어 주다.

• ② 어떤 일에 관련된 여러 가지 사정과 상황.

• ③ 앞으로 일어날 일을 미리 알거나 짐작하다.

6 빈칸에 들어갈 알맞은 낱말을 보기 에서 찾아 써 보세요.

> 보기   공략   유인   주둔   증언

(1) 낚시꾼들은 미끼로 물고기를 [   ] 한다.

(2) 친구의 [   ] 을 믿는 수밖에 다른 방법이 없다.

(3) 전쟁이 끝난 뒤에도 이곳에는 군대가 계속 [   ] 해 있다.

(4) 전봉준이 이끄는 동학 농민군은 전주성을 [   ] 하기로 계획을 세웠다.

7 낱말의 관계가 보기 와 같은 것을 모두 골라 ○표를 해 보세요.

> 보기   군사 – 병사

(1) 무기 – 화포   (2) 전함 – 군함   (3) 침략 – 침공

(   )   (   )   (   )

8 이순신 장군의 '유비무환' 정신을 본받고 싶어 하는 친구의 이름을 써 보세요.

> 적군에 대한 정보를 수집하고 평소에 무기를 철저하게 관리하신 것처럼 나도 무슨 일이든지 미리 준비하는 사람이 될 거야.

민준

> 오직 나라를 사랑하는 마음으로 전투에 앞장서서 왜군과 싸운 것처럼 나도 묵묵히 내 일을 하는 사람이 될 거야.

지인

(   )

9 '유비무환'과 반대 의미를 가진 속담을 찾아 번호를 써 보세요.

① 소 잃고 외양간 고친다.

② 발 없는 말이 천 리 간다.

③ 사공이 많으면 배가 산으로 간다.

(   )

틀리기 쉬워요!

10 다음 문장에서 올바른 표현을 골라 ○표를 해 보세요.

(1) 현수는 머리가 아프다는 { 핑개 / 핑계 }로 숙제를 하지 않았다.

(2) 태풍의 영향으로 파도가 거세지자 { 바다길 / 바닷길 }이 막혀 버렸다.

(3) 소방관들이 위험을 { 무릅쓰고 / 무릎쓰고 } 거센 불길 속으로 뛰어들었다.

교무실 청소 지시는 학생 인권 침해

아는 어휘에 ✔ 표시를 해 보고, 어휘의 뜻을 생각하며 글을 읽어 보세요.

☐ 인권　☐ 침해　☐ 진정　☐ 복종　☐ 권위　☐ 권고　☐ 실태　☐ 대책

🕐 공부한 날

월　　　일

■■신문　　　　　　　　　　　　　　　　20○○년 ○○월 ○○일

　　학생에게 교무실을 청소하도록 지시하는 것은 ❶인권 ❷침해에 해당한다는 ❸국가인권위원회의 판단이 나왔습니다.

　　이것은 지난해 6월 대전 ○○중학교 3학년 ○○○ 학생이 국가인권위원회에 ❹진정한 '교직원 사용 공간을 학생에게 청소시키는 것은 부당한 인권 침해'라는 사건에 대한 결정입니다.

　　국가인권위원회는 "교무실 등 교직원이 사용하는 공간을 학생들에게 청소하도록 지시한 행위는 ❺헌법 제10조에서 보장하고 있는 행동하지 않을 자유를 침해했으므로 인권 침해에 해당한다."라고 판단했습니다.

　　국가인권위원회는 "학생들에게 청소를 지도하는 게 일상생활에서 이루어져야 할 생활 습관을 기르는 교육적 의미라면 필요성이 인정된다."라고 하면서도 "만약 교직원이 사용하는 공간을 학생들에게 청소하도록 지시한 이유가 교사에게 강요나 ❻복종을 요구하는 인성 교육이라면 학생들이 비인간적인 심성을 배울 수 있다."라고 했습니다. 즉, 청소 교육을 하는 이유가 교사의 ❼권위에 복종하게 만들 수 있다는 점에 인권 침해 요소가 있다고 본 것입니다.

　　학교 측은 "학생이 청소에 참여하는 것은 쾌적한 교육 환경과 공동체 문화를 만들고, 다른 사람을 배려하는 인성을 기르기 위한 교육 활동에 해당한다."라고 주장했습니다. 그러나 국가인권위원회는 교육적 차원의 청소는 학생들이 사용하는 교실이나 과학실, 음악실 등의 뒷정리를 하는 것으로도 충분하다고 설명했습니다.

　　국가인권위원회는 대전 ○○중학교장에게 ❽비자발적 방법으로 학생들에게 교무실 청소를 시키는 것을 중단하라고 ❾권고했습니다. 또 대전교육청장에게는 다른 학교의 ❿실태를 파악해 ⓫대책을 세울 것을 권고했습니다.

●●● 기자

---

❶ **인권**: 인간이기 때문에 당연히 갖는 권리. 사람이면 누구나 태어나면서 갖는 권리.

❷ **침해**: 침범하여 해를 끼침.

❸ **국가인권위원회**: 모든 개인의 기본적 인권을 보호하고 향상함으로써 인간으로서의 존엄과 가치를 실현하기 위해 만든 독립적인 국가 기구.

❹ **진정한**: 어떤 문제에 대한 해결을 바라며 관청이나 공공 기관 등에 실제 사정을 자세히 말한.

❺ **헌법**: 국가를 운영하는 데 가장 중요하고 기본적인 내용을 담고 있는 우리나라 최고의 법.

❻ **복종**: 다른 사람의 명령이나 의견에 그대로 따름.

❼ **권위**: 특별한 능력, 자격, 지위로 남을 이끌어서 따르게 하는 힘.

❽ **비자발적**: 남이 시키거나 요청하지 않으면 자기 스스로 나아가 행하지 않는. 또는 그런 것.

❾ **권고했습니다**: 어떤 일을 하도록 동의를 구하며 충고했습니다.

❿ **실태**: 있는 그대로의 상태.

⓫ **대책**: 어려운 상황을 이겨 낼 수 있는 계획.

1 다음과 같은 목적으로 만든 국가 기관은 무엇인지 글에서 찾아 써 보세요.

> 모든 개인이 가지는 *불가침의 기본적 인권을 보호하고 그 수준을 향상시킴으로써 인간
> 으로서의 존엄과 가치를 실현하고 민주적 기본 질서 확립에 이바지한다.
>
> * 불가침: 함부로 침범할 수 없음.

(   )

2 이와 같은 글의 특성에 맞게 선으로 이어 보세요.

(1) 사실을 있는 그대로 기록해야 한다. •

(2) 개인의 판단이 들어가서는 안 된다. •

(3) 새로운 사실을 최대한 빨리 전달해야 한다. •

• ① 객관성

• ② 신속성

• ③ 사실성

3 다음은 이 글의 중요한 내용을 정리한 것입니다. 빈칸을 알맞게 채워 보세요.

○○○ 학생이 진정한 내용	교직원 사용 공간을 학생에게 청소시키는 것은 부당한 ☐☐ ☐☐임.
국가인권위원회의 결정	교직원이 사용하는 공간을 학생들에게 청소하도록 ☐☐한 행위는 ☐☐ 제10조에서 보장하고 있는 행동하지 않을 ☐☐를 침해했으므로 인권 침해에 해당함.
국가인권위원회의 판단 근거	청소 교육을 하는 이유가 교사의 ☐☐에 ☐☐하게 만들 수 있다는 점에 인권 침해 요소가 있다고 봄.
국가인권위원회의 권고	대전 ○○중학교장에게 ☐☐☐☐ 방법으로 학생들에게 교무실 청소를 시키는 것을 중단하고, 대전교육청장에게는 다른 학교의 실태를 파악해 ☐☐을 세울 것을 권고함.

87

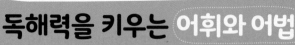

4 다음의 낱말과 뜻이 알맞도록 선으로 이어 보세요.

(1) 헌법 •

(2) 인권 •

(3) 진정하다 •

• ① 인간이기 때문에 당연히 갖는 권리. 사람이면 누구나 태어나면서 갖는 권리.

• ② 국가를 운영하는 데 가장 중요하고 기본적인 내용을 담고 있는 우리나라 최고의 법.

• ③ 어떤 문제에 대한 해결을 바라며 관청이나 공공 기관 등에 실제 사정을 자세하게 말하다.

5 빈칸에 들어갈 알맞은 낱말을 보기 에서 찾아 써 보세요.

보기	권고	권위	침해

(1) 예전에 비해 아버지의 [ ]가 떨어진 것 같다.

(2) 사생활 [ ]로 고통을 겪는 사람들이 늘어나고 있다.

(3) 전문가들은 실내에서 공기 정화 식물을 키우는 게 좋다고 [ ]한다.

6 밑줄 친 부분과 바꾸어 쓸 수 있는 낱말을 떠올려 빈칸에 써 보세요.

(1) 국어 성적이 작년보다 많이 올랐다. → [ ][ ][ ]

(2) 아이들이 때 묻지 않은 고운 심성을 지니고 있다. → [ ][ ][ ]

7 밑줄 친 낱말의 앞에 붙어서 '아님'의 뜻을 더하는 말을  에서 찾아 빈칸에 써 보세요.

> 보기   반   부   불   비

(1) 누구에게나 똑같이 <u>인간적인</u> 대접을 해 주어야 한다.

         ↔ ☐ 인간적인

(2) 교통질서를 확립하기 위해서는 시민들의 <u>자발적인</u> 참여가 필요하다.

         ↔ ☐ 자발적인

8 다음 문장에서 틀린 부분을 찾아 바르게 고쳐 써 보세요.

(1) | 여름 방학을 알차게 보내려면 미리 계획을 새워야 한다. |

         (   ) ➔ (   )

(2) | 교실에 마지막까지 남아 있는 사람이 뒤정리를 하기로 정했다. |

         (   ) ➔ (   )

9 다음 문장에 어울리는 낱말의 형태를 골라 ○표를 해 보세요.

(1) 누구나 { 부당한 / 부당하는 } 일을 겪으면 참지 않는다.

(2) 갑자기 비가 와서 야구 경기를 { 중단하고 / 중단해야 } 말았다.

뒤정리 vs 뒷정리 결과는?

'앞'과 뜻이 서로 반대되는 '뒤' 다음에 'ㄲ, ㄸ, ㅃ, ㅆ, ㅉ'이나 'ㅋ, ㅌ, ㅍ, ㅊ'으로 시작되는 말이 오는 경우에는 사이시옷을 붙이지 않아요. 하지만 그렇지 않은 경우에는 사이시옷을 붙여요.

예 뒤쪽(○) 뒷쪽(×) / 뒤꿈치(○) 뒷꿈치(×) / 뒷길(○) 뒤길(×) / 뒷동산(○) 뒤동산(×)

한자 어휘

'기(基)'와 '본(本)'이 들어간 말

아는 어휘에 ✔ 표시를 해 보고, 아래 활동을 하며 뜻을 익혀 보세요.

☐ 기본 ☐ 기준 ☐ 기초 ☐ 기반 ☐ 본질 ☐ 본격적 ☐ 자본

基
터 기

이 한자는 土(흙 토) 자와 其(그 기) 자가 합하여 이루어진 글자예요. 건물을 짓기 위해서 땅을 파고 기초를 다지는 것처럼 '기초'나 '토대'라는 뜻을 가지고 있어요.

순서대로 써 봐요.

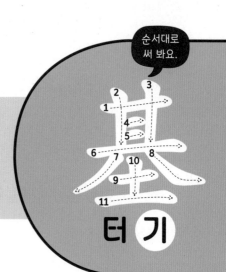

基
터 기

'기본'은 ① 무엇을 하기 전에 가장 먼저 해야 하는 것이나 꼭 있어야 하는 것.
② 무엇을 이루는 데 가장 중심이 되고 중요한 것을 말해요.

● 기(基)가 들어간 낱말은 '기초'의 뜻을 지니는 경우가 많아요.

기 준
터 基   준할 準

🔸뜻 구별하거나 정도를 판단하기 위하여 그것과 비교하도록 정한 대상이나 잣대.

🔹예 공정한 평가를 하기 위해서는 기준을 세워야 한다.

기 초
터 基   주춧돌 礎

🔸뜻 사물이나 일 등의 기본이 되는 바탕.

🔹예 기초 공사를 튼튼히 해야 안전한 건물을 지을 수 있다.

기 반
터 基   소반 盤

🔸뜻 무엇을 하기 위해 기초가 되는 것.

🔹예 몇 년 전부터 시골에 내려가 농사지을 기반을 다지고 있다.

'기본'과 '기초'의 미묘한 차이를 아시나요?

사물의 중심이 되고,
기초 위에 있는 것.

기	본	vs	기	초
터 基	근본 本		터 基	주춧돌 礎

사물의 밑바탕이
되는 것.

'기본'은 사람이 당연히 지켜야 할 예절, 규칙 등과 어울려 쓰이고, '기초'는 어떤 일에
대한 바탕이나 사건에 대한 첫걸음을 나타낼 때 써요.

태권도를 배울 때는
기본 동작을 잘 익혀야 해.

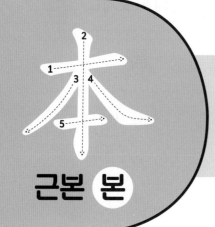

근본 본

이 한자는 木(나무 목) 아래쪽에 점을 찍어
나무의 뿌리를 표현한 글자예요. 뿌리가
나무를 지탱하는 것처럼 사물의 '근본'이라
는 뜻을 가지고 있어요.

本
근본 본

4주차
Day
20

정답과 해설 28쪽

● **본(本)이 들어간 낱말은 '근본'의 뜻을 지니는 경우가 많아요.**

본	질	
근본 本	바탕 質	

- 뜻 어떤 사물이 그 사물 자체가 되게 하는 원래
의 특성.
- 예 문제의 본질을 정확히 알아야 해결 방안을
찾을 수 있다.

본	격	적
근본 本	격식 格	과녁 的

- 뜻 모습을 제대로 갖추고 적극적으로 이루어지
는 것.
- 예 다음 주부터 본격적으로 무더위가 시작된다
고 한다.

사업을 시작하려면
자본이 필요해!

2000...

자	본
재물 資	근본 本

- 뜻 장사나 사업 등을 하는 데에 바탕이 되는 돈.
- 예 자본이 부족하여 장사하는 데 어려움을 겪
고 있다.

1 다음 낱말에 공통으로 쓰인 '기'의 뜻으로 알맞은 것에 ○표를 해 보세요.

기반(基盤)　　기본(基本)　　기준(基準)

(1) 기분 (　　　　) 　　(2) 기초 (　　　　) 　　(3) 기회 (　　　　)

2 보기 의 글자 카드를 한 번씩만 사용하여 뜻풀이에 알맞은 낱말을 빈칸에 써 보세요.

보기　　본　　자　　본　　기　　질　　본

(1) 장사나 사업 등을 하는 데에 바탕이 되는 돈. → ☐☐

(2) 무엇을 이루는 데 가장 중심이 되고 중요한 것. → ☐☐

(3) 어떤 사물이 그 사물 자체가 되게 하는 원래의 특성. → ☐☐

3 빈칸에 들어갈 알맞은 낱말을 보기 에서 찾아 써 보세요.

보기　　기반(基盤)　　기준(基準)　　기초(基礎)

(1) 무슨 일이든 처음에 [　　　　]를 잘 닦아 두어야 한다.

(2) 올해 배추 가격은 작년을 [　　　　]으로 십 퍼센트나 올랐다.

(3) 국회 의원들은 젊은이들이 자립할 수 있는 [　　　　]을 마련하겠다고 약속했다.

4 다음 대화에서 빈칸에 들어갈 말로 알맞은 것을 골라 ○표를 해 보세요.

나리야, 학급 회장 선거에 나갈 거니?

응, 내일부터 [　　　]으로 선거 운동을 할 거야.

(1) 기초적 (　　　　) 　　(2) 본격적 (　　　　) 　　(3) 본질적 (　　　　)

5 다음 문장의 빈칸에 들어갈 알맞은 낱말을 그림에서 찾아 써 보세요.

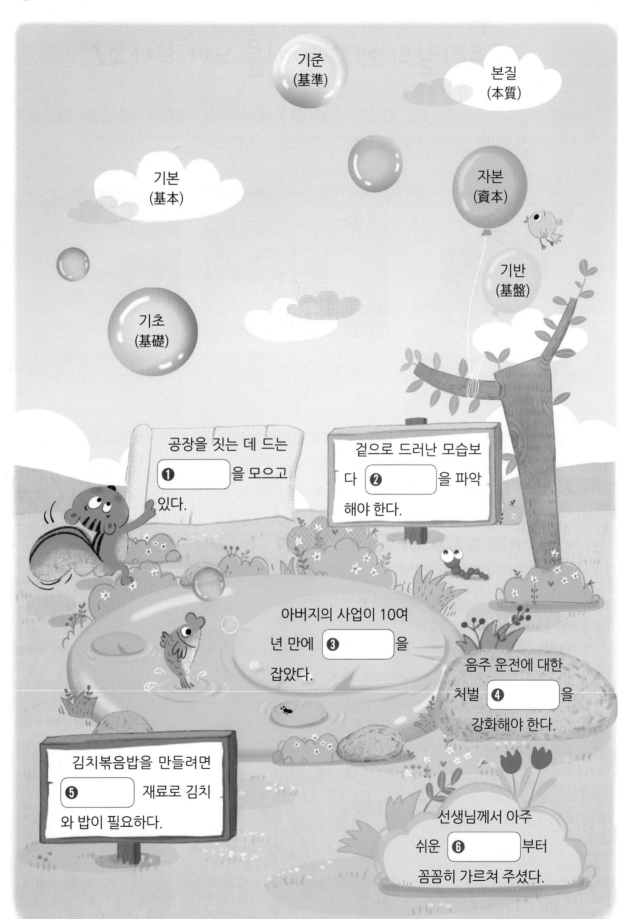

기준
(基準)

본질
(本質)

기본
(基本)

자본
(資本)

기반
(基盤)

기초
(基礎)

공장을 짓는 데 드는
❶ [_____] 을 모으고
있다.

겉으로 드러난 모습보
다 ❷ [_____] 을 파악
해야 한다.

아버지의 사업이 10여
년 만에 ❸ [_____] 을
잡았다.

음주 운전에 대한
처벌 ❹ [_____] 을
강화해야 한다.

김치볶음밥을 만들려면
❺ [_____] 재료로 김치
와 밥이 필요하다.

선생님께서 아주
쉬운 ❻ [_____] 부터
꼼꼼히 가르쳐 주셨다.

우리말의 어감 차이를 느껴 보아요!

우리말에는 얼핏 똑같은 낱말인 것처럼 보이지만 그 뜻이나 쓰임새가 조금씩 다른 낱말이 많이 있어요. 다음 낱말들을 하나씩 살펴보면서 우리말의 어감 차이를 느껴 볼까요?

앞 건물에 가려져 햇빛이 들어오지 않는다.

엄마가 햇볕에 고추를 말리고 계신다.

구름 사이로 한 줄기 햇살이 드리운다.

'햇빛'은 해가 비추는 빛을 말해요. 햇빛은 어둠을 몰아내고 세상 모든 만물의 빛깔을 되찾아 주지요. 우리가 눈으로 보는 모든 빛깔은 햇빛이 있기 때문이에요. '햇볕'은 해가 내리쬐는 뜨거운 기운을 말해요. 한여름에 햇볕이 내리쬐면 땀을 많이 흘리고 쉽게 지쳐요. '햇살'은 해에서 나오는 빛의 줄기나 그 기운을 말해요. '해에서 나오는 빛의 줄기.'를 말할 때에는 '햇빛'과 비슷한 뜻이고, '해에서 나오는 빛의 기운.'을 말할 때에는 '햇볕'과 비슷한 뜻이라고 할 수 있지요.

'헤엄'과 '수영'은 어떤 차이점이 있을까요? '헤엄'은 사람이나 물고기 따위가 물속에서 나아가기 위하여 팔다리나 지느러미를 움직이는 일이고, '수영'은 스포츠나 놀이로서 물속을 헤엄치는 일이지요. 그래서 '수영장'이라는 말은 자연스럽지만, '헤엄장'이라는 말은 어색한 거예요.

아이들이 강가 쪽으로 헤엄을 친다.

누나는 학교 대표 수영 선수이다.

(1) [   ]에 새까맣게 탄 얼굴. •   • ① 햇볕

(2) 창문으로 따사로운 봄 [   ]이 들어온다. •   • ② 햇빛

(3) 이슬방울이 [   ]을 받아 반짝인다. •   • ③ 햇살

5주 어휘 미리보기

뜻을 알고 있는 낱말에 V표 해 보세요.
알고 있는 낱말은 글에서 어떻게 쓰였는지 확인하고,
모르는 낱말은 글을 읽으며 재미있게 익혀 보아요.

	배울 내용	배울 낱말		공부한 날
Day 21	속담 구슬이 서 말이라도 꿰어야 보배	☐ 광택 ☐ 부여 ☐ 원석 ☐ 상승	☐ 황실 ☐ 세공 ☐ 발휘 ☐ 광물	월 일
Day 22	관용어 발 벗고 나서다	☐ 고별 ☐ 당부 ☐ 건의 ☐ 공청회	☐ 임기 ☐ 실현 ☐ 반영 ☐ 지탄	월 일
Day 23	한자 성어 반포지효(反哺之孝)	☐ 징조 ☐ 구애 ☐ 신성 ☐ 봉양	☐ 경계 ☐ 흉조 ☐ 말살 ☐ 습성	월 일
Day 24	교과 어휘 - 과학 저탄소 생활을 실천하자	☐ 생태계 ☐ 배출 ☐ 일석이조 ☐ 회복	☐ 온실가스 ☐ 추구 ☐ 소모 ☐ 생존	월 일
Day 25	한자 어휘 '통(通)'과 '과(過)'가 들어간 말	☐ 통과 ☐ 통화 ☐ 과정 ☐ 과유불급	☐ 통보 ☐ 일맥상통 ☐ 과열 ☐ 통과 의례	월 일

구슬이 서 말이라도 꿰어야 보배

아는 어휘에 ✔ 표시를 해 보고, 어휘의 뜻을 생각하며 글을 읽어 보세요.

☐ 광택 ☐ 황실 ☐ 부여 ☐ 세공 ☐ 원석 ☐ 발휘 ☐ 상승 ☐ 광물

🕐 공부한 날

월   일

보석이란 단단하고 빛깔이 아름다우며 희귀한 돌을 말합니다. 보석은 **①**광택이 있어 반지나 귀걸이 등의 장신구를 만드는 데 많이 쓰입니다. 과거 유럽에서는 **②**황실의 권위를 세우려는 목적으로 궁궐을 장식할 때 보석을 쓰기도 했습니다.

보석의 가장 큰 가치는 아름다운 빛깔과 광택입니다. **③**영롱한 보석을 보며 사람들은 그 안에 신비한 힘이 있다고 생각했습니다. 옛날 사람들은 붉은 루비를 가지고 있으면 위험을 피할 수 있다고 믿었고, 파란 사파이어는 눈병을 낫게 한다고 생각했지요. 오늘날에도 사람들은 보석에 '영원한 사랑', '진실한 우정'과 같이 다양한 의미를 **④**부여하고 있습니다.

보석이 처음부터 아름답게 빛나는 것은 아닙니다. **⑤**세공하지 않은 상태인 **⑥**원석은 장신구에 있는 보석과는 큰 차이가 있습니다. 그래서 처음 원석을 발견했던 사람들은 그 가치를 알아보지 못했다고 합니다.

세공은 원석 상태의 보석을 아름답게 반짝이도록 만드는 기술입니다. '**⑦**구슬이 서 말이라도 꿰어야 보배'라는 말처럼, 보석이 가치를 **⑧**발휘하기 위해서는 세공이라는 과정이 필요한 것입니다. 보석의 왕이라고 불리는 다이아몬드는 특히 세공이 중요한 보석입니다. 원석 상태의 다이아몬드는 그저 깨진 유리 조각처럼 보입니다.

다이아몬드가 최고의 보석으로 자리 잡은 것은 17세기에 새로운 세공 방법이 발명된 이후입니다. 그 방법은 '브릴리언트 컷'이라는 기술로, 다이아몬드 원석을 58개의 면으로 깎아서 빛을 받았을 때 최대한 반짝이게 하는 세공 방법입니다. 이 기술이 발명된 이후, 다이아몬드의 가치는 매우 **⑨**상승하여 오늘날 가장 인기 있는 보석이 되었습니다.

▲ 다이아몬드

보석은 희귀하고 신비로운 **⑩**광물입니다. 하지만 '옥은 갈고 다듬지 않으면 쓸 만한 물건이 되지 못한다.'라는 말처럼, 가치를 드러내기 위해서는 갈고 다듬는 과정이 필요합니다. 돌덩어리처럼 보이는 원석을 진정 가치 있게 만드는 것은 정성스러운 세공 과정인 것입니다.

① **광택**: 표면이 매끄러운 물체에서 반사되는 반짝이는 빛.

② **황실**: 황제의 집안.

③ **영롱한**: 광채가 찬란한.

④ **부여하고**: 가치, 권리, 의미, 임무 등을 지니게 하거나 그렇다고 여기고.

⑤ **세공하지**: 손으로 정밀하게 만들지.

⑥ **원석**: 가공하지 않은 보석.

⑦ **구슬이 서 말이라도 꿰어야 보배**: 아무리 훌륭하고 좋은 것이라도 다듬고 정리하여 쓸모 있게 만들어 놓아야 값어치가 있음을 비유적으로 이르는 말.

⑧ **발휘하기**: 재능이나 실력 등을 잘 나타내기.

⑨ **상승하여**: 위로 올라가.

⑩ **광물**: 금, 은, 철 등과 같은 금속을 포함하는 자연에서 생기는 무기 물질.

1 다음 중 보석의 특징을 나타낸 말에 ○표를 해 보세요.

(1) 흔하다

(2) 물렁하다

(3) 희귀하다

(   )   (   )   (   )

2 이 글을 읽고 각 문단의 중심 문장을 정리한 것입니다. 빈칸을 알맞게 채워 보세요.

1문단	ㅂ◻ 이란 단단하고 빛깔이 아름다우며 희귀한 돌을 말합니다.
2문단	보석의 가장 큰 ㄱ◻ 는 아름다운 빛깔과 광택입니다.
3문단	보석이 처음부터 아름답게 빛나는 것은 아닙니다.
4문단	ㅅ◻ 은 원석 상태의 보석을 아름답게 반짝이도록 만드는 기술입니다.
5문단	다이아몬드가 최고의 보석으로 자리 잡은 것은 17세기에 새로운 세공 방법이 발명된 이후입니다.
6문단	돌덩어리처럼 보이는 ㅇ◻ 을 진정 ㄱ◻ 있게 만드는 것은 정성스러운 ㅅ◻ 과정인 것입니다.

3 보석과 구슬을 비교·대조한 내용을 참고하여, 속담 "구슬이 서 말이라도 꿰어야 보배."의 뜻에 알맞은 낱말을 골라 ○표를 해 보세요.

	보석	구슬
비교(공통점)	아름답고 귀한 것이지만 그 자체로는 가치가 드러나지 않는다.	
대조(차이점)	세공 과정을 통해 보석의 가치가 드러난다.	구슬을 꿰어 장신구를 만들면 가치가 드러난다.

→ "구슬이 서 말이라도 꿰어야 보배."라는 속담은 아무리 { 훌륭하고 좋은 / 거칠고 하찮은 } 것이라도 { 탄력 / 쓸모 }

있게 만들어 놓아야 { 가치 / 무게 } 가 있다는 뜻이다.

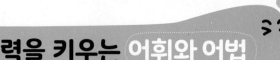

4 다음의 낱말과 뜻이 알맞도록 선으로 이어 보세요.

(1) 광물 •　　　• ① 가공하지 않은 보석.

(2) 광택 •　　　• ② 표면이 매끄러운 물체에서 반사되는 반짝이는 빛.

(3) 원석 •　　　• ③ 금, 은, 철 등과 같은 금속을 포함하는 자연에서 생기는 무기 물질.

5 나머지 낱말들을 모두 포함하는 낱말을 골라 ○표를 해 보세요.

> 반지　　귀걸이　　팔찌　　장신구　　목걸이

6 보기 를 참고하여 같은 의미가 두 번 쓰인 표현을 골라 ○표를 해 보세요.

> 보기　'신상품'은 '새로운 상품'이라는 뜻이므로, '새로운 신상품'은 같은 의미가 두 번 쓰인 표현이에요.

(1) 영롱한 광채　　　(2) 아름답게 빛나는　　　(3) 신비로운 분위기

　　(　　　)　　　　　(　　　)　　　　　(　　　)

7 속담 "구슬이 서 말이라도 꿰어야 보배."와 비슷한 뜻을 가진 표현에 ○표를 해 보세요.

(1) 오르지 못할 나무는 쳐다보지도 마라.

(2) 진주가 열 그릇이나 꿰어야 구슬.

(3) 자라 보고 놀란 가슴 솥뚜껑 보고 놀란다.

　　(　　　)　　　　　(　　　)　　　　　(　　　)

8 보기 를 참고하여 다음 낱말의 기본형을 빈칸에 써 보세요.

> 보기 모양이 바뀌지 않는 부분에 '−다'를 붙여서 기본형을 만들어요.
>
> 예 먹고   먹으니   먹어 → 먹다

(1) 빛나고   빛나니   빛나 → [   ]

(2) 세공하고   세공하니   세공하여 → [   ]

틀리기 쉬워요!

9 보기 를 참고하여 밑줄 친 낱말의 알맞은 발음을 골라 ○표를 해 보세요.

> 보기 • 겹받침 'ㄺ'은 뒤에 'ㄱ'이 오면 [ㄹ]로 발음해요. 예 읽고[일꼬]
> • 겹받침 'ㄺ'은 뒤에 'ㄱ'이 아닌 다른 자음이 오면 [ㄱ]으로 발음해요. 예 묽다[묵따]

(1) 하늘이 맑다.
   [막따 / 말따]

(2) 루비의 색은 붉다.
   [북따 / 불따]

(3) 물감을 너무 묽게 탔다.
   [묵께 / 물께]

(4) 보름달이 참 밝기도 하다.
   [박끼도 / 발끼도]

10 다음 문장에 어울리는 낱말의 형태를 골라 ○표를 해 보세요.

(1) 그 생물은 매우 { 희귀한 / 희귀로운 } 것이다.

(2) 글쓰기 재능을 { 발휘하면 / 발휘하여 } 작가가 되었다.

(3) 나는 졸업 여행에 큰 의미를 { 부여해 / 부여하고 } 있다.

스스로
붙임딱지

관용어

발 벗고 나서다

아는 어휘에 ✔ 표시를 해 보고, 어휘의 뜻을 생각하며 글을 읽어 보세요.

☐ 고별 ☐ 임기 ☐ 당부 ☐ 실현 ☐ 건의 ☐ 반영 ☐ 공청회 ☐ 지탄

공부한 날

월   일

❶ **경청하여**: 다른 사람이 말하는 것을 귀를 기울여 들어.

❷ **발 벗고 나서게**: 어떤 일에 적극적으로 나서게.

❸ **고별**: 같이 있던 사람들에게 헤어짐을 알림.

❹ **임기**: 일을 맡아서 하는 일정한 기간.

❺ **당부하였습니다**: 꼭 해 줄 것을 말로 단단히 부탁하였습니다.

❻ **실현해**: 꿈이나 계획 등을 실제로 이루어.

❼ **건의**: 어떤 문제에 대하여 의견이나 바라는 사항을 제시함. 또는 그 의견이나 바라는 사항.

❽ **반영하도록**: 다른 사람의 의견이나 사실, 상황 등으로부터 영향을 받아 어떤 현상을 드러내도록.

❾ **공청회**: 사회적으로 중요한 문제를 결정하기 전에 국민의 생각이나 전문가의 의견을 듣는 공개적인 회의.

❿ **자만하지**: 자기에 관한 것을 스스로 자랑하며 잘난 체하지.

⓫ **지탄**: 잘못을 꼭 집어 비난함.

○○초등학교 어린이 여러분, 안녕하십니까?

여러분의 목소리를 귀담아들을 준비가 되어 있는 전교 학생 회장 후보, 기호 5번 이정우입니다. 저는 학교생활을 해 오면서 전교 학생 회장은 가만히 앉아 있는 것이 아니라 부지런히 발로 뛰어야 하며, 학생들의 의견을 ❶경청하여 이를 실천하려고 노력하는 자세가 중요하다고 생각해 왔습니다. 그래서 지금 제가 그러한 전교 학생 회장이 되고자 여러분 앞에 ❷발 벗고 나서게 되었습니다.

여러분, 오바마 전 미국 대통령의 ❸고별 연설을 기억하십니까? 그는 시카고에서 ❹임기 마지막 연설을 하였습니다. 이 연설에서 오바마는 미래에 대한 믿음을 지키자고 말하며, 지금까지 우리가 함께 더 좋은 나라로 만들었고, 더 나은 발전을 향해 발을 맞추어 계속 나아가자고 ❺당부하였습니다. 저는 오바마의 "Yes, we can!"이라는 표현이 인상 깊었습니다. 저 역시 우리가 함께 힘을 모은다면 많은 것들을 ❻실현해 나갈 수 있으리라 확신합니다.

학생 여러분, 저를 전교 학생 회장으로 뽑아 주신다면 매일 아침 음악 방송을 진행하도록 하겠습니다. 잠에서 덜 깨어 무거운 발걸음으로 등교하는 학생들에게 신청곡을 받아 산뜻한 하루를 시작할 수 있도록 하겠습니다.

또한 소리함을 설치하여 여러분의 ❼건의 사항을 받아 개선하고 ❽반영하도록 하겠습니다. 더 나아가 한 달에 한 번씩 ❾공청회를 열어 여러분의 작은 목소리도 흘려듣지 않고 귀를 기울이는 전교 학생 회장이 되겠습니다.

마지막으로, 전교 학생 회장이 되더라도 ❿자만하지 않고 학생들을 위해 적극적으로 봉사하겠습니다. 권력을 가진 사람들이 허리를 굽히지 않고 막무가내로 행동하다가 여러 사람에게 ⓫지탄을 받는 경우를 많이 보았습니다. 저는 우리 학교의 일꾼이 되어 항상 적극적인 자세로 봉사하는 태도를 보여 드리겠습니다.

준비된 전교 학생 회장, 기호 5번 이정우를 꼭 뽑아 주십시오. 감사합니다.

1 전교 학생 회장 선거에 나선 정우의 생각으로 알맞은 것에 ○표, 알맞지 <u>않은</u> 것에 ×표를 해 보세요.

(1) 전교 학생 회장은 부지런히 발로 뛰어야 한다. ———————————————————— (○ / ×)

(2) 전교 학생 회장은 학생들의 의견을 듣고 실천해야 한다. ———————————— (○ / ×)

(3) 전교 학생 회장은 저학년 때부터 미리 준비를 해야 한다. ———————————— (○ / ×)

2 다음은 오바마 전 미국 대통령의 고별 연설 내용입니다. 빈칸을 알맞게 채워 보세요.

미래에 대한 [   ]을 지키자!

더 나은 [   ]을 향해 발을 맞추어 계속 나아가자!

3 정우가 내세운 전교 학생 회장 공약을 정리한 것입니다. 빈칸에 들어갈 알맞은 낱말을 보기 에서 찾아 써 보세요.

보기   개선   봉사   자만   진행

(1) 공약 ① : 매일 아침 음악 방송을 [   ]하겠다.

(2) 공약 ② : 소리함을 설치하여 건의 사항을 받아 [   ]하고 반영하겠다.

(3) 공약 ③ : [   ]하지 않고 학생들을 위해 적극적으로 [   ]하겠다.

4 다음 친구들의 대화에서 '발 벗고 나서다'의 의미로 알맞은 것에 ○표를 해 보세요.

초등학생들이 모여 외국인들에게 독도가 우리 땅임을 알리기 위해 발 벗고 나섰대.

쉽지 않은 일인데, 어린이들이 정말 대단하구나!

(1) 어떤 일에 소극적으로 나서다. ———————————————————— (   )

(2) 어떤 일에 적극적으로 나서다. ———————————————————— (   )

101

5 다음의 낱말과 뜻이 알맞도록 선으로 이어 보세요.

(1) 건의 •

• ① 꿈이나 계획 등을 실제로 이루다.

(2) 실현하다 •

• ② 다른 사람의 의견이나 사실, 상황 등으로부터 영향을 받아 어떤 현상을 드러내다.

(3) 반영하다 •

• ③ 어떤 문제에 대하여 의견이나 바라는 사항을 제시함. 또는 그 의견이나 바라는 사항.

6 낱말의 관계가 나머지와 <u>다른</u> 것을 골라 번호를 써 보세요.

① 태도 – 자세   ② 자만 – 겸손   ③ 지탄 – 비난

(   )

> **다의어** [많을 다(多) 옳을 의(義) 말씀 어(語)]
> '다의어'는 두 가지 이상의 뜻을 가진 낱말이에요. 다의어는 동형어와 헷갈리기 쉬워서 잘 구분해야 해요. 다의어는 한 낱말이 관련성이 있는 여러 가지 뜻을 나타내는 것을 말하고, 동형어는 형태가 같을 뿐 의미는 전혀 관련이 없는 서로 다른 낱말이에요.
> • 다의어: 예 '손(→ 신체의 부위)'이 예쁘다. / '손(→ 노동력)'이 모자라다. / '손(→ 씀씀이)'이 크다.
> • 동형어: 예 '손(→ 손님)'을 대접하다. / '손(→ 자녀의 자녀)'이 귀하다. / 고등어 한 '손(→ 단위)'

7 '발'은 여러 가지 뜻을 가진 다의어입니다. 밑줄 친 낱말의 뜻으로 알맞은 것을 보기 에서 찾아 번호를 써 보세요.

> 보기 발: ① 사람이나 동물의 다리 맨 끝부분.
>   ② 가구 등의 밑을 받쳐 균형을 잡고 있는, 짧게 튀어나온 부분.
>   ③ (비유적으로) 걸음.

(1) 옆 반 친구 지우는 <u>발</u>이 무척 빠르다. (   )
(2) 장식장의 <u>발</u>이 부러져서 안에 있던 물건들이 와르르 쏟아졌다. (   )
(3) 온종일 서서 일하는 사람들은 저녁이 되면 <u>발</u>이 붓기 마련이다. (   )

8 밑줄 친 부분이 '발 벗고 나서다'와 같은 의미로 쓰인 표현을 골라 ○표를 해 보세요.

(1)
> 말썽을 부리던 도형이는 이제 철이 들어서 손을 씻었다.

(   )

(2)
> 은미는 우리 학교에 모르는 사람이 없을 정도로 발이 넓다.

(   )

(3)
> 송현이는 이번 달 학교 폭력 예방 행사에 팔을 걷어붙였다.

(   )

틀리기 쉬워요!

9 다음 문장에서 띄어쓰기를 해야 할 부분에 ∨표를 해 보세요.

(1)
> 못먹는감찔러나보자.

(2)
> 더나아가한달에한번씩

10 밑줄 친 부분을 소리 나는 대로 써 보세요.

(1) 준혁이는 허리를 <u>굽혀</u> 예의 바르게 인사를 했다.

[   ]

(2) 부지런히 기술을 <u>익혀</u> 첨단 산업을 발전시켜야 한다.

[   ]

축하 **vs** 추카 **결과는?**

앞뒤 순서에 상관없이 'ㄱ, ㄷ, ㅂ, ㅈ'이 'ㅎ'을 만나면 [ㅋ, ㅌ, ㅍ, ㅊ]으로 소리 나지요.

• 'ㄱ, ㄷ, ㅂ, ㅈ'+'ㅎ'
　예 축하[추카]: 'ㄱ'이 'ㅎ'과 만나 [ㅋ]으로 소리 나지요.

• 'ㅎ'+'ㄱ, ㄷ, ㅂ, ㅈ'
　예 싫다고[실타고]: 'ㅎ'이 'ㄷ'과 만나 [ㅌ]으로 소리 나지요.

스스로
붙임딱지

한자 성어

반포지효 (反 돌이킬 반 哺 먹일 포 之 어조사 지 孝 효도 효)

아는 어휘에 ✔ 표시를 해 보고, 어휘의 뜻을 생각하며 글을 읽어 보세요.

☐ 징조 ☐ 경계 ☐ 구애 ☐ 흉조 ☐ 신성 ☐ 말살 ☐ 봉양 ☐ 습성

공부한 날

월   일

❶ **징조**: 어떤 일이 일어날 것 같은 분위기나 느낌.

❷ **경계**: 뜻밖의 사고나 위험이 생기지 않도록 살피고 조심함.

❸ **구애**: 이성에게 사랑을 구함.

❹ **삼족오**: 고대 신화에 나오는, 태양 안에서 산다는 세 발 달린 상상의 까마귀.

❺ **국조(國鳥)**: 나라를 상징하는 새.

❻ **흉조**: 나쁜 징조를 알린다고 생각하여 흉악하게 여기는 새.

❼ **신성한**: 함부로 가까이할 수 없을 만큼 귀하고 위대한.

❽ **말살시키려고**: 있는 것들을 아주 없애 버리려고.

❾ **봉양**: 아랫사람이 부모나 조부모와 같은 웃어른을 받들어 모시고 섬김.

❿ **습성**: 같은 종류의 동물에서 공통되는 생활 방식이나 행동 양식.

⓫ **안갚음**: 1. 까마귀 새끼가 자라서 늙은 어미에게 먹이를 물어다 주는 일. 2. 자식이 커서 부모를 봉양하는 일.

옛날부터 우리 조상들은 까마귀가 울면 나쁜 일이 생길 것이라는 불길한 ❶징조로 여겨 왔습니다. 하지만 까마귀는 효심이 지극한 새입니다. 그리고 도구를 이용할 줄 알고 40여 가지 울음소리로 ❷경계, 위협, ❸구애 등을 표현하는 똑똑한 새입니다. 또, 세 발 달린 까마귀, 즉 ❹삼족오는 고구려의 ❺국조(國鳥)였으며, 칠월 칠석에 견우와 직녀의 만남을 위해 오작교를 놓아 주었던 사랑의 새이기도 하지요.

그런데 왜 우리는 까마귀를 ❻흉조라고 생각하게 되었을까요? 여기에는 과거 고구려에 패한 한족이 고구려의 상징이었던 삼족오를 일부러 깎아내리려고 했다는 이야기가 전해 옵니다. 한족의 상징인 붉은색의 봉황은 ❼신성한 것으로, 검은색의 까마귀는 불길한 것으로 만들어 버렸다는 주장이지요. 또 일본이 우리의 민족성을 ❽말살시키려고 까마귀를 흉조로 만들어 놓았다는 이야기도 있어요.

명나라 의학 서적 『본초강목』에 전하기를, 까마귀는 새끼가 알에서 나온 지 60일 동안은 먹이를 물어다 주지만 새끼가 자란 뒤에 부모는 자식이 사냥해 온 먹이를 받아먹는다고 합니다. 이제는 늙어 먹이 사냥이 힘든 부모를 위해 자식이 ❾봉양을 하는 것이지요. 이렇게 까마귀가 어미를 되먹이는 ❿습성을 '반포'라고 합니다. '반포지효'는 이런 까마귀의 효심에서 비롯된 말로 어버이에 대한 자식의 효도를 나타냅니다.

중국 진나라 때의 이야기입니다. 무왕이 '이밀'이라는 신하를 아껴 높은 관직을 내렸으나 그는 정중히 거절했습니다. 뜻밖의 거절에 놀란 무왕이 그 이유를 묻자, 이밀은 이렇게 대답했습니다.

"전하, 까마귀 새끼는 자라면 사냥할 힘이 없어진 늙은 부모 새에게 먹이를 물어다 먹인다고 합니다. 자신을 키워 주신 부모에게 ⓫안갚음을 하는 것이지요. 저에게는 늙으신 할머니가 계시는데 목숨이 위태로워 잠시라도 눈을 뗄 수가 없습니다. 할머니는 저를 사랑과 희생으로 키워 주셨습니다. 까마귀도 부모에게 안갚음을 하는데 사람인 제가 어찌 자식의 도리를 다하지 않을 수 있겠습니까? 전하를 충성으로 섬길 수 있는 날은 아직 남아 있으나 할머니 은혜에 보답할 날은 얼마 남지 않았습니다. 부디 돌아가실 때까지만이라도 마음을 다해 봉양할 수 있도록 허락해 주시옵소서."

무왕은 이밀이 관직을 거절한 이유가 효심 때문이었다는 것에 감동해 이밀에게 큰 상을 내렸다고 합니다.

1 **이 글의 내용으로 알맞은 것에 ○표, 알맞지 않은 것에 ×표를 해 보세요.**

(1) 까마귀가 어미를 되먹이는 습성을 '반포'라고 한다. ———————————————— (○ / ×)

(2) 이밀은 무왕에게 충성스러운 신하가 많으므로 관직을 거절했다. ——————— (○ / ×)

(3) 우리가 까마귀를 흉조라고 생각하게 된 것은 한족과 일본이 꾸며 낸 이야기 때문이라는 주장
이 있다. ——— (○ / ×)

2 **이 글에서 말한 까마귀의 특징을 정리한 것입니다. 빈칸에 들어갈 알맞은 낱말을** 보기
에서 찾아 써 보세요.

보기   구애   봉양   삼족오   오작교

세 발 달린 까마귀,
즉 (1) [   ]
는 고구려를 상징하는
국조(國鳥)

도구를 이용할 줄 알고
울음소리로 경계, 위협,
(2) [   ] 등을
표현하는 똑똑한 새

칠월 칠석에 견우와
직녀를 만나게 하려고
(3) [   ]를
놓아 주었던 사랑의 새

늙어서 먹이 사냥이 힘
든 부모를 위하여 자식이
(4) [   ]을 하
는 효심이 지극한 새

3 **'반포지효'의 뜻을 풀이해 보고, 같은 의미를 가진 낱말을 이 글에서 찾아 빈칸을 알맞게
채워 보세요.**

反	哺	之	孝
돌이킬 반	먹일 포	어조사 지	효도 효

• 까마귀 새끼가 자란 뒤에 늙은 어미에게 먹이를 물어다 주는 효성을 뜻함.

• 자식이 커서 부모를 봉양하는 일. ➡ [ㅇ][ㄱ][ㅇ]

4 다음의 낱말과 뜻이 알맞도록 선으로 이어 보세요.

(1) 말살 •

(2) 흉조 •

(3) 국조 •

(4) 신성하다 •

• ① 나라를 상징하는 새.

• ② 있는 것들을 아주 없애 버림.

• ③ 함부로 가까이할 수 없을 만큼 귀하고 위대하다.

• ④ 나쁜 징조를 알린다고 생각하여 흉악하게 여기는 새.

5 빈칸에 들어갈 알맞은 낱말을 보기 에서 찾아 써 보세요.

보기	경계	구애	봉양	징조

(1) 부모님을 [ ] 하는 것은 자식의 마땅한 도리이다.

(2) 개구리는 개굴개굴 힘찬 울음소리로 [ ] 를 한다.

(3) 넓은 들판에서 쌍무지개를 본 것은 좋은 [ ] 임에 틀림없다.

(4) 마을 사람들은 처음 보는 수상한 남자에게 [ ] 의 눈초리를 보냈다.

'앙갚음'은 피해나 불이익을 당했을 때 똑같이 돌려주는 행동을 말해요. '복수'와 같은 뜻이지요.

6 다음 문장에서 알맞은 낱말을 골라 ○표를 해 보세요.

(1) 폭력은 또 다른 { 안갚음 / 앙갚음 } 을 만든다.

(2) 까마귀는 { 안갚음 / 앙갚음 } 을 하는 효도의 새이다.

7 밑줄 친 낱말과 뜻이 서로 반대되는 낱말을 보기 에서 찾아 써 보세요.

> 보기   승낙   후손   흉조

(1) 명절이 되면 <u>조상</u>의 산소를 찾아가 성묘를 한다.

        ↔ (   )

(2) 친구가 간곡히 부탁하자, <u>거절</u>도 못 하고 머뭇거렸다.

           ↔ (   )

(3) 우리 조상들은 까치를 <u>길조</u>로 여겨 반갑게 맞이했다.

        ↔ (   )

틀리기 쉬워요!

8 다음 문장에서 올바른 표현을 골라 ○표를 해 보세요.

(1) 이번 주말에 영화 보러 가지 { 안을래 / 않을래 }?

(2) 다인이는 잔소리를 { 안 / 않 } 해도 스스로 알아서 공부한다.

(3) 할머니의 은혜에 보답할 수 있는 날이 얼마 남지 { 안았다 / 않았다 }.

9 보기 의 내용을 참고하여 밑줄 친 부분을 바르게 고쳐 써 보세요.

> 보기
> • 어떻게
>   ↳ 어떠하다(어떻다) + -게
> • 어떡해
>   ↳ '어떻게 해'가 줄어든 말

(1) 이 문제는 <u>어떡해</u> 풀어야 하는 걸까?

      → (   )

(2) 그렇게 어려운 문제를 나한테 물어보면 <u>어떻게</u>?

         → (   )

저탄소 생활을 실천하자

아는 어휘에 ✔ 표시를 해 보고, 어휘의 뜻을 생각하며 글을 읽어 보세요.

☐ 생태계 ☐ 온실가스 ☐ 배출 ☐ 추구 ☐ 일석이조 ☐ 소모 ☐ 회복 ☐ 생존

⏰ 공부한 날

월   일

❶ **먹이 사슬**: 생태계에서 생물 먹이 관계가 사슬처럼 연결되어 있는 것.

❷ **생태계**: 어떤 지역에서 서로 영향을 주고받는 생물 요소와 비생물 요소.

❸ **온실가스**: 지구 대기를 오염시켜 온실 효과를 일으키는 이산화 탄소, 메탄 따위의 가스를 말함.

❹ **배출하여**: 안에서 밖으로 밀어 내보내.

❺ **이상 기후**: 기온이나 강수량 따위가 정상적인 상태를 벗어난 상태.

❻ **추구한**: 목적을 이룰 때까지 뒤쫓아 구한.

❼ **일석이조**: 돌 한 개를 던져 새 두 마리를 잡는다는 뜻으로, 동시에 두 가지 이익을 얻음.

❽ **소모합니다**: 써서 없앱니다.

❾ **회복하고**: 잃었던 것을 되찾거나 나빠졌던 것을 원래의 상태로 돌이키고.

❿ **생존**: 살아 있음. 또는 살아남음.

지구에는 다양한 생물들이 모여 살고 있습니다. 그 생물들은 서로 먹고 먹히는 ❶먹이 사슬의 형태로 순환하며 ❷생태계의 평형을 유지해 왔습니다. 그러나 인간의 무분별한 개발로 인해 산림이 훼손되었고 막대한 양의 ❸온실가스를 ❹배출하여 지구 온난화가 심각해졌습니다.

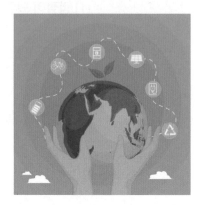

유명한 엔지니어이자 환경주의자인 빌 게이츠는 ❺이상 기후로 인한 피해를 막고 지구 환경을 보전하기 위해서는 정부와 기업, 소비자들이 온실가스 배출량을 줄여야 한다고 주장하였습니다. 우리도 지구 생태계를 보전하기 위하여 저탄소 생활을 적극적으로 실천해야 합니다.

첫째, 일회용품 사용을 줄입니다. 편리함만을 ❻추구한 나머지 한 번 쓰고 버리는 종이컵, 플라스틱 컵이나 빨대, 음식 용기 등 일회용품의 사용이 급격히 늘어나고 있습니다. 종이컵 대신 여러 번 쓸 수 있는 개인용 컵을 사용하면 종이컵 한 개당 이산화 탄소 배출량 11그램을 줄일 수 있습니다. 또 시장에 갈 때 비닐봉지 대신에 장바구니를 사용하면 연간 20킬로그램의 이산화 탄소 배출량을 줄일 수 있습니다.

둘째, 쓰레기를 분리배출하여 재활용합니다. 종이나 깡통, 페트병 등을 올바르게 분리배출하여 재활용하면 자원을 절약할 수 있습니다. 특히 플라스틱은 땅에 묻어도 수백 년간 썩지 않은 채 남아 있고 불에 태워도 오염 물질을 배출합니다. 쓰레기를 분리배출하여 재활용하면 이산화 탄소 배출량을 줄이고 환경 오염도 막는 ❼일석이조의 효과가 있습니다.

셋째, 가전제품의 플러그를 뽑아 둡니다. 가전제품은 전원을 껐더라도 플러그가 꽂혀 있으면 전기를 ❽소모합니다. 가전제품을 사용하지 않거나 외출할 때에 플러그를 뽑아 두기만 해도 전기를 절약할 수 있고 연간 12.6킬로그램의 이산화 탄소 배출량을 줄일 수 있습니다.

훼손된 자연을 ❾회복하고 지구 환경을 지키는 일은 매우 중요합니다. 인간의 ❿생존을 위해서도 일상생활 속에서 저탄소 생활을 적극적으로 실천합시다.

1 '저탄소 생활'에 대한 설명으로 알맞은 것에 ○표, 알맞지 <u>않은</u> 것에 ×표를 해 보세요.

(1) 우리나라에서만 실천하면 된다. ──────────────── (○ / ×)

(2) 온실가스 배출량을 줄이는 생활 방식을 말한다. ──────── (○ / ×)

(3) 온실가스 배출량을 줄이면 기후 변화로 인한 피해를 막을 수 있다. ──── (○ / ×)

2 다음과 같은 노력을 해야 할 대상을 찾아 선으로 이어 보세요.

(1) | 일회용품과 플라스틱 제품의 사용을 최대한 줄임. •   • ① 정부

(2) | 친환경 제품의 생산과 소비를 권하는 정책을 만듦. •   • ② 기업

(3) | 재생 에너지를 사용하고 재활용이 가능한 재료로 제품을 생산함. •   • ③ 소비자

3 다음은 이 글의 짜임에 맞게 중요한 내용을 정리한 것입니다. 빈칸에 들어갈 알맞은 낱말을 써 보세요.

문제 상황	무분별한 개발로 산림이 훼손되었고 막대한 양의 ☐☐☐☐를 배출한 결과, ☐☐☐☐가 심각해져서 이상 기후가 발생하고 지구 환경이 파괴되고 있다.
해결 방안	지구 생태계를 보전하기 위해서는 ☐☐☐ 생활을 적극적으로 실천해야 한다.
우리가 실천할 일	• ☐☐☐☐ 사용을 줄인다. • 쓰레기를 분리배출하여 ☐☐☐한다. • 가전제품의 ☐☐☐를 뽑아 둔다.

4 다음의 낱말과 뜻이 알맞도록 선으로 이어 보세요.

(1) 온실가스 •

(2) 이상 기후 •

(3) 먹이 사슬 •

• ① 기온이나 강수량 따위가 정상적인 상태를 벗어난 상태.

• ② 생태계에서 생물 먹이 관계가 사슬처럼 연결되어 있는 것.

• ③ 지구 대기를 오염시켜 온실 효과를 일으키는 이산화 탄소, 메탄 따위의 가스를 말함.

5 빈칸에 들어갈 알맞은 낱말을 보기 에서 찾아 써 보세요.

보기	생존	평형	생태계	일석이조

(1) 민혁이가 시소 반대편에 앉자 [   ]이 깨졌다.

(2) 숲이 사라지면 야생 동물들의 [   ]을 위협하게 된다.

(3) 유조선에서 흘러나온 기름 때문에 바다 [   ]가 오염되고 말았다.

(4) 아침마다 달리기를 하면 건강에도 좋고 부지런해지므로 [   ]라 할 수 있다.

6 밑줄 친 낱말의 뜻으로 알맞은 것을 보기 에서 찾아 번호를 써 보세요.

보기 ① 용기(容器): 물건을 담는 그릇.
② 용기(勇氣): 겁이 없고 씩씩한 기운.

(1) 먹다 남은 음식을 일회용 용기에 담아 가져왔다. ································ (   )

(2) 선생님께서 나에게 희망과 용기를 불어넣어 주셨다. ····························· (   )

정답과 해설 30쪽

틀리기 쉬워요!

7 다음 문장에서 밑줄 친 표현이 올바른 것을 골라 ○표를 해 보세요.

(1) ① 플라스틱 제품은 땅에 묻어도 잘 <u>썩지</u> 않는다. .... (   )

   ② 우리 형은 콩을 <u>썩지</u> 않은 쌀밥을 더 좋아한다. .... (   )

(2) ① 여름 방학이 며칠 남았는지 손가락을 <u>꽂아</u> 본다. .... (   )

   ② 콘센트에 플러그를 너무 많이 <u>꽂아</u> 위험해 보였다. .... (   )

8 다음 문장에서 틀린 부분을 찾아 바르게 고쳐 써 보세요.

(1)
> 플라스틱 쓰레기 배출양이 해마다 늘어나고 있다.

(   ) ➜ (   )

(2)
> 어제 담근 배추김치는 소금량이 적당해서 맛이 무척 좋다.

(   ) ➜ (   )

9 다음 문장에 어울리는 낱말의 형태를 골라 ○표를 해 보세요.

(1) 쓸데없는 일에 체력을 { 소모되지 / 소모하지 } 마라.

(2) 농부들은 쌓아 둔 볏짚을 { 태어 / 태워 } 추위를 이겨 냈다.

배출량 vs 배출양 결과는?

'배출량'과 '배출양' 가운데 어느 쪽이 올바른 표현일까요? '양(量)'과 '량(量)'은 둘 다 분량이나 수량을 나타내는 말이에요. 그런데 고유어와 외래어 뒤에는 '-양'을 쓰고, 한자어 뒤에는 '-량'을 쓴다는 차이점이 있어요. 다음 낱말의 형태를 잘 살펴보세요.

• 구름양(○) 구름량(×) / 소금양(○) 소금량(×) / 잉크양(○) 잉크량(×)
• 식사양(×) 식사량(○) / 독서양(×) 독서량(○) / 수확양(×) 수확량(○)

맞은 개수 _____ /9개

'통(通)'과 '과(過)'가 들어간 말

공부한 날   월   일

아는 어휘에 ✔ 표시를 해 보고, 아래 활동을 하며 뜻을 익혀 보세요.

☐ 통과   ☐ 통보   ☐ 통화   ☐ 일맥상통   ☐ 과정   ☐ 과열   ☐ 과유불급   ☐ 통과 의례

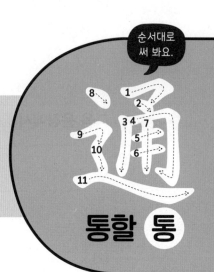

순서대로 써 봐요.

通 통할 통

通
통할 **통**

이 한자는 辶(쉬엄쉬엄 갈 착) 자와 甬(길 용) 자가 합하여 이루어진 글자예요. 속이 텅 빈 종처럼 길이 뻥 뚫려 있다는 데서 '통하다'라는 뜻을 가지고 있어요.

● 통(通)이 들어간 낱말은 '통하다'의 뜻을 지니는 경우가 많아요.

'통과'는 어떤 장소나 때를 거쳐서 지나감을 말해요.

통보
통할 通   알릴 報

뜻 어떤 명령이나 소식 등을 말이나 글로 알림.
예 누나는 합격 통보를 받고 활짝 웃었다.

통화
통할 通   재물 貨

뜻 한 사회에서 사용하는 화폐.
예 통화 가치가 점차 떨어지고 있다.

'전화로 말을 주고받음.'의 뜻인 '통화(通話)'와 헷갈리면 안 돼.

일맥상통
한 一   줄기 脈   서로 相   통할 通

뜻 생각, 상태, 성질 따위가 서로 통하거나 비슷해짐.
예 우리 가족은 할머니와 의견이 일맥상통임을 알았다.

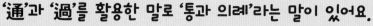

'通'과 '過'를 활용한 말로 '통과 의례'라는 말이 있어요.

통	과	의	례
통할 通	지날 過	거동 儀	예도 禮

'통과 의례'는 출생, 성년, 결혼, 죽음 등 사람이 살면서 새로운 상태로 넘어갈 때 겪어야 하는 의식을 말해요.

열차가 통과할 때에 절대 장난을 치면 안 돼.

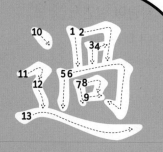

지날 과

이 한자는 辶(쉬엄쉬엄 갈 착) 자와 咼(가를 과) 자가 합하여 이루어진 글자예요. 바른 길을 지나쳤다는 데서 '지나다'라는 뜻을 가지고 있어요.

過
지날 과

● 과(過)가 들어간 낱말은 '지나다'의 뜻을 지니는 경우가 많아요.

과 정	
지날 過 한도 程	뜻 어떤 일이나 현상이 계속 진행되는 동안 혹은 그 사이에 일어난 일.
	예 농산물의 유통 과정이 매우 복잡하다.

과 열	
지날 過 더울 熱	뜻 지나치게 뜨거워짐.
	예 이번 화재의 원인은 보일러의 과열 때문인 것으로 밝혀졌다.

과유불급	
지날 過 오히려 猶 아닐 不 미칠 及	뜻 무엇이든 지나친 것은 좋지 않음.
	예 과유불급이라고 아무리 몸에 좋은 음식도 너무 많이 먹으면 해로울 수 있다.

1 다음의 낱말과 뜻이 알맞도록 선으로 이어 보세요.

(1) 과정(過程) •

(2) 과열(過熱) •

(3) 통과 의례 (通過儀禮) •

• ① 지나치게 뜨거워짐.

• ② 어떤 일이나 현상이 계속 진행되는 동안 혹은 그 사이에 일어난 일.

• ③ 출생, 성년, 결혼, 죽음 등 사람이 살면서 새로운 상태로 넘어갈 때 겪어야 하는 의식.

2 밑줄 친 부분을 참고하여 빈칸에 들어갈 알맞은 한자를 골라 ○표를 해 보세요.

☐猶不及(과유불급): 무엇이든 지나친 것은 좋지 않음.

(1) 果

( )

(2) 過

( )

(3) 科

( )

3 보기 의 문장을 참고하여 각 낱말의 뜻을 찾아 선으로 이어 보세요.

보기 • 그는 아무 문제 없이 국경 통과를 허가받았다.

• 나는 담임 선생님의 생각과 일맥상통임을 느꼈다.

• 지원했던 대학에서 합격 통보를 받은 오빠는 몹시 기뻐했다.

(1) 통과(通過) •

(2) 통보(通報) •

(3) 일맥상통(一脈相通) •

• ① 어떤 장소나 때를 거쳐서 지나감.

• ② 어떤 명령이나 소식 등을 말이나 글로 알림.

• ③ 생각, 상태, 성질 등이 서로 통하거나 비슷해짐.

4 빈칸에 들어갈 알맞은 낱말을 보기 에서 찾아 써 보세요.

| 보기 | 통과(通過) | 통보(通報) | 통화(通貨) | 통과 의례(通過儀禮) |

(1) 공식적으로 [   ]가 날 때까지 기다려 보자.

(2) 이번 자격 심사에서는 반드시 [   ]되어야 한다.

(3) 정부는 경제를 살리기 위해 추가로 [   ]를 공급하겠다고 밝혔다.

(4) 청소년이 자라 온전한 성인이 되기 위해서는 반드시 [   ]를 거쳐야 한다.

5 다음 규칙에 맞게 주어진 낱말 벽돌을 이용하여 벽돌을 쌓아 보세요.

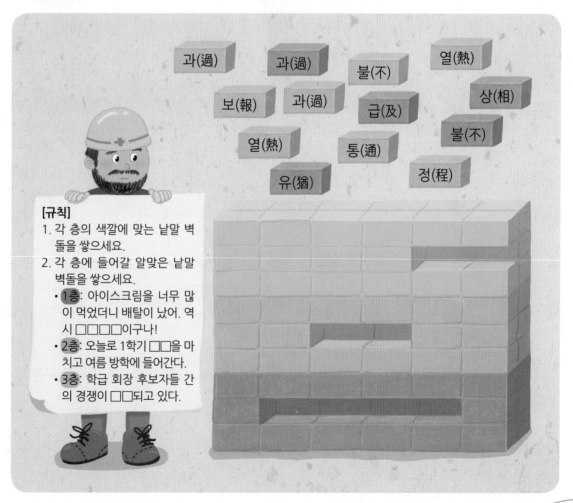

과(過)   과(過)   불(不)   열(熱)

보(報)   과(過)   급(及)   상(相)

열(熱)   통(通)   불(不)

유(猶)   정(程)

[규칙]
1. 각 층의 색깔에 맞는 낱말 벽돌을 쌓으세요.
2. 각 층에 들어갈 알맞은 낱말 벽돌을 쌓으세요.
  • **1층**: 아이스크림을 너무 많이 먹었더니 배탈이 났어. 역시 □□□□이구나!
  • **2층**: 오늘로 1학기 □□을 마치고 여름 방학에 들어간다.
  • **3층**: 학급 회장 후보자들 간의 경쟁이 □□되고 있다.

맞은 개수 _____ /5개

나무의 구조를 살펴보아요!

나무는 땅 위에서 자라는 딱딱한 줄기의 전부 또는 일부가
겨울 동안 남아 있다가 다음 해에 다시 자라요.
나무는 크게 '뿌리, 줄기, 잎'의 세 부분으로 되어 있어요.

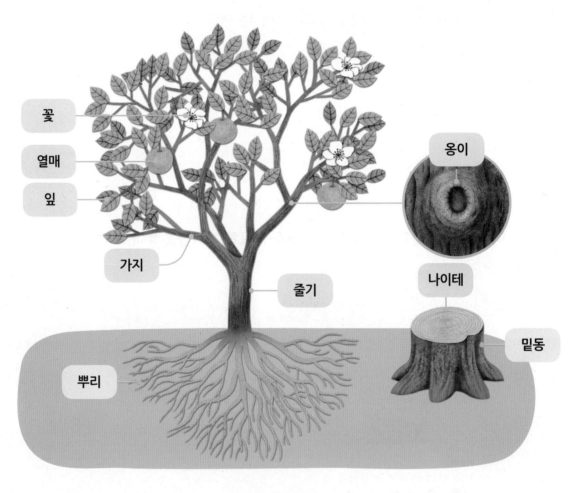

꽃

열매

잎

옹이

가지

줄기

나이테

밑동

뿌리

⬜⬜는 땅속으로 뻗어서 물과 양분을 빨아올리고 줄기를 지탱하는 식물의 한 부분이에요.

⬜⬜는 뿌리에서 빨아들인 수분이나 양분을 ⬜⬜를 통해 나르고 잎과 ⬜에게 전달함으

로써 ⬜⬜를 맺게 하지요.

⬜⬜은 나무의 줄기에서 뿌리에 가까운 부분이에요. 나무의 줄기를 가로로 자른 면에는 나무의

나이를 알려 주는 둥근 ⬜⬜⬜가 있어요.

⬜⬜는 나무의 몸에 박힌 가지의 밑부분이랍니다.

6주 어휘 미리보기

뜻을 알고 있는 낱말에 V표 해 보세요.
알고 있는 낱말은 글에서 어떻게 쓰였는지 확인하고,
모르는 낱말은 글을 읽으며 재미있게 익혀 보아요.

	배울 내용	배울 낱말		공부한 날
Day 26	속담 **마른하늘에 날벼락**	☐ 증서 ☐ 법관 ☐ 계약 ☐ 몰수	☐ 난파 ☐ 자비 ☐ 집행 ☐ 망연자실	월 / 일
Day 27	관용어 **눈을 의심하다**	☐ 호령 ☐ 방자하다 ☐ 심보 ☐ 탄식	☐ 부적 ☐ 괴기 ☐ 영락없이 ☐ 대성통곡	월 / 일
Day 28	한자 성어 **반신반의(半信半疑)**	☐ 초월 ☐ 사례 ☐ 인위적 ☐ 조치	☐ 분석 ☐ 강탈 ☐ 개체 ☐ 고가	월 / 일
Day 29	교과 어휘 – 사회 **금속 공예의 걸작, 백제 금동 대향로**	☐ 문화유산 ☐ 유물 ☐ 봉황 ☐ 표면	☐ 유적지 ☐ 정교하다 ☐ 배치 ☐ 걸작	월 / 일
Day 30	한자 어휘 **'태(太)'와 '양(陽)'이 들어간 말**	☐ 태양 ☐ 태평양 ☐ 양지 ☐ 양성 반응	☐ 태양력 ☐ 태평성대 ☐ 양산 ☐ 태양계	월 / 일

마른하늘에 날벼락

아는 어휘에 ✔ 표시를 해 보고, 어휘의 뜻을 생각하며 글을 읽어 보세요.

☐ 증서 ☐ 난파 ☐ 법관 ☐ 자비 ☐ 계약 ☐ 집행 ☐ 몰수 ☐ 망연자실

⏰ 공부한 날

월 일

베니스에 살던 상인 안토니오는 친구인 바사니오가 청혼하러 갈 돈이 부족해 고민에 빠진 것을 알게 되었습니다. 그래서 바사니오를 돕기 위해 ❶고리대금업자인 샤일록에게 돈을 빌리러 갔습니다.

샤일록은 돈을 빌리러 온 안토니오에게 '만약 제날짜에 빌린 돈을 갚지 못하면 심장 근처의 살 1파운드를 베어 내겠다.'는 내용의 ❷증서를 써 달라고 했습니다. 안토니오는 자신의 물건을 실은 배가 베니스에 도착하면 그 돈을 충분히 갚을 수 있다고 생각하여 샤일록의 조건을 받아들였습니다.

안토니오의 도움으로 바사니오는 청혼할 수 있었고, 결혼까지 하여 행복한 시간을 보냈습니다.

그러던 어느 날, 바사니오는 '안토니오가 법정에 서게 되었다'는 내용의 편지 한 통을 받았습니다. ❸마른하늘에 날벼락 같은 소식이었습니다. 안토니오의 배가 ❹난파되어 샤일록에게 빌린 돈을 갚지 못한 것이었습니다.

재판일이 되어 안토니오와 샤일록, 바사니오가 법정에 섰습니다. ❺법관이 먼저 다음과 같이 말했습니다.

"샤일록, 안토니오에게 ❻자비를 베풀어 돈으로 갚을 기회를 주는 것이 어떠한가?"

그러자 바사니오가 서둘러 말을 보탰습니다.

"기회를 주신다면 제가 안토니오가 빌린 돈의 세 배를 갚겠습니다."

샤일록은 고개를 저으며 말했습니다.

"저는 증서에 적혀 있는 대로 심장 근처의 살 1파운드를 가져가겠습니다."

샤일록의 대답을 들은 법관이 굳은 표정으로 말했습니다.

"그렇다면 ❼계약대로 ❽집행하라."

샤일록이 칼을 들고 안토니오에게 다가가는 순간, 법관이 계속 말을 이었습니다.

"단, 증서에 적힌 대로 심장 근처의 살 1파운드만을 베어 내야 한다. 절대로 피를 한 방울도 흘려서는 안 된다. 만약 피를 흘리면 샤일록의 모든 재산은 베니스에 ❾몰수되고 샤일록은 사형에 처해질 것이다."

판결을 들은 샤일록은 ❿망연자실한 표정을 지었습니다.

— 『베니스의 상인』

❶ **고리대금업자**: 비싼 이자를 받고 돈을 빌려주는 사람.

❷ **증서**: 권리, 의무, 사실 등을 증명하는 문서.

❸ **마른하늘에 날벼락**: 예상치 못하게 갑자기 당하는 재난.

❹ **난파되어**: 배가 폭풍우나 암초 등을 만나 부서지거나 뒤집혀.

❺ **법관**: 법원에 소속되어 각종 사건이나 소송을 법에 따라 해결하거나 조정하는 권한을 가진 사람.

❻ **자비**: 남을 깊이 사랑하고 불쌍하게 여겨 베푸는 혜택.

❼ **계약**: 돈을 주고받는 거래에서 서로 지켜야 할 의무나 책임을 문서에 적어 약속함.

❽ **집행하라**: 계획, 명령, 재판 등의 내용을 실제로 행하라.

❾ **몰수되고**: 범죄로 얻은 물건이나 재산이 국가에 강제로 빼앗겨지고.

❿ **망연자실한**: 정신이 나간 것처럼 멍한.

1 **이 이야기의 내용으로 알맞은 것에 ○표, 알맞지 <u>않은</u> 것에 ×표를 해 보세요.**

(1) 안토니오의 배는 무사히 베니스에 도착했다. ───────────── (○ / ×)

(2) 샤일록은 빌려준 돈의 세 배를 받을 기회를 거부했다. ───── (○ / ×)

(3) 샤일록은 판결을 듣고 나서 증서에 적힌 내용을 그대로 집행했다. ─── (○ / ×)

2 **이 글에 나타난 샤일록의 성격으로 알맞은 것을 모두 골라 ○표를 해 보세요.**

순박하다	잔인하다	게으르다
소박하다	인자하다	무자비하다

3 **밑줄 친 '마른하늘에 날벼락 같은 소식'이란 무엇인지 알맞은 것에 ○표를 해 보세요.**

(1) 안토니오가 샤일록의 돈을 훔치려고 하다가 체포되었다. ────── (   )

(2) 안토니오가 샤일록이 원하는 조건을 받아들이고 돈을 빌렸다. ──── (   )

(3) 안토니오가 샤일록에게 빌린 돈을 갚지 못해 법정에 서게 되었다. ──── (   )

4 **다음을 읽고, 빈칸에 알맞은 말을 넣어 속담의 뜻을 완성해 보세요.**

> 벼락은 주로 비가 올 때 일어나는 자연 현상이다. 그래서 비가 오지 않는 맑은 하늘에서 느닷없이 벼락을 맞았다면, 예상하지 못한 재난을 당한 것이다.
>
> 속담 "마른하늘에 날벼락."은 '□□하지 못한 상황에서 뜻밖에 입는 □□.' 이라는 뜻이다.

119

5 다음의 낱말과 뜻이 알맞도록 선으로 이어 보세요.

(1) 증서 •

(2) 법관 •

(3) 난파되다 •

• ① 권리, 의무, 사실 등을 증명하는 문서.

• ② 배가 폭풍우나 암초 등을 만나 부서지거나 뒤집히다.

• ③ 법원에 소속되어 각종 사건이나 소송을 법에 따라 해결하거나 조정하는 권한을 가진 사람.

6 밑줄 친 부분과 비슷한 뜻을 가진 표현을 골라 ○표를 해 보세요.

판결을 들은 샤일록은 <u>망연자실한</u> 표정을 지었다.

(1)

넋이 나간

( )

(2)

용기 있는

( )

(3)

화들짝 놀란

( )

7 낱말의 의미 관계가 보기 와 같은 것을 골라 ○표를 해 보세요.

보기 　　　　　　　　법정 – 재판정

(1) 가끔 – 이따금 　(2) 진실 – 거짓 　(3) 과일 – 바나나

( ) 　　　　( ) 　　　　( )

8 속담 "마른하늘에 날벼락."이라는 표현에 어울리는 상황을 골라 ○표를 해 보세요.

(1)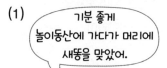

기분 좋게 놀이동산에 가다가 머리에 새똥을 맞았어.
(   )

(2)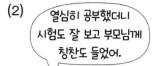

열심히 공부했더니 시험도 잘 보고 부모님께 칭찬도 들었어.
(   )

(3) 할아버지께서는 가난해서 고생하셨지만 노력 끝에 성공하셨지.

(   )

9 밑줄 친 낱말의 뜻을 보기 에서 찾아 번호를 써 보세요.

> 보기 ① 자비(自費): 자기에게 필요한 돈을 자기가 내는 것. 또는 그 돈.
> ② 자비(慈悲): 남을 깊이 사랑하고 불쌍하게 여김. 또는 그렇게 여겨서 베푸는 혜택.

(1) 법관은 샤일록에게 <u>자비</u>를 베풀라고 권했다. ─────── (   )
(2) 재원이는 부모님의 도움 없이 <u>자비</u>로 책가방을 샀다. ───── (   )

틀리기 쉬워요!

10 다음 문장에서 올바른 표현을 골라 ○표를 해 보세요.

(1) 가위질을 하다가 손가락을 { 배어 / 베어 } 피가 났다.

(2) 만일 이 { 개약 / 계약 }을 어기게 되면 큰 문제가 생길 것이다.

(3) 중대한 범죄를 저지른 자의 재산을 { 몰수 / 몰쑤 }하라는 판결이 나왔다.

눈을 의심하다

아는 어휘에 ✔ 표시를 해 보고, 어휘의 뜻을 생각하며 글을 읽어 보세요.

☐ 호령 ☐ 부적 ☐ 방자하다 ☐ 괴기 ☐ 심보 ☐ 영락없이 ☐ 탄식 ☐ 대성통곡

공부한 날

월   일

옹고집은 성질이 고약하여 팔십이 된 어머니도 제대로 돌보지 않았습니다. 그리고 거지나 중이 구걸을 하러 오면 ❶흠씬 때려서 쫓아내기 일쑤였지요. 이에 취암사에 있던 도사가 옹고집을 혼내 주려고 학 대사를 옹고집에게 보냈습니다.

또다시 중이 찾아온 것에 화가 난 옹고집은 하인들에게 ❷호령하여 학 대사의 ❸볼기를 오되게 치고서 문밖으로 내던졌습니다.

절로 되돌아온 학 대사는 짚단으로 허수아비를 만든 뒤에 허수아비의 이마에 ❹부적을 써 붙였습니다. 그러자 허수아비는 눈 깜짝할 사이에 옹고집의 모습으로 변했어요. 학 대사가 도술로써 가짜 옹고집을 만들어 낸 것이었지요.

가짜 옹고집은 산을 내려가 옹고집의 집에 도착한 뒤에 수염을 쓰다듬으며 ❺툇마루에 앉았습니다. 그러고는 인상을 잔뜩 찌푸린 채 외쳤습니다.

"뭣들 하느냐, 주인님을 제대로 모시지도 못하는 이 ❻방자한 것들아!"

그러자 깜짝 놀란 하인들이 뛰어와서 가짜 옹고집의 눈치를 살폈어요.

바로 그때, 건넛마을에 다녀오던 옹고집이 집 안으로 들어서며 이 광경을 보게 되었지요. 옹고집은 툇마루에 앉아 있는 가짜 옹고집을 보고 자신의 ❼눈을 의심하였어요. 눈앞에 펼쳐진 ❽괴기한 상황에 옹고집은 놀라고 당황하여 어쩔 줄을 모르다가 성을 버럭 냈습니다.

"네놈은 내 재산을 빼앗으려는 ❾심보로 이 집에 들어온 게 틀림없어. ❿영락없이 도둑이로구나! 여봐라, 이놈을 흠씬 두들겨 패서 멀리 쫓아내라."

하인들이 이리저리 뜯어봐도 두 사람 모두 똑같이 생긴 옹고집이었어요. 소식을 전해 듣고 나온 옹고집 부인도 어리둥절하기는 마찬가지였지요. 옹고집 부인은

"이게 웬일이냐. 나쁜 짓을 하더니 결국 부처님께서 노하신 게 분명하구나."

라며 ⓫탄식하고는 그 자리에 주저앉아 ⓬대성통곡을 하였습니다.

– 「옹고집전」

❶ **흠씬**: 매우 심하게 때리거나 맞는 모양.

❷ **호령하여**: 부하나 동물을 지휘하고 명령하여.

❸ **볼기**: 뒤쪽 허리 아래, 허벅지 위의 양쪽으로 살이 불룩한 부분.

❹ **부적**: 잡귀를 쫓고 재앙을 물리치기 위하여 붉은색으로 글씨를 쓰거나 그림을 그려 몸에 지니거나 집에 붙이는 종이.

❺ **툇마루**: 큰 마루의 바깥쪽에 좁게 만들어 놓은 마루.

❻ **방자한**: 어려워하거나 조심스러워하는 태도가 없이 건방진.

❼ **눈을 의심하였어요**: 잘못 보지 않았나 하여 믿지 않거나 이상하게 생각하였어요.

❽ **괴기한**: 무서운 생각이 들 만큼 괴상하고 기이한.

❾ **심보**: 마음을 쓰는 태도.

❿ **영락없이**: 조금도 틀리지 않고 꼭 들어맞게.

⓫ **탄식하고는**: 슬프거나 힘든 일이 있을 때 심하게 한숨을 쉬고는.

⓬ **대성통곡**: 큰 소리를 내며 매우 슬프게 우는 것.

1 이 이야기의 내용으로 알맞은 것에 ○표, 알맞지 <u>않은</u> 것에 ×표를 해 보세요.

(1) 하인들은 가짜 옹고집이 진짜 옹고집보다 낫다고 생각했다. ─────────────── (○ / ×)

(2) 옹고집은 성질이 고약하지만 팔십이 된 어머니를 정성껏 모셨다. ────────── (○ / ×)

(3) 옹고집 부인은 옹고집이 부처님께 벌을 받은 것이라고 생각했다. ────────── (○ / ×)

2 이 이야기의 내용을 일이 일어난 차례대로 정리한 것입니다. 빈칸에 들어갈 알맞은 낱말을 보기 에서 찾아 써 보세요.

> 보기   도술   볼기   툇마루   대성통곡

학 대사가 옹고집을 찾아갔다가 [   ]를 호되게 맞고 쫓겨남.

↓

절로 돌아온 학 대사는 [   ]을 써서 가짜 옹고집을 만들어 냄.

↓

가짜 옹고집이 옹고집의 집에 가서 하인을 야단치며 [   ]에 앉음.

↓

건넛마을에 다녀오던 옹고집이 가짜 옹고집을 보고 자신의 눈을 의심함.

↓

이 상황을 본 옹고집 부인은 그 자리에 주저앉아 [   ]을 함.

3 다음 대화를 보고 '눈을 의심하다'의 뜻으로 알맞은 것에 ○표를 해 보세요.

가현아, 『나니아 연대기』에서 가장 인상 깊었던 장면이 뭐야?

주인공 루시가 옷장 문을 열고 들어갔을 때 하얀 눈으로 가득한 나라를 보고 눈을 의심하는 장면이 인상 깊었어.

(1) 잘못 보지 않았나 하여 믿지 않거나 이상하게 생각하다. ────────────── (   )

(2) 눈앞의 광경이 비참하고 끔찍하거나 매우 민망하여 차마 볼 수 없다. ─────── (   )

4 빈칸에 들어갈 알맞은 낱말을 보기 에서 찾아 써 보세요.

> **보기**　　　　　　　심보　　탄식　　방자한

(1) 옆집 혹부리 영감은 [   ]가 고약한 늙은이였다.

(2) 식당 주인의 [   ] 태도 때문에 손님들은 불만이 많았다.

(3) 상대편에게 점수를 빼앗기자 관중석에서 [   ]이 터져 나왔다.

5 밑줄 친 낱말과 바꾸어 쓸 수 <u>없는</u> 것을 골라 ×표를 해 보세요.

> 옹고집은 자신의 눈앞에 펼쳐진 <u>괴기한</u> 상황에 입을 다물 수 없었다.

(1) 괴상한
（　　　）

(2) 괴팍한
（　　　）

(3) 기괴한
（　　　）

6 '눈을 의심하다'라는 표현을 쓸 수 있는 상황으로 알맞은 것에 ○표를 해 보세요.

(1) 달걀을 사려고 가격표를 봤는데 값이 세 배나 치솟았어.
（　　　）

(2) 스마트폰을 너무 오랫동안 쳐다봐서 시력이 떨어졌어.
（　　　）

(3) 누군가 아무 이유 없이 내 험담을 했다는 이야기를 들었어.
（　　　）

7 다음 문장에서 올바른 표현을 골라 ○표를 해 보세요.

(1) 오늘은 { 왠지 / 웬지 } 바다로 떠나고 싶다.

(2) 게으른 베짱이가 { 왠일로 / 웬일로 } 아침에 일찍 일어났지?

(3) { 말로서 / 말로써 } 친구를 괴롭히는 것도 학교 폭력에 해당한다.

8 밑줄 친 부분을 소리 나는 대로 써 보세요.

(1) 다리가 아파서 의자에 <u>앉고</u> 싶다.
　　　　[　　　　　　　　　]

(2) 이번 달에는 여자 짝꿍과 <u>앉게</u> 되었다.
　　　　[　　　　　　　　　]

(3) 아기가 할아버지 무릎에 <u>앉은</u> 채 과자를 먹고 있다.
　　　　[　　　　　　　　　]

겹받침 'ㄶ'은 [ㄴ]으로만 소리 나지요. 다음 글자가 바뀌어 소리 나는 것에 주의하세요.

9 다음 문장에서 띄어쓰기가 올바른 것을 골라 ○표를 해 보세요.

(1) 번갯불에 콩 볶아 { 먹듯이 / 먹 듯이 } 일을 진행하였다.

(2) 아무 { 이유없이 / 이유 없이 } 기분이 울적해질 때가 있다.

(3) 아름다운 글을 쓰는 사람은 { 틀림없이 / 틀림 없이 } 마음도 예쁠 것 같다.

한자 성어

반신반의 (半 반 반 信 믿을 신 半 반 반 疑 의심할 의)

아는 어휘에 ✔ 표시를 해 보고, 어휘의 뜻을 생각하며 글을 읽어 보세요.

□초월 □분석 □사례 □강탈 □인위적 □개체 □조치 □고가

🕐 공부한 날

월   일

●초월: 현실적이고 정상적인
한계를 뛰어넘음.

❷애: 조바심이 나거나 초초한
마음속.

❸분석한: 더 잘 이해하기 위하
여 어떤 현상이나 사물을 여
러 요소나 성질로 나눈.

❹사례: 이전에 실제로 일어난
예.

❺강탈한다는: 물건이나 권리
등을 강제로 빼앗는다는.

❻인위적: 자연적으로 만들어진
것이 아닌 사람의 힘으로 이
루어진 것.

❼개체: 하나의 독립된 생물체.

❽조치: 벌어진 사태에 대하여
적절한 대책을 세워서 행함.
또는 그 대책.

❾고가: 비싼 가격.

❿멸종되어: 생물의 한 종류가
지구에서 완전히 없어져.

"이건아, 우리 아빠가 스마트폰을 도둑맞았다가 되찾았어. 그런데 범인이 누구인지
알아? 상상 **❶초월**이야."

"누군데? 설마 너희 집에 도둑이 든 거야?"

이건이는 몹시 놀란 눈빛으로 재촉하며 물었습니다.

"아니, 집에 도둑이 든 것은 아니고……. 음……, 말하자면 우리 아빠가 도둑의 집에
직접 들어가셨다고 할 수 있지."

지유는 장난기 가득한 표정으로 말을 빙빙 돌리며 이건이의 **❷애**를 태웠어요.

"아! 진짜 답답하네. 빨리 좀 말해 봐. 도둑의 집에 들어가다니?"

"얼마 전에 우리 부모님께서 인도네시아로 여행 다녀오셨잖아. 울루와투 공원에서
원숭이한테 스마트폰이랑 시계를 도둑맞으셨대. 그런데 그 원숭이들이 얼마나 똑똑
한지 비싼 것만 골라서 훔쳐 간다지 뭐야."

"뭐라고? 원숭이가 비싼 것만 훔쳐 간다고? 그냥 운이 나빴던 게 아냐?"

"나도 아빠 말씀 듣고 처음엔 반신반의했는데, 검색해 봤더니 그 원숭이들의 행동을
❸분석한 연구 결과도 있더라고. 어찌나 심한지 사회 문제가 될 정도래."

"그래? 어느 정도 믿기는 하지만 한편으로는 아무래도 의심이 드는걸."

집에 돌아온 이건이는 곧바로 컴퓨터를 켜고 검색창에 '인도네시아, 원숭이, 관광객'
이라고 썼습니다. 과연 지유의 말대로 원숭이로 인한 피해 **❹사례**가 엄청나게 많았습니
다. 관광객 피해는 물론이고, 원숭이들이 주민들의 집과 상점을 공격해서 먹을 것을
❺강탈한다는 내용도 있었습니다. 원숭이로 인한 피해가 점점 심각해지자, **❻인위적**으
로 원숭이 **❼개체** 수를 줄이겠다는 **❽조치**까지 나왔다고 합니다.

처음엔 관광객이나 주민들에게 피해를 입히는 나쁜 원숭이들을 우리 안에 가둬야 한
다는 생각이 들었지만, 자료를 읽으면 읽을수록 생각이 바뀌어 갔습니다. 원숭이들이
사람을 공격하고 **❾고가**의 물건을 훔쳐 가는 이유가 먹이 때문이라고 하니 안타까운 마
음이 들었습니다.

피해를 막기 위해 인간이 억지로 원숭이의 개체 수를 줄이는 일이 과연 옳은 것일까
요? 이러다가 원숭이도 **❿멸종**되어 버리는 것은 아니겠지요?

바나나 한 개를 향해 우르르 몰려가는 모니터 속 원숭이 사진을 보며 이건이는 잠시
생각에 잠겼습니다.

1 이건이가 인터넷 검색을 통해 알게 된 사실이 <u>아닌</u> 것에 ×표를 해 보세요.

(1) 인도네시아에서 원숭이가 멸종될 위기에 처해 있다. ─────────── (   )

(2) 원숭이들이 관광객은 물론, 주민들의 집과 상점을 공격했다. ─── (   )

(3) 인위적으로 원숭이의 개체 수를 줄이기 위한 조치가 나왔다. ───── (   )

2 원숭이의 개체 수를 줄이려는 조치가 나온 까닭을 생각하며 빈칸에 들어갈 알맞은 낱말을 보기 에서 찾아 써 보세요.

보기	강탈 고가 사례

(1) 원숭이들로 인해 [   ]의 물건을 도둑맞는 [   ]가 늘었기 때문이다.

(2) 원숭이들이 주민들의 집과 상점을 공격해서 먹을 것을 [   ]하였기 때문이다.

3 원숭이들에 대한 이건이의 생각이 어떻게 달라졌는지 보기 에서 알맞은 말을 찾아 써 보세요.

보기	나쁘다 대견하다 부끄럽다 안타깝다

(   ) → (   )

4 '반신반의'의 뜻을 생각하며 빈칸에 들어갈 알맞은 낱말을 써 보세요.

半	信	半	疑
반 반	믿을 신	반 반	의심할 의

➡ 어느 정도 믿기는 하지만 확실히 믿지 못하고 [ ][ ]함.

127

5 다음의 낱말과 뜻이 알맞도록 선으로 이어 보세요.

(1) 초월 •

(2) 강탈 •

(3) 개체 •

• ① 하나의 독립된 생물체.

• ② 물건이나 권리 등을 강제로 빼앗음.

• ③ 현실적이고 정상적인 한계를 뛰어넘음.

6 빈칸에 들어갈 알맞은 낱말을 보기 에서 찾아 써 보세요.

보기	멸종	조치	인위적

(1) 정부에서는 저출산 문제를 해결하기 위해 ☐☐☐☐ 를 취하기로 했다.

(2) 환경 오염이 심각해지면서 ☐☐☐☐ 위기에 놓인 동물들이 늘어나고 있다.

(3) ☐☐☐☐ 으로 만든 섬 위에 최신 시설을 갖춘 호텔과 빌딩이 건설되고 있다.

7 '반신반의'를 바르게 활용하여 말한 친구의 이름을 써 보세요.

아직도 백신의 안전성에 대해 반신반의하는 사람들이 많아.

서연

속상한 친구의 마음을 이해하려면 반신반의해 보는 것이 좋아.

준상

(   )

'-대'는
내가 경험한 것이 아닌
남에게 들은 것을 전달할 때
쓰는 표현이에요.

6주차

Day
28

정답과 해설 32쪽

8 다음 문장에서 올바른 표현을 골라 ○표를 해 보세요.

(1) 비가 { 오는대 / 오는데 } 꼭 야영을 가야겠니?

(2) 주현이가 버스 안에서 지갑을 { 잃어버렸대 / 잃어버렸데 }.

- 주어: 문장에서 동작이나 상태의 주체가 되는 말로 '누가', '무엇이'에 해당하는 말.
- 목적어: 문장에서 동작의 대상이 되는 말로 '누구를', '무엇을'에 해당하는 말.
- 서술어: 주어의 움직임, 상태, 성질 따위를 풀이하는 말로 '무엇이다', '어찌하다', '어떠하다'에 해당하는 말.

9 보기 의 문장을 잘 살펴보고 주어, 목적어, 서술어를 모두 찾아 빈칸에 써 보세요.

> 보기
> - 원숭이가 바나나를 맛있게 먹는다.
> - 여자아이들이 신나게 노래를 부른다.
> - 부모님께서 장미꽃을 가장 좋아하신다.

(1) 주어 [   ]

(2) 목적어 [   ]

(3) 서술어 [   ]

10 빈칸에 들어갈 알맞은 낱말 카드를 보기 에서 찾아 문장을 완성해 보세요.

> 보기
> 선수가   새들이   소원을   떡볶이를
> 아버지가   잡는다   달려간다   먹는다

(1) 우리 누나는 [   ] 좋아한다.

(2) [   ] 푸른 하늘로 높이 날아오른다.

(3) 귀여운 강아지가 넓은 들판을 신나게 [   ].

스스로
붙임딱지

금속 공예의 걸작, 백제 금동 대향로

아는 어휘에 ✔ 표시를 해 보고, 어휘의 뜻을 생각하며 글을 읽어 보세요.

☐ 문화유산 ☐ 유적지 ☐ 유물 ☐ 정교하다 ☐ 봉황 ☐ 배치 ☐ 표면 ☐ 걸작

공부한 날

월   일

▲ 백제 금동 대향로

충청남도 공주시와 부여군, 전라북도 익산시 부근에는 백제 시대의 ❶문화유산이 많이 남아 있습니다. 2015년에 유네스코는 이곳의 ❷유적지들을 묶은 '백제 역사 유적 지구'를 세계 유산으로 선정했는데, 백제 시대의 문화유산 가운데에서 최고로 손꼽히는 것이 바로 국보 '백제 금동 대향로'입니다.

백제 금동 대향로는 1993년에 부여 능산리 고분군 절터에서 발견되었습니다. 진흙 속에 묻혀 있었던 이 ❸향로가 약 1400년 만에 모습을 드러내자, 사람들은 감탄을 금할 수 없었다고 해요. 왜냐하면 지금까지 발견된 그 어떤 ❹유물과도 비교되지 않을 만큼 아름답고 ❺정교했기 때문이지요.

용 한 마리가 연꽃 봉오리를 물고 있는 듯한, 높이 61.8센티미터의 백제 금동 대향로는 크게 뚜껑과 몸체로 구분합니다. 뚜껑 위에 붙은 봉황과 용 모양의 받침대를 포함하면 총 네 부분으로 구성되어 있지요.

꼭대기에는 여의주를 품은 ❻봉황이 날개를 편 채 힘 있게 서 있습니다. 24개의 산봉우리가 4~5겹으로 둘러싸인 뚜껑은 악기를 연주하는 인물을 비롯하여 새, 바위, 나무, 시냇물, 폭포, 상상 속 동물까지 조화롭게 ❼배치되어 화려함을 뽐냅니다. 우리나라에서 살지 않는 코끼리나 원숭이도 볼 수 있는데, 이것은 당시에도 외국과의 교류가 활발했음을 짐작하게 하지요. 연꽃 모양의 몸체는 연잎의 ❽표면마다 물고기, 사슴, 학 등 24마리의 동물과 2명의 인물이 배치되어 있습니다. 받침대는 몸체의 연꽃 줄기를 입에 물고 하늘로 날아오를 듯 고개를 쳐들고 있는 한 마리의 용으로 표현되어 있습니다.

백제 금동 대향로를 통해 백제 사람들이 뛰어난 예술 감각과 수준 높은 금속 공예 기술을 가지고 있었음을 짐작할 수 있습니다. 백제 금동 대향로는 찬란하게 꽃피운 백제의 문화가 고스란히 담겨 있는 ❾걸작입니다.

❶ **문화유산**: 문화적인 가치가 높아 후손들에게 물려줄 필요가 있는 문화나 문화재.

❷ **유적지**: 역사적 유물이나 유적이 있는 곳.

❸ **향로**: 향을 피우는 데 쓰는 작은 화로. 만드는 재료와 모양이 여러 가지이며 방 안에서 쓰는 것과 제사에 쓰는 것으로 구분함.

❹ **유물**: 앞선 시대에 살았던 사람들이 후대에 남긴 물건.

❺ **정교했기**: 솜씨나 기술이 빈틈이 없이 자세하고 뛰어났기.

❻ **봉황**: 여러 동물의 모양을 하고 있으며, 복되고 길한 일을 상징하는 상상 속의 새.

❼ **배치되어**: 일정한 차례나 간격에 따라 벌여져 놓여.

❽ **표면**: 사물의 가장 바깥쪽. 또는 가장 윗부분.

❾ **걸작**: 매우 뛰어난 예술 작품.

1 백제 금동 대향로의 각 부분에 대한 설명에 맞게 선으로 이어 보세요.

(1) 여의주를 품은 봉황이 날개를 펴고 서 있음. • • ① 꼭대기

(2) 연잎의 표면마다 물고기, 사슴, 학 등의 동물과 인물이 배치되어 있음. • • ② 뚜껑

(3) 용 한 마리가 연꽃 줄기를 입에 물고 하늘로 날아오를 듯 고개를 쳐들고 있음. • • ③ 몸체

(4) 4~5겹으로 둘러싸인 산봉우리에 인물, 새, 바위, 나무, 폭포, 상상 속 동물 등이 조화롭게 배치되어 있음. • • ④ 받침대

2 백제 금동 대향로를 통해 짐작할 수 있는 내용이 아닌 것에 ×표를 해 보세요.

(1) 백제 시대의 수준 높은 금속 공예 기술 ·································· (　　　)
(2) 백제 문화가 일본에 전해지게 된 계기와 과정 ·················· (　　　)
(3) 백제 시대에도 외국과의 교류가 활발했다는 사실 ············· (　　　)

3 백제 금동 대향로에 대하여 중요한 내용을 정리한 것입니다. 빈칸에 들어갈 알맞은 말을 써 보세요.

종목 및 명칭	국보 / 백제 금동 대향로
시대 및 용도	◻◻ 시대 / 제사를 지낼 때 사용하는 ◻◻
크기	◻◻는 61.8센티미터, 지름은 20센티미터임.
전체적인 모습	용 한 마리가 ◻◻ 봉오리를 물고 있는 듯한 모습임.
가치	백제의 찬란한 문화가 고스란히 담겨 있는 ◻◻임.

4 다음의 낱말과 뜻이 알맞도록 선으로 이어 보세요.

(1) 봉황 •

(2) 유적지 •

(3) 문화유산 •

• ① 역사적 유물이나 유적이 있는 곳.

• ② 문화적인 가치가 높아 후손들에게 물려 줄 필요가 있는 문화나 문화재.

• ③ 여러 동물의 모양을 하고 있으며, 복되고 길한 일을 상징하는 상상 속의 새.

5 빈칸에 들어갈 알맞은 낱말을 보기 에서 찾아 써 보세요.

| 보기 | 교류 | 유물 | 표면 |

(1) 우리나라는 예부터 이웃 나라와 [　　　]가 활발하였다.

(2) 조상들의 [　　　]을 통해 당시의 생활 모습을 짐작할 수 있다.

(3) 이번에 쏘아 올린 인공위성은 우주에서 지구 [　　　]을 관측하게 된다.

6 밑줄 친 낱말의 뜻으로 알맞은 것을 보기 에서 찾아 번호를 써 보세요.

보기 ① 지구(地區): 일정한 목적으로 특별히 지정된 지역.
② 지구(地球): 현재 인류가 살고 있는, 태양계의 셋째 행성.

(1) 지구는 태양의 둘레를 일 년에 한 바퀴씩 돈다. ⋯⋯⋯⋯⋯⋯⋯ (　)

(2) 오랜 역사를 간직한 경주가 역사 문화 관광 지구로 지정되었다. ⋯⋯⋯ (　)

7 다음 문장에서 밑줄 친 표현이 올바른 것을 골라 ○표를 해 보세요.

(1) ① 강화도에서 고려의 궁궐터가 <u>발견되었다</u>. ─────────── (   )

② 남해안에서 공룡 발자국 화석이 <u>발명되었다</u>. ─────────── (   )

(2) ① 장미가 이제 막 빨간 <u>봉우리</u>를 맺었다. ─────────── (   )

② 개나리들이 노란 <u>봉오리</u>를 터트리기 시작했다. ─────────── (   )

8 다음 문장에서 틀린 부분을 찾아 바르게 고쳐 써 보세요.

(1)
> 사자가 날카로운 이빨을 들어내자, 모두 깜짝 놀라고 말았다.

(   ) ➜ (   )

(2)
> 할아버지의 고향은 산으로 둘러쌓인 작은 시골 마을이다.

(   ) ➜ (   )

9 다음 문장에 어울리는 낱말의 형태를 골라 ○표를 해 보세요.

(1) 거실에 가구들이 보기 좋게 { 배치하여 / 배치되어 } 있다.

(2) 나무를 { 정교하게 / 정교롭게 } 깎고 다듬어 조각품을 만든다.

꽃봉오리 vs 꽃봉우리 결과는?

'꽃봉오리'와 '꽃봉우리' 가운데 어느 쪽이 올바른 표현일까요?

'봉오리'는 아직 피지 않은 꽃이라는 뜻으로 '꽃봉오리'와 같은 낱말이에요. 그리고 '봉우리'
는 산에서 가장 높이 솟은 부분이라는 뜻으로 '산봉우리'와 같은 낱말이에요.

• 목련에 하얀 봉오리가 생겼다. / 붉은 꽃봉오리가 맺혀 있다.
• 우뚝 솟은 봉우리에 구름이 걸쳐 있다. / 산봉우리에 올라 크게 소리쳤다.

'태(太)'와 '양(陽)'이 들어간 말

⏰ 공부한 날　　월　　일

아는 어휘에 ✓ 표시를 해 보고, 아래 활동을 하며 뜻을 익혀 보세요.

☐ 태양　☐ 태양력　☐ 태평양　☐ 태평성대　☐ 양지　☐ 양산　☐ 양성 반응　☐ 태양계

太
클 **태**

이 한자는 大(큰 대) 자에 점을 찍어 '크다'라는 뜻을 나타내기 위해 만든 글자예요. '크다'나 '심하다'라는 뜻을 가지고 있어요.

순서대로 써 봐요.

클 **태**

'태양'은 태양계의 중심에 있으며 온도가 매우 높고 스스로 빛을 내는 항성을 말해요.

● 태(太)가 들어간 낱말은 '크다'의 뜻을 지니는 경우가 많아요.

태 양 력	
클 太　볕 陽　책력 曆	뜻 지구가 태양의 둘레를 한 바퀴 도는 데 걸리는 시간을 일 년으로 정해 날짜를 세는 달력. 예 우리는 태양력으로 된 달력을 사용한다.
태 평 양	
클 太　평평할 平　큰 바다 洋	뜻 아시아 대륙과 오세아니아 대륙, 남아메리카 대륙과 북아메리카 대륙에 둘러싸여 있는 바다. 예 태평양은 세계에서 가장 큰 바다이다.
태 평 성 대	
클 太　평평할 平　성인 聖　시대 代	뜻 어진 임금이 잘 다스려 아무 걱정이나 탈이 없는 세상이나 시대. 예 고통을 받는 백성들은 태평성대를 기원하였다.

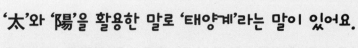

'太'와 '陽'을 활용한 말로 '태양계'라는 말이 있어요.

태	양	계
클 太	볕 陽	맬 系

태양과 그것을 중심으로 돌고 있는 여러 천체의 모임을 '태양계'라고 해요.

붉은 태양이 떠오르고 있어.

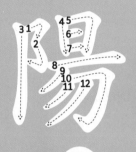

陽
볕 양

이 한자는 阜(阝: 언덕 부) 자와 昜(볕 양) 자가 합하여 태양이 제단과 주변을 밝게 비추는 모습을 표현한 것이에요. '양달'이나 '볕', '낮'이라는 뜻을 가지고 있어요.

陽
볕 양

● 양(陽)이 들어간 낱말은 '햇볕'의 뜻을 지니는 경우가 많아요.

'양지(陽地)'는 '모든 것이 공개되어 드러나는 곳.'을 비유하기도 해.

양 | 지
볕 陽 | 땅 地

뜻 볕이 들어 밝고 따뜻한 곳.
예 꽃은 양지에 심어야 잘 자랄 수 있다.

양 | 산
볕 陽 | 우산 傘

뜻 주로 여자들이 햇볕을 가리기 위해 쓰는 우산 모양의 물건.
예 햇볕이 너무 강해 양산을 펼쳐 들었다.

양성반응
볕 陽 | 성품 性 | 돌이킬 反 | 응할 應

뜻 병을 진단하기 위하여 화학적·생물학적 검사를 한 결과 특정한 반응이 나타나는 일.
예 독감 검사 결과가 양성 반응을 보여서 치료를 받고 있다.

135

1 다음 낱말에 공통으로 쓰인 '태'의 뜻으로 알맞은 것에 ○표를 해 보세요.

> 태양(太陽)　　　태양력(太陽曆)　　　태평양(太平洋)

(1) 밝다 (　　　　)　　　　(2) 좋다 (　　　　)　　　　(3) 크다 (　　　　)

2 뜻풀이를 참고하여 빈칸에 공통으로 들어갈 글자를 써 보세요.

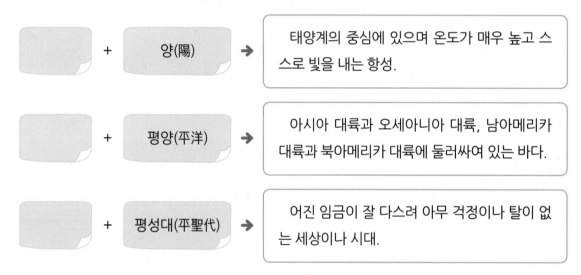

| | + | 양(陽) | → | 태양계의 중심에 있으며 온도가 매우 높고 스스로 빛을 내는 항성. |

| | + | 평양(平洋) | → | 아시아 대륙과 오세아니아 대륙, 남아메리카 대륙과 북아메리카 대륙에 둘러싸여 있는 바다. |

| | + | 평성대(平聖代) | → | 어진 임금이 잘 다스려 아무 걱정이나 탈이 없는 세상이나 시대. |

3 보기 의 내용을 참고하여 빈칸에 들어갈 알맞은 낱말을 써 보세요.

> 보기
> • 양지: 볕이 들어 밝고 따뜻한 곳.
> • 양산: 주로 여자들이 햇볕을 가리기 위해 쓰는 우산 모양의 물건.
> • 양성 반응: 병을 진단하기 위하여 화학적·생물학적 검사를 한 결과 특정한 반응이 나타나는 일.

(1) 겨울이 끝나갈 무렵 [　　　　]에 있는 눈은 거의 녹았다.

(2) 햇볕이 강해서 [　　　　]을 쓰지 않으면 외출하기가 어렵다.

(3) 그 선수는 금지 약물 검사에서 [　　　　]이 나타나 출전 자격을 얻지 못했다.

4 빈칸에 들어갈 낱말을 찾아보며 길 찾기 놀이를 해 보세요.

출발

식물은 [   ] 바른 곳에서 잘 자란다.

양지 (陽地)

화물선이 [   ]을 건너 미국으로 향했다.

양산 (陽傘)

태평양 (太平洋)

태양계 (太陽系)

1896년부터 [   ]을 써 오고 있다.

태양 (太陽)

태양력 (太陽曆)

태평성대 (太平聖代)

간염 검사에서 [   ]이 나와 치료를 해야 한다.

양성 반응 (陽性反應)

도착

눈썹의 종류를 알아보아요!

눈썹은 눈 위나 눈의 가장자리를 따라 난 털을 말해요.
눈썹은 땀이나 비 등이 눈으로 흘러 들어가는 것을 막고,
놀라거나 화난 표정 등을 지어서 감정을 전달하지요.
눈썹 모양은 인종이나 연령에 따라 약간씩 차이가 있어요.
눈썹 모양에 따라 사람의 인상이나 분위기가 달라지기도 해요.

▲ 용눈썹

▲ 범눈썹

▲ 버들눈썹

▲ 반달눈썹

(1) 가늘고 긴 눈썹. •

(2) 반달 모양으로 생긴 눈썹. •

(3) 양쪽 끝이 길게 치올라 가는 모양의 눈썹. •

(4) 범의 눈썹이라는 뜻으로, 굵고 곱게 수북이 난 눈썹을 비유적으로 이르는 말. •

• ① 범눈썹

• ② 용눈썹

• ③ 반달눈썹

• ④ 버들눈썹

7주 어휘 미리보기

뜻을 알고 있는 낱말에 V표 해 보세요.

알고 있는 낱말은 글에서 어떻게 쓰였는지 확인하고,
모르는 낱말은 글을 읽으며 재미있게 익혀 보아요.

	배울 내용	배울 낱말	공부한 날
Day 31	속담 쥐구멍에도 볕 들 날 있다	☐ 공상　☐ 해고 ☐ 무일푼　☐ 극복 ☐ 사로잡다　☐ 제작 ☐ 저작권　☐ 명예	월 일
Day 32	관용어 뜨거운 맛을 보다	☐ 낌새　☐ 해명 ☐ 교만　☐ 수작 ☐ 관대하다　☐ 야박하다 ☐ 석방　☐ 극진하다	월 일
Day 33	한자 성어 새옹지마(塞翁之馬)	☐ 태연　☐ 미동 ☐ 기색　☐ 장담 ☐ 횡재　☐ 무심 ☐ 장정　☐ 방심	월 일
Day 34	교과 어휘 – 과학 안전 속도 5030	☐ 속력　☐ 충돌 ☐ 정책　☐ 제한 ☐ 제동 거리　☐ 확률 ☐ 시행　☐ 통행	월 일
Day 35	한자 어휘 '역(歷)'과 '사(史)'가 들어간 말	☐ 역사　☐ 경력 ☐ 이력서　☐ 역사가 ☐ 한국사　☐ 사적 ☐ 사극　☐ 삼국사기	월 일

속담

쥐구멍에도 볕 들 날 있다

아는 어휘에 ✔ 표시를 해 보고, 어휘의 뜻을 생각하며 글을 읽어 보세요.

☐ 공상　☐ 해고　☐ 무일푼　☐ 극복　☐ 사로잡다　☐ 제작　☐ 저작권　☐ 명예

🕐 공부한 날

월　　일

〈해리 포터〉 시리즈를 쓴 작가 조앤 롤링은 1965년 영국의 작은 마을에서 태어났습니다. 어려서부터 상상력이 풍부했던 롤링은 자신이 만든 이야기를 동생과 친구들에게 들려주곤 했습니다. 여섯 살 때 여동생에게 '토끼'를 주인공으로 한 이야기를 지어 들려주었고, 열 살 때는 짧은 소설을 쓰기도 했지요.

롤링은 작가가 되기를 꿈꾸었지만, 안정적인 직업을 가져야 한다는 부모님의 말씀에 따라 회사에 들어갔어요. 하지만 롤링의 머릿속은 ❶공상으로 가득 차 있었고, 직장에서는 일에 집중하지 않는다며 ❷해고를 당했습니다. ❸엎친 데 덮친 격으로 어머니께서 병으로 돌아가셨어요. 또 결혼한 지 얼마 되지 않아 남편과 이혼한 뒤에는 ❹무일푼으로 어린 딸을 혼자 돌보게 되었지요. 롤링은 정부에서 주는 보조금으로 겨우 생활을 이어 갔습니다. 거기에다 우울증까지 와 힘든 시간을 보냈지요. 하지만 소중한 딸을 생각하며 점차 우울증을 ❺극복해 나갔습니다. 그러면서 그동안 자신이 상상했던 이야기를 글로 써야겠다고 마음을 먹었지요.

1995년에 롤링은 〈해리 포터〉 시리즈의 첫 권을 완성하여 출판사에 보냈습니다. 그러나 그녀가 쓴 이야기를 흥미 있게 보는 곳은 없었습니다. 어린이들이 읽기에 내용이 너무 길다는 이유로 12곳의 출판사에서 거절당했어요.

롤링은 포기하지 않은 채 계속 출판사 ❻문을 두드렸고, 드디어 출판 계약을 맺게 되었습니다. ❼쥐구멍에도 볕 들 날 있는 것처럼, 출판 이후 그녀에게 좋은 일들이 생기기 시작했습니다. 그녀가 쓴 〈해리 포터〉 시리즈는 전 세계적인 인기를 얻었어요. 고난을 이겨 내는 어린 마법사의 이야기는 어린이들뿐만 아니라 어른들의 마음도 ❽사로잡았답니다. 또 〈해리 포터〉 시리즈는 영화로도 ❾제작되어 크게 성공했습니다.

정부 보조금으로 생활하던 롤링은 막대한 ❿저작권 수입으로 세계 최고 부자 중 한 사람이 되었어요. 이뿐만 아니라 안데르센 문학상과 같은 세계 여러 나라 문학상을 수상했고, 영국의 ⓫명예를 높인 사람에게 주는 '대영 제국 훈장'을 받기도 했습니다.

❶ **공상**: 실제로 있지 않거나 이루어질 가능성이 없는 일을 머릿속으로 생각하는 것.

❷ **해고**: 일터에서 일하던 사람을 그만두게 하여 내보냄.

❸ **엎친 데 덮친**: 어렵거나 나쁜 일이 한꺼번에 일어난.

❹ **무일푼**: 가진 돈이 전혀 없음.

❺ **극복해**: 나쁜 조건이나 힘든 일 등을 이겨 내어.

❻ **문을 두드렸고**: 원하는 곳에 들어가거나 원하는 것을 얻기 위해 요청했고.

❼ **쥐구멍에도 볕 들 날 있는**: 몹시 고생을 하는 생활에도 좋은 일이 생기는 날이 있는.

❽ **사로잡았답니다**: 생각이나 마음을 온통 한곳으로 쏠리게 하였답니다.

❾ **제작되어**: 재료가 쓰여 새로운 물건이나 예술 작품이 만들어져.

❿ **저작권**: 창작물에 대해 저작자나 그 권리를 이어받은 사람이 가지는 권리.

⓫ **명예**: 세상으로부터 훌륭하다고 평가되고 인정되는 이름.

1 〈해리 포터〉 시리즈에 대한 설명으로 알맞은 것에 ○표, 알맞지 <u>않은</u> 것에 ×표를 해 보세요.

(1) 〈해리 포터〉 시리즈를 쓴 작가는 영국 출신이다. ──────────────── (○ / ×)

(2) 〈해리 포터〉 시리즈는 어린이들만 좋아하는 소설이다. ────────────── (○ / ×)

(3) 〈해리 포터〉 시리즈는 영화로도 제작되어 크게 성공했다. ──────────── (○ / ×)

2 다음은 '조앤 롤링'의 삶을 시간의 흐름에 따라 정리한 것입니다. 빈칸에 들어갈 알맞은
낱말을 보기 에서 찾아 써 보세요.

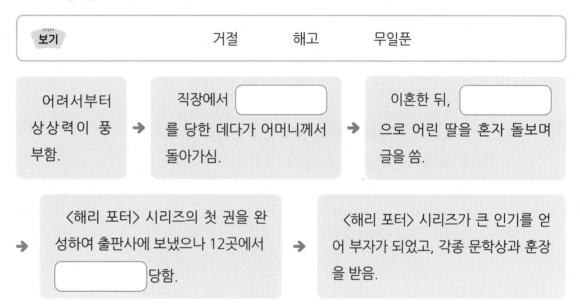

3 속담 "쥐구멍에도 볕 들 날 있다."와 '조앤 롤링'의 삶을 연결 지은 것입니다. 이를 바탕으
로 하여 속담의 뜻으로 알맞은 말을 골라 ○표를 해 보세요.

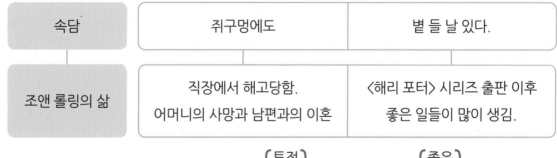

➡ 속담 "쥐구멍에도 볕 들 날 있다."는 몹시 { 투정 / 고생 } 을 하는 생활에도 { 좋은 / 나쁜 } 일이 생기는 날

이 있다는 뜻이다.

4 다음의 낱말과 뜻이 알맞도록 선으로 이어 보세요.

(1) 해고 •   • ① 가진 돈이 전혀 없음.

(2) 무일푼 •   • ② 일터에서 일하던 사람을 그만두게 하여 내보냄.

(3) 저작권 •   • ③ 창작물에 대해 저작자나 그 권리를 이어받은 사람이 가지는 권리.

5 빈칸에 알맞은 말을 채워 밑줄 친 말의 뜻을 완성해 보세요.

(1) 동생과 싸우지 않겠다고 <u>마음을 먹었다.</u>

ㄱ ㅅ 을 했다.

(2) 누나는 가수가 되기 위해 계속 기획사의 <u>문을 두드렸다.</u>

원하는 곳에 들어가거나 원하는 것을 얻기 위해 ㅇ ㅊ 했다.

> **유의어** [무리 유(類) 옳을 의(義) 말씀 어(語)]
> '유의어'란 뜻이 서로 비슷한 낱말이에요.　　　　　　예 마을 – 동네, 어린이 – 아이

6 밑줄 친 낱말의 <u>유의어</u>를 보기 에서 찾아 빈칸을 채워 보세요.

> 보기　　　　　　경험　　　명성　　　명칭　　　현실

(1) { 학교의 <u>명예</u>를 걸고 최선을 다하기 바란다.
     그녀는 세계적인 성악가로 □□을 얻었다.

(2) { 가족과 여행을 가서 다양한 <u>체험</u>을 했다.
     다양한 □□을 쌓는 것은 삶을 살아가는 데 도움이 된다.

7 속담 "쥐구멍에도 볕 들 날 있다."와 어울리는 기사 내용을 골라 ○표를 해 보세요.

(1)

걸 그룹 ○○은 유명해지기 전에 돈이 없어서 어려움을 겪고 멤버가 자주 바뀌는 등 고생을 했다. 그러다가 팬이 인터넷에 올린 영상이 화제가 되어 지금은 최고의 걸 그룹이 되었다.

(   )

(2)

치킨집 사장 ○○○ 씨는 집안 형편이 어려운 아이들에게 무료로 치킨을 주었다. 이 소식이 알려진 뒤, ○○○ 씨 가게에는 선행에 감동한 사람들의 발길이 끊이지 않고 있다.

(   )

틀리기 쉬워요!

8 다음 문장에서 올바른 표현을 골라 ○표를 해 보세요.

(1) 고려의 역사가 TV 드라마로 { 재작 / 제작 } 되고 있다.

(2) 홍수가 난 뒤에 지진까지 일어나니 { 업친 데 덥친 / 엎친 데 덮친 } 격이었다.

9 보기 의 내용을 참고하여 빈칸에 들어갈 '이름을 나타내는 말'을 써 보세요.

> 보기   일부 '움직임이나 상태를 나타내는 말' 뒤에 '-ㅁ'을 더하면 '이름을 나타내는 말로 바꿀 수 있어요.
>
> 꾸다 + -ㅁ ➡ 꿈

(1)   자다   +   -ㅁ   ➡ [   ]

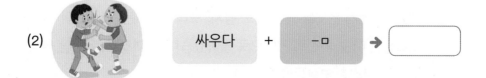

(2)   싸우다   +   -ㅁ   ➡ [   ]

맞은 개수 _____ /9개

스스로 붙임딱지

관용어

뜨거운 맛을 보다

아는 어휘에 ✔ 표시를 해 보고, 어휘의 뜻을 생각하며 글을 읽어 보세요.

☐ 낌새 ☐ 해명 ☐ 교만 ☐ 수작 ☐ 관대하다 ☐ 야박하다 ☐ 석방 ☐ 극진하다

🐰

🕐 공부한 날

월 일

❶ **어안이 벙벙해져서**: 뜻밖에 놀랍거나 기막힌 일을 당하여 어리둥절해서.

❷ **낌새**: 어떤 일을 알아차리는 눈치. 또는 일이 되어 가는 분위기.

❸ **해명할**: 이유나 내용 등을 풀어서 밝힘.

❹ **악명**: 악하다고 소문난 이름이나 나쁜 평판.

❺ **교만한**: 잘난 체하면서 남을 무시하고 말이나 행동이 건방진.

❻ **수작**: (낮잡아 이르는 말로) 다른 사람의 말이나 행동 또는 계획.

❼ **뜨거운 맛을 보여**: 심하게 혼이 나거나 어려움을 겪게 해.

❽ **관대하게**: 마음이 넓고 이해심이 많게.

❾ **야박한**: 마음이 너그럽지 못하고 인정이 없는.

❿ **중노동**: 육체적으로 힘이 많이 드는 일.

⓫ **석방한다**: 법에 의해 일정한 장소에 가두었던 사람을 풀어 자유롭게 해 준다.

⓬ **극진한**: 마음과 힘을 다하여 매우 정성스러운.

책방 앞에 서 있던 노신사 브라운로우에게서 몰래 손수건을 훔친 찰리와 잭은 눈 깜짝할 사이에 도망을 쳤습니다. 그 광경을 본 올리버는 ❶어안이 벙벙해져서 그 자리에 얼어붙었지요. 이상한 ❷낌새를 느낀 브라운로우는 깜짝 놀라며 "안 돼!" 하고 고함을 질렀습니다. 순식간에 찰리와 잭 대신 소매치기로 몰린 올리버는 ❸해명할 틈도 없이 경관에게 끌려갔습니다. 결국 브라운로우와 올리버는 법정에 불려 가 ❹악명 높은 팽 판사 앞에 서게 되었습니다.

❺교만한 팽 판사는 붉으락푸르락 달아오른 얼굴로 말했습니다.

"이 몹쓸 녀석아, 사실대로 말해. 허튼 ❻수작 부리면 ❼뜨거운 맛을 보여 줄 테다."

브라운로우는 올리버가 훔친 것이 확실치 않으며, 설령 훔쳤다고 하더라도 ❽관대하게 생각해 달라고 팽 판사에게 부탁했습니다. 그 와중에 잔뜩 겁을 먹은 채 몸을 떨던 올리버는 정신을 잃고 바닥에 쓰러졌습니다. 그럼에도 ❾야박한 팽 판사는 눈 하나 깜짝하지 않고 판결을 내렸습니다.

"석 달 동안 ❿중노동에 처한다."

경관들이 정신을 잃은 올리버를 끌고 감방으로 데리고 가려는 순간, 한 남성이 법정 안으로 뛰어 들어와 가쁜 숨을 몰아쉬며 말했습니다.

"저는 책방의 주인입니다. 제가 그 광경을 똑똑히 봤어요. 저 아이는 범인이 아닙니다. 다른 두 명의 소년이 훔치고 달아났어요."

책방 주인의 이야기를 들은 팽 판사는 짜증 섞인 목소리로 말했습니다.

"제대로 알지도 못하고 법정에 세우다니 한심하군. 저 아이를 ⓫석방한다."

팽 판사에게 분노를 느낀 것도 잠시, 브라운로우는 곧바로 마차를 불러 쓰러진 올리버를 눕힌 다음, 자신의 저택으로 돌아갔습니다. 며칠 뒤 깨어난 올리버는 태어나서 처음으로 ⓬극진한 보살핌을 받았습니다.

– 『올리버 트위스트』

1 이 이야기의 내용으로 알맞은 것에 ○표, 알맞지 <u>않은</u> 것에 ×표를 해 보세요.

(1) 법정에서 올리버는 정신을 잃고 쓰러졌다. ———————————————— (○ / ×)

(2) 올리버는 판결에 따라 석 달 동안 중노동을 하였다. ——————————— (○ / ×)

(3) 브라운로우의 손수건을 몰래 훔친 사람은 찰리와 올리버이다. ———— (○ / ×)

2 올리버가 처한 상황이 어떻게 달라졌는지 정리하여 보고, 빈칸을 알맞게 채워 보세요.

찰리와 잭 대신 브라운로우의 [   ]을 훔친 소매치기로 몰림.

↓

해명할 틈도 없이 경관에게 끌려가 [   ]에 서게 됨.

↓

정신을 잃고 쓰러진 채 석 달 동안 [   ]을 하라는 판결을 받음.

↓

책방 주인의 이야기를 들은 팽 판사가 올리버를 석방함.

↓

브라운로우의 저택으로 가서 [   ] 보살핌을 받음.

3 다음 상황을 보고 '뜨거운 맛을 보다'의 의미를 짐작하여 빈칸을 알맞게 채워 보세요.

와, 맛있는 유자차가 있네. 얼른 마셔야지!

앗, 뜨거워!

으앙! 너무 뜨겁잖아. 입천장이 다 벗겨졌네.

➡ 심하게 혼이 나거나 [ㅇ][ㄹ][ㅇ]을 겪다.

4 다음의 낱말과 뜻이 알맞도록 선으로 이어 보세요.

(1) 악명 • • ① 이유나 내용 등을 풀어서 밝힘.

(2) 해명 • • ② 악하다고 소문난 이름이나 나쁜 평판.

5 밑줄 친 낱말이 보기 와 같은 뜻으로 쓰인 것에 ○표를 해 보세요.

> 보기   소매치기로 몰린 올리버는 해명할 틈도 없이 경관에게 끌려갔다.

(1) 잠시도 쉴 틈이 없다. ·· (   )

(2) 갈라진 틈 사이로 달빛이 들어왔다. ·· (   )

6 밑줄 친 낱말과 바꾸어 쓸 수 <u>없는</u> 것에 ×표를 해 보세요.

> 아무리 상냥한 사람이라도 그의 교만한 태도를 보면 가만있을 수 없을 거야.

(1) 거만한 (   )   (2) 태만한 (   )   (3) 건방진 (   )

> **문장 성분** [글월 문(文) 글월 장(章) 이룰 성(成) 나눌 분(分)]
> '문장 성분'은 주어, 목적어, 서술어와 같이 문장을 구성하는 부분이에요.

7 문장 성분을 생각하며 빈칸에 들어갈 알맞은 말을 보기 에서 찾아 써 보세요.

> 보기   판결은   판결을   판결하였다

(1) 판사의 [   ] 합리적이고 정당해야 한다.

(2) 한참을 고민하던 판사는 드디어 [   ] 내렸다.

(3) 판사는 억울하게 누명을 쓴 사람을 무죄로 [   ].

8 '뜨거운 맛을 보다'라는 표현을 쓸 수 있는 부분을 골라 ○표를 해 보세요.

(1)
처음에 2단 줄넘기를 배울 때에는 어찌해야 할지 몰라 막막했어.

(   )

(2)
줄넘기 줄에 얼굴을 맞기도 하고, 중심을 잃고 넘어진 적도 많았지.

(   )

(3)
하지만 이제 2단 줄넘기를 30번 뛰는 것쯤은 문제없어!

(   )

틀리기 쉬워요!

9 다음 문장에서 올바른 표현을 골라 ○표를 해 보세요.

(1) {몇일 / 며칠} 동안 계속 비가 내리고 있다.

(2) 잠자코 있던 친구의 얼굴이 {울그락붉으락 / 붉으락푸르락}해졌다.

10 다음 문장에서 틀린 부분을 찾아 바르게 고쳐 써 보세요.

(1) 혼잡한 버스를 타고 가다가 지갑을 잊어버렸다.

(   ) → (   )

(2) 길을 가던 노인이 가쁜 숨을 몰아쉬며 주저앉았다.

(   ) → (   )

(3) 동네 입구에 들어서자 어디선가 짜증 썩인 목소리가 들려왔다.

(   ) → (   )

한자 성어

새옹지마 (塞 변방 새　翁 늙은이 옹　之 어조사 지　馬 말 마)

아는 어휘에 ✔ 표시를 해 보고, 어휘의 뜻을 생각하며 글을 읽어 보세요.

☐ 태연　☐ 미동　☐ 기색　☐ 장담　☐ 횡재　☐ 무심　☐ 장정　☐ 방심

📅 공부한 날

　　　월　　　일

　중국 북쪽 국경 지방에 한 노인이 살고 있었습니다. 노인에게는 말 한 마리가 있었는데, 어느 날 그 말이 온데간데없이 사라지고 말았답니다. 노인의 아들은 말을 찾으려고 애썼지만, 노인은 텅 빈 마구간을 ❶태연하게 바라볼 뿐이었습니다.

　"말을 잃어버렸는데 아버지는 아무렇지도 않으신가요?"

　아들이 묻자, 노인은 ❷미동도 없이 대답했습니다.

　"너무 걱정하지 말아라. 이 일이 도리어 더 좋은 일을 가져다줄지도 모르잖니?"

　몇 달이 지나자, 도망갔던 말이 뛰어난 말 세 마리를 데리고 돌아왔습니다.

　"아버지, 이리 좀 나와 보세요. 도망갔던 말이 복덩이들을 데려왔어요."

　아들은 한껏 흥이 나 덩실덩실 춤까지 추었고, 마을 사람들도 기뻐하며 축하해 주었습니다. 하지만 노인은 기뻐하는 ❸기색도 없이 무겁게 입을 열었습니다.

　"좋은 일에는 나쁜 일이 따르고, 나쁜 일에는 좋은 일이 따르는 법이니 이 일이 어찌 기쁜 일이라고 ❹장담을 할 수 있겠느냐?"

　아들은 아버지의 말씀이 도무지 이해가 되지 않았습니다. 그보다 저절로 굴러 들어온 ❺횡재에 잔뜩 신나서 새로 온 말들을 번갈아 타며 시간 가는 줄 몰랐지요.

　그러던 어느 날, 아들이 말에서 떨어져 그만 다리가 부러지고 말았습니다.

　"세상에나, 굴러 들어온 횡재에 경사 났다 했더니 이게 무슨 일이람."

　마을 사람들은 노인과 아들을 안타까운 눈으로 바라보았습니다. 그러나 노인은 이번에도 ❻무심하게 말했습니다.

　"이제 나쁜 일을 겪었으니 또 좋은 일이 생기겠지요."

　일 년쯤 지났을 때, 오랑캐가 쳐들어와 나라에서는 마을의 ❼장정들을 모두 데려갔습니다. 하지만 노인의 아들은 다리가 부러졌기 때문에 전쟁터에 나가지 않아도 되었어요. 아들은 비로소 아버지의 말씀을 이해할 수 있었습니다.

　"과연 아버지의 말씀이 다 옳았구나. 나쁜 일이라고 꼭 나쁜 것만은 아니고, 좋은 일이라고 반드시 좋은 것만도 아니었어."

　'새옹지마'는 노인과 아들의 이야기에서 전해져 오는 말로, 인생은 예측하기 어려우니 ❽방심하거나 자만하지 말라는 교훈을 전해 줍니다.

❶ **태연하게**: 당연히 머뭇거리거나 두려워할 상황에서 태도나 얼굴빛이 아무렇지도 않게.

❷ **미동**: 매우 작은 움직임.

❸ **기색**: 마음속의 생각이나 감정이 얼굴이나 행동에 나타나는 것.

❹ **장담**: 확신하여 아주 자신 있게 말함. 또는 그런 말.

❺ **횡재**: 아무런 노력을 들이지 않고 뜻밖에 재물을 얻음. 또는 그 재물.

❻ **무심하게**: 아무런 생각이나 감정이 없게.

❼ **장정**: 나이가 젊고 기운이 좋은 남자.

❽ **방심하거나**: 긴장하거나 조심하지 않고 마음을 놓거나.

1 다음은 노인과 아들에게 생긴 일을 정리한 것입니다. 빈칸에 들어갈 알맞은 내용을 골라
○표를 해 보세요.

나쁜 일	좋은 일	나쁜 일	좋은 일
노인이 기르던 말이 사라져 버림.		아들이 말에서 떨어져 다리가 부러짐.	아들이 전쟁터에 나가지 않아도 됨.

(1) 노인이 텅 빈 마구간을 태연하게 바라봄. ··································· (　)
(2) 아들이 사라진 말을 찾으러 이리저리 돌아다님. ··························· (　)
(3) 도망갔던 말이 뛰어난 말 세 마리를 데리고 돌아옴. ··················· (　)

2 '새옹지마'의 뜻을 바르게 이해하지 <u>못한</u> 친구의 이름을 써 보세요.

세상 일의 좋고 나쁨은 예측하기 어려운 것 같아.
찬희

나쁜 일이 바뀌어 오히려 좋은 일이 될 수도 있다는 말이구나.
의성

나쁜 일이 생기면 곧이어 좋은 일이 반드시 생기는 것이구나.
윤아

(　)

3 '새옹지마'에 담겨 있는 의미를 생각하여 보고, 빈칸을 알맞게 채워 보세요.

塞	翁	之	馬
변방 새	늙은이 옹	어조사 지	말 마

• 좋은 일과 나쁜 일은 변화가 많아서 예측하기 어렵다.
• 나쁜 일이라고 꼭 나쁜 것만은 아니고, 좋은 일이라고 반드시 좋은 것만도 아니다.

→ 인생은 예측하기 어려우니 ⬚ㅂ ⬚ㅅ 하거나 ⬚ㅈ ⬚ㅁ 하면 안 된다.

4 다음의 낱말과 뜻이 알맞도록 선으로 이어 보세요.

(1) 횡재 •

(2) 미동 •

(3) 장담 •

• ① 매우 작은 움직임.

• ② 확신하여 아주 자신 있게 말함. 또는 그런 말.

• ③ 아무런 노력을 들이지 않고 뜻밖에 재물을 얻음. 또는 그 재물.

5 빈칸에 들어갈 알맞은 낱말을 보기 에서 찾아 써 보세요.

보기	기색	방심	태연

(1) 아무리 예방 접종을 했다고 해도 [   ] 하면 안 된다.

(2) 현우는 [   ] 한 척하며 웃고 있었지만 서운한 마음을 숨길 수 없었다.

(3) 회사에서 돌아오신 어머니는 피곤한 [   ] 도 없이 식사를 준비하셨다.

6 밑줄 친 낱말의 뜻으로 알맞은 것에 각각 ○표를 해 보세요.

아들이 말에서 떨어져 그만 다리가 부러졌다.

(1) 말

① 생각이나 느낌을 표현하고 전달하는 사람의 소리. ·················· (   )

② 몸은 주로 갈색이나 검은색, 흰색이며, 얼굴, 목, 다리가 길고 목에는 갈기가 있으며 꼬리에 긴 털이 나 있는 동물. ·················· (   )

(2) 다리

① 사람이나 동물의 몸통 아래에 붙어, 서고 걷고 뛰는 일을 하는 신체 부위.
·················· (   )

② 강, 바다, 길, 골짜기 등을 건너갈 수 있도록 양쪽을 이어서 만들어 놓은 시설.
·················· (   )

7 다음 이야기에 어울리는 한자 성어를 골라 ○표를 해 보세요.

> 리바이는 캘리포니아에 금을 캐러 온 사람들을 상대로 천막 장사를 했다. 그러던 어느 날, 군대로부터 천막 수백 개를 만들어 달라는 주문을 받았다. 그런데 기쁨도 잠시, 주문이 취소되고 말았다. 천막 만드는 천을 사느라 빚더미에 올라앉게 된 리바이는 술집에 앉아 절망에 빠져 있었다. 그런데 그때 옆에서 술을 마시던 광부들의 말이 들렸다.
> "금 캐는 일보다 바지 꿰매는 일이 더 힘들군. 천막으로 바지를 해 입든가 해야지, 걸핏하면 찢어지니 또 며칠이나 견딜 수 있을지 모르겠어."
> 리바이는 곧바로 천막 만드는 천으로 바지를 만들어 팔았고, 그 바지는 광부들에게 불티나게 팔렸다. 리바이는 이 값싸고 질긴 바지에 '리바이스'라는 이름을 붙였다.

(1) 대기만성 (   )   (2) 새옹지마 (   )   (3) 유비무환 (   )

8 밑줄 친 말에 담겨 있는 뜻으로 알맞은 것에 ○표를 해 보세요.

> "아버지, 이리 좀 나와 보세요. 도망갔던 말이 복덩이들을 데려왔어요."

(1) 같은 물질이 작게 뭉쳐서 이루어진 것. ·· (   )

(2) 작게 뭉쳐서 이루어진 것을 세는 단위. ·· (   )

(3) 그러한 성질을 가지거나 그런 일을 일으키는 사람이나 사물을 나타내는 말. ········ (   )

틀리기 쉬워요!

9 다음 문장에서 올바른 표현을 골라 ○표를 해 보세요.

(1) 자기가 잘못해 놓고 { 도리어 / 도무지 } 나에게 화를 낸다.

(2) 지갑을 어디에 놓아두고 왔는지 { 도리어 / 도무지 } 기억이 나지 않는다.

스스로
붙임딱지

교과 어휘ㅣ과학 5학년

물체의 운동

안전 속도 5030

아는 어휘에 ✔ 표시를 해 보고, 어휘의 뜻을 생각하며 글을 읽어 보세요.

☐ 속력 ☐ 충돌 ☐ 정책 ☐ 제한 ☐ 제동 거리 ☐ 확률 ☐ 시행 ☐ 통행

🕐 공부한 날

월   일

큰 **①속력**으로 달리는 자동차가 **②충돌**하면 인명과 재산에 큰 피해가 발생하게 됩니다. 특히 도시의 복잡한 도로에서는 교통사고가 자주 일어나고 있습니다.

정부에서는 2021년 4월 17일부터 안전 속도 5030 **③정책**을 전국으로 확대하여 실시했습니다. 이것은 자동차가 전국 도시 지역 일반 도로에서는 시속 50킬로미터 이상, 어린이 보호 구역이나 주택가 등에서는 시속 30킬로미터 이상의 속력으로 달릴 수 없도록 속도를 **④제한**하는 정책입니다. 즉, 안전 속도 5030 정책은 제한 속도를 낮춤으로써 보행자의 안전을 지키기 위한 것입니다.

도로교통공단에서 최근에 발표한 자료에 따르면, 최근 3년간 보행자 교통사고로 인한 사망자는 전체 교통사고 사망자 중 38.9퍼센트나 됩니다. 자동차와 충돌할 때 보행자가 사망하는 가장 큰 원인은 바로 자동차의 속력입니다.

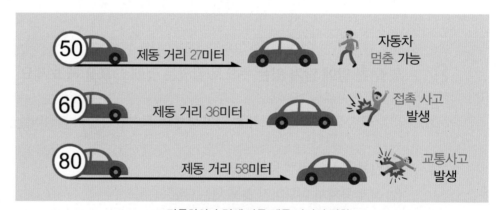

▲ 자동차의 속력에 따른 제동 거리의 변화

자동차의 속력이 클수록 **⑤제동 거리**는 길어집니다. 제동 거리가 길어지면 보행자와 충돌하거나 교통사고가 발생할 **⑥확률**이 높아집니다. 자동차의 속력을 시속 60킬로미터에서 50킬로미터로 낮추기만 해도 보행자 사망률이 20퍼센트나 감소합니다. 그러므로 자동차의 속력을 낮추는 것은 보행자의 안전을 지키는 길입니다.

실제로 서울시 일부 지역에서 2016년부터 안전 속도 5030 정책을 **⑦시행**한 결과, 보행자 교통사고 건수와 사망자 수가 감소하는 효과가 나타났습니다. 또한 자동차의 속력을 시속 10킬로미터 정도 낮추어도 **⑧통행** 시간에는 큰 차이가 없는 것으로 나타났습니다.

안전 속도 5030 정책을 올바르게 알고 적극적으로 참여하여 교통사고를 예방하고 보행자와 운전자 모두를 지키도록 합시다.

①속력: 같은 시간 단위 동안 물체가 이동한 거리를 말함. 속도의 크기. 또는 속도를 이루는 힘.

②충돌하면: 서로 세게 맞부딪치거나 맞서면.

③정책: 정치적인 목적을 이루기 위한 방법.

④제한하는: 일정한 정도나 범위를 정하거나, 그 정도나 범위를 넘지 못하게 막는.

⑤제동 거리: 운전자가 브레이크를 밟기 시작하여 자동차가 완전히 정지하기까지의 거리.

⑥확률: 일정한 조건 아래에서 어떤 일이 일어날 수 있는 가능성의 정도. 또는 그 정도를 계산한 수치.

⑦시행한: 법률이나 명령 등을 일반 대중에게 알린 뒤에 실제로 그 효력을 나타낸.

⑧통행: 일정한 장소를 지나다님.

1 안전 속도 5030 정책에 대한 설명으로 알맞은 것에 ○표, 알맞지 <u>않은</u> 것에 ×표를 해 보세요.

(1) 2021년 4월 17일부터 전국으로 확대 실시되었다. ────────────────── (○ / ×)

(2) 제한 속도를 낮춤으로써 보행자의 안전을 지키기 위한 것이다. ────────── (○ / ×)

(3) 어린이 보호 구역에서는 자동차가 시속 30~50킬로미터의 속력으로 달려야 한다.──── (○ / ×)

2 글쓴이가 읽는 사람의 이해를 돕기 위해 제시한 자료가 <u>아닌</u> 것을 찾아 번호를 써 보세요.

① 자동차를 구입한 가격과 최대 속력

② 도로교통공단에서 최근에 발표한 자료

③ 자동차의 속력에 따른 제동 거리의 변화

④ 서울시 일부 지역에서 안전 속도 5030 정책을 시행한 결과

(   )

3 이 글을 읽고 서로 관련 있는 내용을 찾아 선으로 이어 보세요.

(1) 자동차의 속력이 클수록 제동 거리가   •   • ① 높아진다.

(2) 제동 거리가 길어지면 교통사고가 발생할 확률이   •   • ② 길어진다.

(3) 자동차의 속력을 낮추면 보행자 사망률이   •   • ③ 감소한다.

4 이 글에서 글쓴이가 주장한 내용을 정리한 것입니다. 빈칸을 알맞게 채워 보세요.

자동차와 충돌할 때 보행자가 사망하는 가장 큰 원인은 자동차의 ☐☐이다. 그러므로 자동차의 ☐☐을 낮추는 것은 보행자의 ☐☐을 지키는 길이다.

→

☐☐☐☐ 5030 정책을 올바르게 알고 적극적으로 참여하여 ☐☐☐☐를 예방하자.

153

5 다음의 낱말과 뜻이 알맞도록 선으로 이어 보세요.

(1) 속력 •
  • ① 운전자가 브레이크를 밟기 시작하여 자동차가 완전히 정지하기까지의 거리.

(2) 확률 •
  • ② 같은 시간 단위 동안 물체가 이동한 거리를 말함. 속도의 크기. 또는 속도를 이루는 힘.

(3) 제동 거리 •
  • ③ 일정한 조건 아래에서 어떤 일이 일어날 수 있는 가능성의 정도. 또는 그 정도를 계산한 수치.

6 빈칸에 들어갈 알맞은 낱말을 보기 에서 찾아 써 보세요.

보기	정책	제한	통행

(1) 숲을 보호하기 위해 등산객의 출입을 [   ]하고 있다.

(2) 벚꽃 축제 기간 동안에는 모든 차량의 [   ]을 금지하였다.

(3) 정부는 경제를 발전시키기 위하여 새로운 [   ]을 발표하였다.

> **다른 낱말에 붙어 새로운 뜻을 더해 주는 말**
> '불-', '풋-', '맨-', '-꾼'처럼 혼자 쓰이지 않고 다른 낱말의 앞이나 뒤에 붙어서 새로운 낱말을 만들고 뜻을 더해 주는 말이 있어요.
> 예 불규칙, 불균형, 풋사과, 풋고추, 풋사랑, 맨손, 맨발, 맨주먹, 살림꾼, 낚시꾼, 구경꾼

7 다음 빈칸에 공통으로 들어갈, 반대의 뜻을 더해 주는 말은 무엇인지 써 보세요.

안전 ↔ [ ]안전   만족 ↔ [ ]만족   일치 ↔ [ ]일치

(   )

8 밑줄 친 낱말의 뜻으로 알맞은 것을 보기 에서 찾아 번호를 써 보세요.

> 보기 ① 무엇을 하기 위한 방법이나 수단.
>
> ② 사람이나 차 등이 지나다닐 수 있게 땅 위에 일정한 너비로 낸 공간.

(1) 우리 학교 앞에서 길을 건너면 경찰서가 있다. ──────────── (   )

(2) 우리가 건강하게 자라는 것이 부모님께 효도하는 길이다. ──────── (   )

틀리기 쉬워요!

9 다음 문장에서 밑줄 친 표현이 올바른 것을 골라 ○표를 해 보세요.

(1) ① 노인 복지를 위한 모금 운동을 확대하면 좋겠다. ────────── (   )

　② 자녀를 폭행하거나 확대하면 반드시 처벌을 받는다. ──────── (   )

(2) ① 시험 시간을 한 시간으로 제한하고 있으니 주의해야 한다. ───── (   )

　② 반 친구들에게 옆 반과 축구 시합을 하자고 제한하고 싶다. ──── (   )

(3) ① 대기 오염을 줄이기 위해 차량 5부제를 시행하고 있다. ────── (   )

　② 우리 반 청소 당번은 주어진 역할을 성실히 시행하고 있다. ──── (   )

10 다음 문장에서 틀린 부분을 찾아 바르게 고쳐 써 보세요.

(1)

> 실재로 살아 있는 공룡을 본 사람은 아무도 없다.

(　　　　　　　) ➔ (　　　　　　　)

(2)

> 가정에서도 실내 온도를 나추면 에너지를 절약할 수 있다.

(　　　　　　　) ➔ (　　　　　　　)

(3)

> 안전띠를 매고 있으면 교통사고로 인한 사망율이 줄어든다.

(　　　　　　　) ➔ (　　　　　　　)

스스로 붙임딱지

한자 어휘
'역(歷)'과 '사(史)'가 들어간 말

 공부한 날   월   일

아는 어휘에 ✔ 표시를 해 보고, 아래 활동을 하며 뜻을 익혀 보세요.

☐ 역사 ☐ 경력 ☐ 이력서 ☐ 역사가 ☐ 한국사 ☐ 사적 ☐ 사극 ☐ 삼국사기

歷

지날 **역(력)**

이 한자는 뜻을 나타내는 止(그칠 지) 자와 음을 나타내는 厤(책력 력) 자로 이루어진 글자예요. '지나다'나 '겪다', '세월'과 같이 지나온 발자취를 뜻해요.

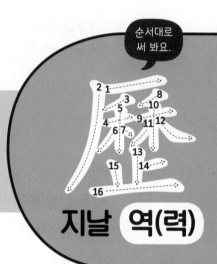
순서대로 써 봐요.

歷

지날 **역(력)**

'역사'란 인간 사회가 시간이 지남에 따라 흥하고 망하면서 변해 온 과정 또는 그 기록을 말해요.

● 역/력(歷)이 들어간 낱말은 '지나다'의 뜻을 지니는 경우가 많아요.

경 지날 經	**력** 지날 歷	뜻 이제까지 가진 학업, 직업, 업무와 관련된 경험. 예 진영이는 각종 대회에서 여러 차례 상을 받은 경력이 있다.
이 밟을 履	**력 서** 지날 歷　글 書	뜻 자신이 거쳐 온 학업이나 직업, 경험 등의 발자취를 적은 문서. 예 그는 취직하기 위해 많은 기업에 이력서를 냈다.
역 지날 歷	**사 가** 역사 史　집 家	뜻 역사를 전문적으로 연구하는 사람. 예 그분은 일제 강점기의 독립운동을 연구하는 역사가이다.

『삼국사기』에 대하여 알고 있나요?

삼 국 사 기
석 三　나라 國　역사 史　기록할 記

고려 시대 때 김부식이 왕의 명령을 받아 펴낸 역사책으로, 삼국의 왕과 정치 이야기를 유교적 입장에서 썼어요.

우리나라의 역사를 자랑스럽게 여겨야 해.

史
역사 (사)

이 한자는 본래 신을 모실 때 쓰는 나뭇가지를 손에 쥐고 있는 모습을 나타낸 것이에요. 나중에 '나랏일을 기록하는 관리 → 기록 → 역사'의 뜻이 되었어요.

史
역사 (사)

● 사(史)가 들어간 낱말은 '역사'의 뜻을 지니는 경우가 많아요.

한 국 사
나라 韓　나라 國　역사 史

(뜻) 한국의 역사.
(예) 한국 사람으로서 한국사를 공부하는 것은 당연한 일이다.

부여와 공주에는 백제 시대의 사적이 많아.

사 적
역사 史　자취 蹟

(뜻) 역사적으로 중요한 사건이나 시설의 흔적.
(예) 역사를 공부하는 학생들이 사적을 탐구하기 위해 모였다.

사 극
역사 史　연극 劇

(뜻) 역사에 있던 일이나 사람을 바탕으로 하여 만든 연극이나 영화나 드라마.
(예) 요즘에도 사극은 꾸준히 인기를 얻고 있다.

157

1 다음 낱말에 공통으로 쓰인 '사'의 뜻으로 알맞은 것에 ○표를 해 보세요.

> 사극(史劇)　　　사적(史蹟)　　　한국사(韓國史)

(1) 경험 (　　　　) 　　　(2) 기록 (　　　　) 　　　(3) 역사 (　　　　)

2 빈칸에 들어갈 알맞은 낱말을 보기 에서 찾아 써 보세요.

> 보기　　　　경력(經歷)　　　사극(史劇)　　　이력서(履歷書)

(1) 그 기업에서는 [　　　　] 사원을 많이 뽑는다.

(2) 삼촌은 유명한 컴퓨터 회사에 [　　　　]를 제출했다.

(3) 할머니께서는 주말마다 [　　　　] 드라마를 빼놓지 않고 보신다.

3 보기 에서 밑줄 친 '사'가 잘못 쓰인 낱말을 찾아 써 보세요.

> 보기　　　　변호사(辯護史)　　　역사가(歷史家)　　　한국사(韓國史)

(　　　　　　　　　　)

4 다음 대화에서 빈칸에 들어갈 낱말로 알맞은 것에 ○표를 해 보세요.

지난 주말에 박물관에 갔는데 삼국 시대의 유물이 많이 전시되어 있었어.

나도 그곳에 가 봤어. 유물을 통해 삼국 시대 [　　　　]을/를 생생하게 느낄 수 있었어.

(1) 경력(經歷) (　　　　) 　　　(2) 사극(史劇) (　　　　) 　　　(3) 역사(歷史) (　　　　)

5 밑줄 친 낱말의 뜻을 보기 에서 찾아 그림 속 표지판에 알맞은 번호를 써 보세요.

(1) 한국사를 재미있게 만화로 풀이한 책을 읽고 있다.

(5) 새로 발굴된 사적을 연구하러 많은 학자가 몰려들었다.

(2) 우리나라 사극이 외국에서도 인기를 끌고 있다.

(4) 수업 시간에 『삼국사기』에 대한 동영상을 보았다.

(3) 삼촌은 세계적으로 이름난 역사가로 활동 중이다.

史
역사 사

보기 사(史)

① 한국의 역사.

② 역사를 전문적으로 연구하는 사람.

③ 역사적으로 중요한 사건이나 시설의 흔적.

④ 역사에 있던 일이나 사람을 바탕으로 하여 만든 연극이나 영화나 드라마.

⑤ 고려 시대 때 김부식이 왕의 명령을 받아 펴낸 삼국 시대의 역사서로, 『삼국유사』와 함께 우리나라에 현재 남아 있는 가장 오래된 역사책.

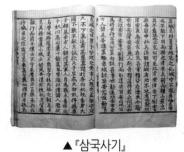

▲ 『삼국사기』

😊 맞은 개수 _____ /5개

스스로
붙임딱지

우리 지역의 이름을 알아보아요!

전국 8도는 '경기도, 강원도, 충청도, 전라도, 경상도, 황해도, 평안도, 함경도'를 말해요. 경기도를 제외한 나머지 7개 지역의 이름은 그 지역에서 대표적인 고장의 이름 중 앞 글자를 따서 만들어졌어요.

경기도는 왕이 사는 서울 주변의 땅이라는 뜻이에요. 제주도는 바다 건너의 섬이라는 뜻으로, 전국 8도에는 포함되지 않아요.

(1) '왕이 사는 서울 주변의 땅.'이라는 뜻의 지역 이름. · · ① 강원도

(2) '강릉'과 '원주'의 첫 글자를 따서 지어진 지역의 이름. · · ② 경기도

(3) '충주'과 '청주'의 첫 글자를 따서 지어진 지역의 이름. · · ③ 충청도

정답: (1)-② (2)-① (3)-③

8주 어휘 미리보기

뜻을 알고 있는 낱말에 V표 해 보세요.
알고 있는 낱말은 글에서 어떻게 쓰였는지 확인하고,
모르는 낱말은 글을 읽으며 재미있게 익혀 보아요.

		배울 내용	배울 낱말		공부한 날
Day 36	속담	불난 집에 부채질한다	☐ 소품 ☐ 들리다 ☐ 돋우다 ☐ 빼꼼히	☐ 정밀 모형 ☐ 약을 올리다 ☐ 삭이다 ☐ 맞춤법	월 일
Day 37	관용어	바람을 일으키다	☐ 직면 ☐ 구제 ☐ 촉구 ☐ 파업	☐ 참사 ☐ 대응 ☐ 시위 ☐ 경각심	월 일
Day 38	한자 성어	오리무중(五里霧中)	☐ 풍토병 ☐ 판단 ☐ 무방비 ☐ 공중	☐ 탈수 ☐ 미흡 ☐ 둔감 ☐ 선구적	월 일
Day 39	교과 어휘 – 사회	우당 기념관을 다녀와서	☐ 헌신 ☐ 탄압 ☐ 양성 ☐ 폐교	☐ 일대기 ☐ 수탈 ☐ 고취 ☐ 숭고하다	월 일
Day 40	한자 어휘	'변(變)'과 '화(化)'가 들어간 말	☐ 변화 ☐ 변천 ☐ 화학 ☐ 악화	☐ 변동 ☐ 변형 ☐ 강화 ☐ 변화무쌍	월 일

불난 집에 부채질한다

아는 어휘에 ✔ 표시를 해 보고, 어휘의 뜻을 생각하며 글을 읽어 보세요.

☐ 소품 ☐ 정밀 모형 ☐ 들리다 ☐ 약을 올리다 ☐ 돋우다 ☐ 삭이다 ☐ 빼꼼히 ☐ 맞춤법

🕐 **공부한 날**

월   일

❶ **소품**: 작은 가구나 장식품.

❷ **정밀 모형(피규어)**: 유명 인사나 영화·만화의 등장인물을 본떠 플라스틱, 금속 따위로 만든 물건.

❸ **들려**: 물건이 손에 잡혀.

❹ **약을 올렸다**: 놀림을 받거나 하여 화가 나게 했다.

❺ **불난 집에 부채질하고**: 남의 재앙을 점점 더 커지도록 만들거나 화난 사람을 더욱 화나게 하고.

❻ **돋우는**: 의욕이나 감정을 부추기거나 일으키는.

❼ **삭이며**: 긴장이나 화를 풀리게 하며.

❽ **빼꼼히**: 문 등을 살며시 아주 조금 여는 모양.

❾ **우물쭈물하며**: 말이나 행동을 분명하게 하지 못하고 자꾸 망설이며.

❿ **맞춤법**: 한 언어를 글자로 적을 때에 지켜야 하는 정해진 규칙.

20○○년 ○○월 ○○일   날씨: 맑음

아침에 졸린 눈을 비비며 일어나 내 방을 둘러보는데, 뭔가 이상했다. 책장 위 ❶소품 가운데 ❷정밀 모형이 보이지 않았다. 일주일 동안 온갖 정성을 들여 만든 것인데, 어디 갔을까? 우리 집에서 내 물건을 함부로 만질 사람은 동생밖에 없다.

"강민서! 너, 내 정밀 모형 만졌어?"

거실에서 놀고 있는 동생 손에 내가 만든 정밀 모형이 ❸들려 있었다. 그런데 한쪽 팔이 부러져 몸통에 대롱대롱 달려 있었다. 도저히 화를 참을 수 없었다.

"야! 누가 형 물건을 마음대로 만지라고 했어?"

내가 소리치자 동생은 울음을 터뜨렸고 부엌에 계시던 어머니께서 나오셨다. 동생은 쪼르르 달려가 어머니 뒤로 숨었다.

"민혁아, 왜 동생한테 소리를 지르니?"

"제가 만든 정밀 모형을 민서가 함부로 만져서 부러뜨렸단 말이에요."

"지난번에 민서가 보여 달라고 했을 때 보여 줬으면 그랬겠니? 네가 꼭꼭 숨겨 두고 안 보여 주니까 궁금했던 게지!"

잘못은 민서가 했는데 어머니께서는 나에게만 꾸중을 하셨다. 어머니 뒤에 숨어 있던 동생이 나를 보고 메롱 하며 ❹약을 올렸다.

'저 녀석이 ❺불난 집에 부채질하고 있네.'

화를 ❻돋우는 동생의 모습이 너무 얄미웠다. 부글부글 끓어오르는 화를 ❼삭이며 내 방으로 들어갔다. 속상해서 밥도 안 먹고 침대에 누워 있다가 스르르 잠이 들었다.

얼마 뒤, 잠에서 깨니 배가 슬슬 고팠다. 그때 문틈으로 ❽빼꼼히 동생이 고개를 쑥 내밀더니 ❾우물쭈물하며 들어와 내 손에 뭔가를 쥐여 주고 후다닥 나갔다. 손에는 동생이 아끼느라 안 먹은 초콜릿 과자와 꼬깃꼬깃한 쪽지가 놓여 있었다.

'형아 미안내.'

한글을 갓 배워 ❿맞춤법도 틀리고 삐뚤빼뚤한 글씨를 보니 웃음이 났다.

1 이와 같은 글의 종류로 알맞은 것을 골라 ○표를 해 보세요.

(1) 지식이나 정보를 전달하는 글 ⸺⸺⸺⸺⸺⸺⸺⸺⸺⸺⸺⸺⸺⸺⸺⸺⸺ (　　　)

(2) 다른 사람에게 안부나 소식을 전하는 글 ⸺⸺⸺⸺⸺⸺⸺⸺⸺⸺⸺⸺ (　　　)

(3) 그날 겪은 일과 그 일에 대한 생각이나 느낌을 쓴 글 ⸺⸺⸺⸺⸺ (　　　)

(4) 실제 있었던 사건을 신문, 뉴스, 잡지 등을 통해 사람들에게 알려 주는 글 ⸺⸺ (　　　)

2 이 글에서 일이 일어난 차례에 따라 번호를 써 보세요.

> ① 동생이 정밀 모형을 들고 있었다.
> ② 망가진 정밀 모형을 보고 동생에게 화를 냈다.
> ③ 아침에 일어났는데 정밀 모형이 보이지 않았다.
> ④ 어머니께 꾸중을 듣고 있는데 동생이 약을 올렸다.
> ⑤ 동생이 '나'에게 초콜릿 과자와 사과하는 쪽지를 주었다.

(　　　) ➔ (　　　) ➔ (　　　) ➔ (　　　) ➔ (　　　)

3 다음 그림을 보고 "불난 집에 부채질한다."라는 속담의 뜻을 짐작하여 빈칸을 알맞게 채워 보세요.

➔ 남의 ㅈ ㅇ 을 점점 더 커지도록 만들거나 ㅎ ㄴ 사람을 더욱 화나게 한다.

4 다음의 낱말과 뜻이 알맞도록 선으로 이어 보세요.

(1) 소품 • • ① 작은 가구나 장식품.

(2) 돋우다 • • ② 긴장이나 화를 풀리게 하다.

(3) 삭이다 • • ③ 의욕이나 감정을 부추기거나 일으키다.

5 빈칸에 들어갈 모양을 흉내 내는 말을 보기 에서 찾아 써 보세요.

보기	빼꼼히	후다닥	우물쭈물

(1) 방문이 [   ] 열리며 동생이 들어왔다.

(2) 오늘 숙제는 한 시간이면 [   ] 끝낼 수 있다.

(3) 친구에게 좋아한다고 말을 해야 할지 [   ] 망설였다.

6 빈칸에 알맞은 말을 채워 밑줄 친 동형어의 뜻을 완성하세요.

들리다¹	(1) ㅂ 에 걸리다. 예 감기에 들려서 콧물과 기침이 나온다.
들리다²	(2) ㅅ ㄹ 가 귀를 통해 알아차려지다. 예 내가 좋아하는 노래가 들린다.
들리다³	(3) 물건이 ㅅ 에 잡히다. 예 동생의 손에 내가 만든 정밀 모형이 들려 있었다.

7 다음 친구들의 대화에서 속담 "불난 집에 부채질한다."를 알맞게 활용하여 말한 것을 골라 ○표를 해 보세요.

(1)

(   )

(2)

(   )

8 다음 낱말의 뜻을 참고하여 빈칸에 알맞은 말을 각각 써 보세요.

> • 꼭꼭: 잇따라 보이지 않게 숨거나 한 곳에서 나오지 않는 모양.
> • 꽁꽁: 풀리거나 열리지 않도록 아주 단단하게 묶거나 잠근 모양.

(1) 다친 손가락을 붕대로 [   ] 감쌌다.

(2) 화가 나서 방에 [   ] 틀어박혀 밖으로 나가지 않았다.

틀리기 쉬워요!

9 다음 문장에서 올바른 표현을 골라 ○표를 해 보세요.

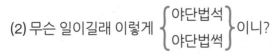

(1) 동생은 내 화를 { 돋구는 / 돋우는 } 행동을 했다.

(2) 무슨 일이길래 이렇게 { 야단법석 / 야단법썩 } 이니?

(3) 인형 팔이 부러져 덜렁거리는 게 눈에 { 띠였다 / 뜨였다 }.

'돋구다'는 '돋우다'의 잘못된 표현이에요.

맞은 개수 _____ /9개

스스로 붙임딱지

바람을 일으키다

아는 어휘에 ✔ 표시를 해 보고, 어휘의 뜻을 생각하며 글을 읽어 보세요.

☐ 직면 ☐ 참사 ☐ 구제 ☐ 대응 ☐ 촉구 ☐ 시위 ☐ 파업 ☐ 경각심

공부한 날

월   일

○○일보   20○○년 ○○월 ○○일

10대 환경 운동가, 그레타 툰베리의 경고

심각한 기후 위기에 **❶직면**하고 있음에도 많은 국가들이 기후 변화에 따른 **❷참사**를 **❸구제**할 **❹자금**이 부족한 것으로 나타났습니다. 여러 환경 단체들은 하나같이 기후 위기가 더 이상 내일로 미룰 일이 아니라고 주장하고 있습니다.

세계적으로 기후 위기 **❺대응** 운동을 이끌고 있는 그레타 툰베리는 2003년 스웨덴에서 태어났습니다. 2018년 여름, 당시 15세였던 그레타 툰베리는 스웨덴에서 발생한 폭염과 산불을 보고 충격을 받았습니다. 그해 8월, 그레타는 스웨덴 국회 의사당 앞에서 기후 위기 대응을 **❻촉구**하는 1인 **❼시위**를 하였습니다. '기후를 위한 학교 **❽파업**'이라는 팻말을 들고 두 달 동안 시위를 이어 가면서 전 세계 학생들이 이 운동에 참여할 것을 요청하였습니다. 이러한 그레타의 시위는 전 세계에 기후 위기 대응의 **❾바람을 일으켰고** 현재는 130개국의 160만여 명이 동참하고 있습니다.

기후를 위한 학교 파업

그레타 툰베리는 2019년에 미국 뉴욕에서 열린 UN 기후 행동 **❿정상** 회의 연설에도 참여하였는데, 이때 환경적인 영향을 고려하여 비행기를 타지 않고 2주에 걸쳐 태양광 보트를 타고 이동한 것이 알려져 세계적으로 **⓫화제**가 되었습니다. 이 연설에서 그레타 툰베리는 국가와 기업들이 탄소 배출을 줄이는 데 소극적이라고 강조하며, 기후 변화에 대한 **⓬경각심**을 각국 지도자들에게 일깨워 주었습니다.

그레타 툰베리는 최근 인터뷰에서 "우리가 이렇게 엄청난 영향을 끼치게 된 점이 놀라웠다. 누구도 예상하지 못했을 것이다. 어른들은 청소년들이 그저 자기만 생각한다고 여겼다. 하지만 지금까지 청소년들은 공동의 문제를 어떻게 표현해야 할지 몰랐을 뿐이다."라고 말했습니다.

●●● 기자

❶ 직면하고: 어떠한 일이나 상황 등을 직접 당하거나 접하고.

❷ 참사: 비참하고 끔찍한 일.

❸ 구제할: 어려운 처지에 놓인 사람을 도와줄.

❹ 자금: 특정한 목적을 위해 쓰는 돈.

❺ 대응: 어떤 일이나 상황에 알맞게 행동을 함.

❻ 촉구하는: 어떤 일을 급하게 빨리하도록 청하는.

❼ 시위: 남에게 겁을 주거나 인정을 받기 위하여 자신의 힘이나 의견을 일부러 보임.

❽ 파업: 하던 일을 도중에 그만둠.

❾ 바람을 일으켰고: 사회적으로 많은 사람에게 영향을 미쳤고.

❿ 정상: 한 나라의 가장 중요한 자리의 인물.

⓫ 화제: 이야기할 만한 재료나 소재.

⓬ 경각심: 정신을 차리고 주의하며 경계하는 마음.

1 그레타 툰베리가 기후 위기에 관심을 가지게 된 계기를 골라 번호를 써 보세요.

> ① 태양광 보트의 발명
> ② 스웨덴에서 발생한 폭염과 산불
> ③ 미국 뉴욕에서 열린 UN 기후 행동 정상 회의

(   )

2 그레타 툰베리가 사회에 미친 영향에 대하여 정리한 것입니다. 빈칸에 들어갈 알맞은 낱말을 보기 에서 찾아 써 보세요.

> 보기   동참   연설   요청   경각심

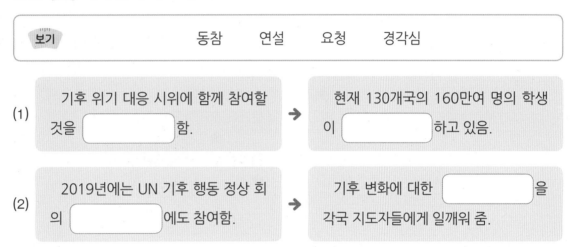

(1) 기후 위기 대응 시위에 함께 참여할 것을 [ ] 함. → 현재 130개국의 160만여 명의 학생이 [ ] 하고 있음.

(2) 2019년에는 UN 기후 행동 정상 회의 [ ] 에도 참여함. → 기후 변화에 대한 [ ] 을 각국 지도자들에게 일깨워 줌.

3 그림 속 상황에서 '바람을 일으키다'의 의미로 알맞은 것에 ○표를 해 보세요.

여름철 '쿨맵시 복장'이라고 들어 보셨나요?

여름철 쿨맵시 복장

넥타이를 매지 않고 반팔 셔츠에 반바지를 입는 등 가벼워진 근무 복장을 말합니다.

요즘 이런 복장이 직장인들 사이에서 바람을 일으키고 있습니다.

(1) 허황된 짓을 하도록 남을 부추기다. ⸺⸺⸺⸺⸺⸺⸺ (   )
(2) 주변 상황이 돌아가는 것에 따라 살다. ⸺⸺⸺⸺⸺⸺ (   )
(3) 사회적으로 많은 사람에게 영향을 미치다. ⸺⸺⸺⸺⸺ (   )

4 다음의 뜻을 가진 낱말을 보기 에서 찾아 번호를 써 보세요.

보기	① 참사	② 구제하다	③ 촉구하다

(1) 비참하고 끔찍한 일. ……………………………………………………………… (　　　)

(2) 어려운 처지에 놓인 사람을 도와주다. …………………………………………… (　　　)

(3) 어떤 일을 급하게 빨리하도록 청하다. …………………………………………… (　　　)

5 밑줄 친 낱말을 주어진 낱말로 바꾸면 문장의 의미가 달라지는 것에 ×표를 해 보세요.

(1) 주민들은 쉼터를 짓는 데 드는 자금을 마련하고 있다. ………………………… (　　　)
　　　　　　　　　　　　➜ 자본

(2) 무분별한 산림 파괴로 인류는 지구 온난화 문제에 직면하고 있다. …………… (　　　)
　　　　　　　　　　　　　　　　　➜ 당면하고

(3) 이웃 마을에서 일어난 사고는 화재에 대한 경각심을 다시 일깨워 주었다. …… (　　　)
　　　　　　　　　　　　➜ 경외심

6 다음은 기행문에 쓸 내용을 간추린 것입니다. 주어진 낱말의 뜻을 참고하여 빈칸을 알맞게 채워 보세요.

장소	부산 기후 변화 체험 교육관
목적	그레타 툰베리처럼 기후 위기와 환경에 관심을 갖기 위하여
여정	1층 안내 데스크 → 지하 1층 기계실 → 2층 영상관 → 3층 옥상 정원
견문	• 기후 위기에 적극적으로 ㄷ ㅇ 해야 한다고 말씀하심. ↳ 어떤 일이나 상황에 알맞게 행동을 함. • 신재생 에너지에는 빗물, 지열, ㅌ ㅇ ㄱ 등 여러 가지 종류가 있음. ↳ 태양의 빛.
감상	생각이 아니라 행동으로 ㅅ ㅊ 하며 환경 보호에 동참하기로 다짐함. ↳ 이론이나 계획, 생각한 것을 실제 행동으로 옮김.

7 밑줄 친 '바람을 일으키다'의 뜻이 [보기] 와 같은 것을 찾아 ○표를 해 보세요.

> [보기]   사회적으로 많은 사람에게 영향을 미치다.

(1) 날씨가 너무 더워서 손으로 <u>바람을 일으켰다.</u> ⸺⸺⸺⸺⸺⸺⸺ (   )

(2) 한국의 전통 농기구인 호미가 해외에서 <u>바람을 일으켰다.</u> ⸺⸺⸺⸺ (   )

8 밑줄 친 부분을 소리 나는 대로 써 보세요.

(1) 우리도 기후 변화에 관심을 가지고 적극적으로 <u>참여</u>하자.

                           [   ]

(2) 며칠 동안 <u>폭염</u>이 이어져 노인과 아이들이 무척 힘들어하고 있다.

    [   ]

틀리기 쉬워요!

9 다음 문장에서 올바른 표현을 골라 ○표를 해 보세요.

(1) 상자 속에 있는 사과의 { 개수 / 갯수 } 가 몇 개인가요?

(2) 굳게 닫힌 문 앞에는 '출입 금지'라고 적힌 { 패말 / 팻말 } 이 걸려 있었다.

고기배 vs 고깃배 결과는?

'고깃배, 콧등'과 같이 두 개의 낱말을 붙여서 새로운 낱말을 만들 때, 두 낱말 사이에 사이시옷이 붙는 경우가 있어요. 사이시옷이 들어가는 조건은 여러 가지가 있지만, 그중에서 서로 붙는 두 낱말 중 하나는 반드시 우리말(고유어)이어야 해요.

- 사이시옷이 들어가는 경우
  - 예 [우리말 + 우리말] 내(시냇물) + 가(근처, 주변) → 냇가(○), 내가(✕)
  - [한자어 + 우리말] 패(牌) + 말(말뚝) → 팻말(○), 패말(✕)
- 사이시옷이 들어가지 않는 경우
  - 예 [한자어 + 한자어] 개(個) + 수(數) → 개수(○), 갯수(✕)

한자 성어

오리무중 (五 다섯 오 里 마을 리 霧 안개 무 中 가운데 중)

아는 어휘에 ✔ 표시를 해 보고, 어휘의 뜻을 생각하며 글을 읽어 보세요.

☐ 풍토병 ☐ 탈수 ☐ 판단 ☐ 미흡 ☐ 무방비 ☐ 둔감 ☐ 공중 ☐ 선구적

🕐 공부한 날

월   일

❶ **풍토병**: 어떤 지역의 특수한 기후나 땅, 환경 등으로 인해 생기는 병.

❷ **탈수**: 1. 물체 안에 들어 있는 물기를 뺌. 또는 물기가 빠짐. 2. 몸속의 수분이 모자라서 생기는 증상.

❸ **오리무중**: 어떤 일에 대하여 방향이나 갈피를 잡을 수 없음을 이르는 말.

❹ **수인성 감염병**: 병균에 오염된 물에 의해 전염되는 병으로 설사, 복통, 구토 등이 나타남.

❺ **판단**: 논리나 기준에 따라 어떠한 것에 대한 생각을 정함.

❻ **미흡하여**: 아직 충분하지 못하거나 만족스럽지 않아.

❼ **무방비**: 위험을 막아 낼 준비가 되어 있지 않음.

❽ **둔감했습니다**: 감각이나 감정이 무뎠습니다.

❾ **공중**: 사회의 대부분 사람들.

❿ **선구적**: 사회적으로 중요한 일이나 사상에서 다른 사람에 앞서는 것.

⓫ **비로소**: 이제까지는 아니던 것이 어떤 일이 있고 난 다음이 되어서야.

콜레라는 인도 벵골 지방의 ❶풍토병이었지만 1800년대에는 유럽을 비롯한 전 세계로 퍼져 나갔고, 1854년 영국 런던에서 크게 유행하기 시작했습니다. 1854년 8월에 런던 브로드 가에서 처음 발생한 콜레라는 열흘 만에 근처 주민들에게 번졌습니다. 사람들은 설사와 ❷탈수 증상을 보였고 순식간에 수백 명이 목숨을 잃는 등 도시 전체가 공포에 휩싸였지요. 보건 당국은 콜레라가 발생한 원인을 찾기 위해 시내 곳곳을 조사했지만 ❸오리무중이었습니다.

콜레라는 오염된 물로 전염되는 ❹수인성 감염병입니다. 그러나 사람들은 템스강에서 나는 악취와 오염된 공기가 감염병을 일으킨다고 믿었지요. 당시 사람들은 "늪 근처에 가면 전염병에 걸린다."라는 말을 믿을 정도였고, 위생 운동을 하는 전문가조차도 나쁜 공기가 전염병을 일으킨다는 잘못된 ❺판단에 사로잡혀 있었습니다.

런던의 의사 존 스노는 브로드 40번가 지역에 콜레라 사망자 수가 많은 것을 보고 환자가 발생한 집을 방문하여 환자의 주소지를 지도에 그려 보았습니다. 그 결과, 환자 대부분이 브로드 가에 있는 펌프에서 물을 마셨다는 사실이 드러났습니다. 이로써 같은 물을 먹은 사람들이 콜레라에 걸렸다는 사실을 알아냈지요.

1800년대 런던은 대도시임에도 불구하고 상하수도 시설이 ❻미흡하여 시내 곳곳이 오물과 폐수로부터 ❼무방비 상태였고 사람들은 위생 문제에 ❽둔감했습니다. 이에 존 스노는 사람들이 더 이상 오염된 물을 마시지 못하도록 했고 런던 보건 당국은 상하수도 시설을 정비하였습니다. 마침내 깨끗한 물을 마실 수 있게 된 사람들은 콜레라의 공포로부터 벗어날 수 있었습니다.

존 스노는 ❾공중 보건학 역사에서 ❿선구적 업적을 남겨 '공중 보건학의 아버지'로 불리게 되었습니다. 이후 1884년 독일의 코흐가 환자로부터 콜레라균을 발견해 내는 데 성공하여 콜레라의 원인이 ⓫비로소 밝혀졌습니다.

1 이 글의 내용으로 알맞은 것에 ○표, 알맞지 <u>않은</u> 것에 ×표를 해 보세요.

(1) 콜레라 환자 대부분이 같은 물을 마셨다. —————————————————— (○ / ×)

(2) 콜레라에 걸린 사람들은 설사와 탈수 증상을 보였다. ——————————— (○ / ×)

(3) 1800년대 런던은 오물과 폐수로 시내 곳곳이 비위생적이었다. ——————— (○ / ×)

(4) 콜레라는 위생 문제에 둔감했던 영국에서 최초로 발생한 풍토병이다. ———— (○ / ×)

2 이 글의 내용을 <u>잘못</u> 이해한 친구의 이름을 써 보세요.

혜성 — 콜레라에 걸리지 않으려면 깨끗한 물을 마셔야겠구나.

수민 — 콜레라는 오염된 공기 때문에 생기는 병이구나.

지요 — 존 스노는 공중 보건학에서 선구적 업적을 남겼구나.

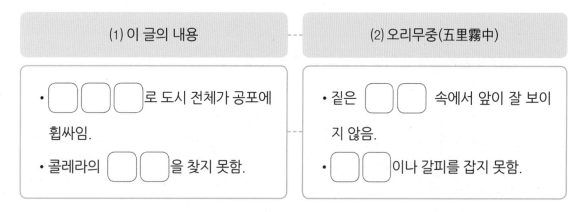

(   )

3 이 글의 내용을 '오리무중'의 뜻풀이와 비교하여 보고, 빈칸을 알맞게 채워 보세요.

 五 다섯 오

 里 마을 리

 霧 안개 무

 中 가운데 중

➔ 오 리나 되는 짙은 안개 속에 있다는 뜻으로, 어떤 일에 대하여 방향이나 갈피를 잡을 수 없음을 이르는 말이다.

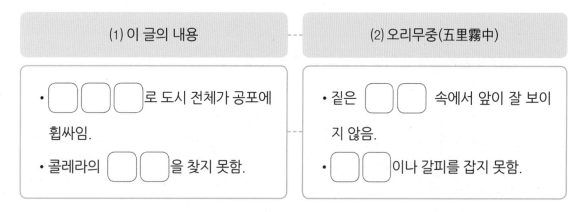

(1) 이 글의 내용	(2) 오리무중(五里霧中)
• ☐☐☐로 도시 전체가 공포에 휩싸임. • 콜레라의 ☐☐을 찾지 못함.	• 짙은 ☐☐ 속에서 앞이 잘 보이지 않음. • ☐☐이나 갈피를 잡지 못함.

4 다음의 낱말과 뜻이 알맞도록 선으로 이어 보세요.

(1) 판단 •

(2) 무방비 •

(3) 선구적 •

(4) 미흡하다 •

• ① 위험을 막아 낼 준비가 되어 있지 않음.

• ② 아직 충분하지 못하거나 만족스럽지 않다.

• ③ 논리나 기준에 따라 어떠한 것에 대한 생각을 정함.

• ④ 사회적으로 중요한 일이나 사상에서 다른 사람에 앞서는 것.

5 빈칸에 들어갈 알맞은 낱말을 보기 에서 찾아 써 보세요.

보기	둔감	탈수	풍토병

(1) 지민이는 [　　　　] 해서 음식 맛을 잘 모른다.

(2) 마라톤 경기를 마친 선수는 [　　　　] 상태에 빠져 갈증을 느꼈다.

(3) 해외여행을 가기 전에 [　　　　] 에 대한 예방 접종을 하는 것이 좋다.

6 빈칸에 공통으로 들어갈 낱말로 알맞은 것에 ○표를 해 보세요.

• 코흐에 의해 콜레라의 원인이 [　　　　] 밝혀졌다.

• 오랜 노력 끝에 1등을 한 혜성이는 [　　　　] 끈기의 중요성을 깨달았다.

(1) 비로소 (　　　　) 　　　(2) 오히려 (　　　　) 　　　(3) 절대로 (　　　　)

7 '오리무중'의 의미를 바르게 활용한 문장을 골라 ○표를 해 보세요.

(1)
수민이가 5년 넘게 키워 온 강아지가
사라져 아직까지 오리무중이다.

(   )

(2)
준희가 앉자마자 의자가 부서지다니,
정말 오리무중이란 말이 딱 맞는구나!

(   )

틀리기 쉬워요!

8 다음 문장에서 올바른 표현을 골라 ○표를 해 보세요.

(1) 혜성이는 { 반장으로서 / 반장으로써 } 책임을 다해야 한다.

(2) 고슴도치는 뾰족한 { 가시로서 / 가시로써 } 자신을 지킨다.

9 보기 를 참고하여 다음 문장을 바르게 띄어 써 보세요.

> 보기
> • ~∨수∨있다(없다): '어떤 일을 할 만한 능력이나 어떤 일이 일어날 가능성.'을 뜻
> 하는 '수'는 앞말과 띄어 써야 해요. 예 수민이는 어려운 문제도 풀 수 있다.

(1) 맑은물을마실수있다.

(2) 놀이동산에갈수있을까?

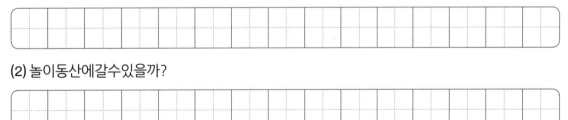

'~로서' vs '~로써' 결과는?

'~로서'는 어떤 지위나 신분, 자격을 나타내고, '~로써'는 어떤 일의 수단이나 도구, 재료나 원료를 나타내지요.

• 자식으로서 부모님께 효도해야 한다.   • 콩으로써 메주를 쑨다.

정답과 해설 37쪽

맞은 개수 _____ /9개

스스로 붙임딱지

교과 어휘 | 사회 5학년   국권 회복 운동

우당 기념관을 다녀와서

아는 어휘에 ✔ 표시를 해 보고, 어휘의 뜻을 생각하며 글을 읽어 보세요.

☐ 헌신   ☐ 일대기   ☐ 탄압   ☐ 수탈   ☐ 양성   ☐ 고취   ☐ 폐교   ☐ 숭고하다

⏱ 공부한 날

월   일

❶ **일제**: '일본 제국주의' 또는 '일본 제국'을 줄인 말로, 자기 나라의 이익을 위해 여러 나라를 침략한 일본을 일컫는 말.

❷ **헌신한**: 몸과 마음을 바쳐 있는 힘을 다한.

❸ **일대기**: 한 사람이 태어나서 죽을 때까지 있었던 일을 적은 기록.

❹ **명문가**: 사회적 신분이나 지위가 높고 학식과 덕망을 갖춘 훌륭한 집안.

❺ **국권**: 나라가 행사하는 독립적이고 절대적인 권력.

❻ **탄압**: 힘으로 억지로 눌러 꼼짝 못 하게 함.

❼ **수탈**: 강제로 빼앗음.

❽ **양성하는**: 가르쳐서 유능한 사람을 길러 내는.

❾ **고취하였습니다**: 생각이나 마음, 의욕 등이 강해지도록 하였습니다.

❿ **폐교되고**: 학교의 운영을 그만두게 되고.

⓫ **숭고한**: 뜻이 높고 훌륭한.

우리 모둠은 광복절을 맞아 ❶일제에 맞선 독립운동가들의 활동을 알아보기 위하여 서울시 종로구에 위치해 있는 우당 기념관에 다녀왔습니다. 이곳은 우리나라의 독립을 위해 ❷헌신한 이회영 선생의 삶과 업적을 기리는 곳입니다.

우당 기념관은 총 여섯 개의 전시장으로 구성되어 있습니다. 이회영 선생의 ❸일대기를 한눈에 볼 수 있고, 신흥 무관 학교 및 해외에서 활동한 독립운동가들의 사진, 김구 선생의 『백범일지』도 전시되어 있습니다. 이 밖에 정부에서 1962년에 선생에게 수여한 건국 훈장 독립장을 비롯해 다양한 독립운동 자료 등을 볼 수 있습니다.

▲ 우당 이회영 선생

이회영의 집안은 조선 시대 때부터 ❹명문가이자 손꼽히는 부자였다고 합니다. 그러나 1910년에 ❺국권을 빼앗기고 일제의 ❻탄압과 ❼수탈이 계속되자, 이회영 선생과 다섯 형제들은 40여 명의 가족을 데리고 만주 지역으로 옮겨 갔습니다. 이회영 선생은 이동녕 등과 함께 1911년에 만주 삼원보 지역에 터를 잡고 신흥 강습소를 세웠는데, 이것이 훗날 2000여 명의 항일 독립군을 키워 낸 '신흥 무관 학교'입니다. 이회영 일가는 독립군을 ❽양성하는 데 전 재산을 쏟아부으며 헌신했습니다.

전국 각지에서 모여든 청년들은 이곳에서 독립군 지휘관이 되기 위한 군사 교육뿐만 아니라, 역사와 국어, 지리 등을 배우며 민족의식을 ❾고취하였습니다. 1920년에 일제의 탄압으로 인해 ❿폐교되고 말았지만, 신흥 무관 학교가 배출해 낸 독립군들은 봉오동 전투와 청산리 대첩 등에서 치열한 무장 독립운동을 펼쳤습니다.

우당 기념관을 둘러보며 우리나라의 독립을 위해 모든 재산과 목숨까지 바친 이회영 선생의 삶이 위대하게 느껴졌습니다. 한편으로는 조국의 독립을 보지 못한 채 모진 고문을 받다가 세상을 떠난 이회영 선생이 안타깝다는 생각이 들었습니다. 우당 기념관을 나오면서 독립운동가들의 ⓫숭고한 정신과 나라의 소중함을 다시 한번 느낄 수 있었습니다.

1 우당 기념관에 대한 설명으로 알맞은 것에 ○표, 알맞지 <u>않은</u> 것에 ×표를 해 보세요.

(1) 서울시 종로구에 위치해 있다. ·································· (○ / ×)

(2) 이회영 선생의 삶을 소개하고 업적을 기리는 곳이다. ·································· (○ / ×)

(3) 김구 선생이 직접 수여한 건국 훈장 독립장이 전시되어 있다. ·································· (○ / ×)

(4) 신흥 무관 학교 및 해외 독립운동가들의 사진이 전시되어 있다. ·································· (○ / ×)

2 이회영 선생이 겪은 일을 정리한 것입니다. 일이 일어난 차례대로 번호를 써 보세요.

① 일제의 탄압으로 인해 신흥 무관 학교가 폐교됨.

② 이동녕 등과 함께 만주 삼원보 지역에 신흥 강습소를 세움.

③ 독립을 보지 못한 채 감옥에서 모진 고문을 받다가 세상을 떠남.

④ 신흥 무관 학교 청년들에게 군사 교육을 실시하고 민족의식을 고취시킴.

⑤ 일제의 탄압을 피해 다섯 형제와 함께 40여 명의 가족을 데리고 만주 지역으로 옮겨 감.

(   ) ➜ (   ) ➜ (   ) ➜ (   ) ➜ ③

3 신흥 무관 학교의 교육 내용과 관련 있는 것끼리 선으로 이어 보세요.

(1) | 일제에 맞서 싸울 무장 독립군 지휘관을 양성함. | •   • ① | 민족 교육

(2) | 역사와 국어 등을 가르쳐 민족의식을 고취시킴. | •   • ② | 군사 교육

4 이 글의 중요한 내용을 정리한 것입니다. 빈칸을 알맞게 채워 보세요.

견학 장소	우당 기념관
견학 목적	☐☐☐을 맞아 일제에 맞선 ☐☐☐☐☐들의 활동을 알아보기 위하여
견학하면서 생각하거나 느낀 점	• 우리나라의 ☐☐을 위해 헌신한 이회영 선생의 삶이 위대하게 느껴졌고, 독립을 보지 못한 채 돌아가신 선생이 안타깝다는 생각이 들었음. • 독립운동가들의 ☐☐한 정신과 나라의 소중함을 느낌.

175

5 다음의 낱말과 뜻이 알맞도록 선으로 이어 보세요.

(1) 무장 •

(2) 수탈 •

(3) 일제 •

• ① 강제로 빼앗음.

• ② 전쟁이나 전투를 하기 위한 장비 등을 갖춤. 또는 그 장비.

• ③ '일본 제국주의' 또는 '일본 제국'을 줄인 말로, 자기 나라의 이익을 위해 여러 나라를 침략한 일본을 일컫는 말.

6 빈칸에 들어갈 알맞은 낱말을 보기 에서 찾아 써 보세요.

| 보기 | 국권 | 탄압 | 폐교 |

(1) 일제의 ☐☐☐☐☐ 으로 많은 의병이 다치거나 죽었다.

(2) 최근 학생 수가 줄어들어 ☐☐☐☐☐ 되는 학교가 늘어나고 있다.

(3) 수많은 독립군들이 ☐☐☐☐☐ 을 되찾기 위해 치열한 전투를 벌였다.

관용 표현 [익숙할 관(慣) 쓸 용(用) 겉 표(表) 나타날 현(現)]
관용 표현은 둘 이상의 낱말이 합쳐져 그 낱말의 원래 뜻과는 다른 새로운 뜻으로 굳어져 쓰이는 표현이에요. 관용 표현에는 관용어와 속담 따위가 있어요.

7 밑줄 친 관용 표현을 올바르게 활용하여 말한 친구를 골라 ○표를 해 보세요.

(1)

용감한 시민들이 민주주의를 지키기 위해 목숨을 바쳐 싸웠어.

(　　　)

(2)

훈련을 마친 선수들은 해가 뜬 줄도 모른 채 세상을 떠나 자고 있었어.

(　　　)

8 다음 문장에서 밑줄 친 표현이 올바른 것을 골라 ○표를 해 보세요.

(1) ① 김 회장은 평생 모은 재산으로 학교를 <u>세운</u> 분이다. ──────── (   )

② 누나는 시험공부를 하느라 꼬박 밤을 <u>세운</u> 적도 있다. ──────── (   )

(2) ① 눈 쌓인 설악산의 경치가 <u>수여해</u> 감탄하지 않을 수 없다. ──────── (   )

② 형편이 어려운 학생에게 매년 장학금을 <u>수여해</u> 오고 있다. ──────── (   )

(3) ① 의료진의 <u>숭고한</u> 희생정신은 우리 모두를 일깨워 주었다. ──────── (   )

② 편찮으신 할머니께 걱정을 끼치게 되어 <u>숭고한</u> 마음뿐이다. ──────── (   )

9 다음 문장에서 틀린 부분을 찾아 바르게 고쳐 써 보세요.

(1)
| 학교를 졸업하더라도 훗날에 다시 만나자고 약속했다. |

(   ) ➔ (   )

(2)
| 삼촌은 소설을 쓰는 데 온 정성을 쏟아부으며 노력했다. |

(   ) ➔ (   )

(3)
| 학생들에게 학습 의욕을 고치기 위한 방법을 생각하고 있다. |

(   ) ➔ (   )

세우다 vs 새우다 결과는?

'세우다'는 눕거나 넘어진 것을 바로 서게 한다는 뜻으로, 문장에서는 보통 목적어(을/를)와 함께 쓰여요. 이와 달리 '새우다'는 잠을 자지 않고 밤을 보낸다는 뜻으로, 대부분 '밤새우다'의 형태로 쓰이지요.

• 허리를 꼿꼿이 <u>세우고</u> 걸어갔다. / 들판에 허수아비를 <u>세워</u> 놓았다.
• 잠이 오지 않아서 <u>밤새도록</u> 뒤척였다. / <u>밤새워</u> 친구에게 편지를 썼다.

😊 맞은 개수 _____ /9개   **177**

'변(變)'과 '화(化)'가 들어간 말

아는 어휘에 ✔ 표시를 해 보고, 아래 활동을 하며 뜻을 익혀 보세요.

☐ 변화 ☐ 변동 ☐ 변천 ☐ 변형 ☐ 화학 ☐ 강화 ☐ 악화 ☐ 변화무상

變
변할 **변**

이 한자는 緣(어지러울 련) 자에 攵(칠 복) 자를 결합한 글자예요. 혼란스러운 상황을 바로잡는다는 뜻으로 만들어졌어요. '변하다'나 '고치다'라는 뜻을 가지고 있어요.

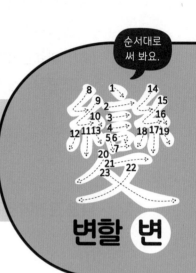

순서대로 써 봐요.

변할 **변**

'변화'는 무엇의 모양이나 상태, 성질 등이 달라짐을 말해요.

● 변(變)이 들어간 낱말은 '변하다'의 뜻을 지니는 경우가 많아요.

변 동 변할 變 움직일 動	뜻 상황이나 사정이 바뀌어 달라짐. 예 농산물의 가격 변동이 심하다.
변 천 변할 變 옮길 遷	뜻 시간이 지남에 따라 바뀌고 변함. 예 조선 시대부터 현재까지 의복의 변천을 볼 수 있다.
변 형 변할 變 모양 形	뜻 형태나 모양, 성질 등이 달라지거나 달라지게 함. 예 구부정한 자세로 오래 앉아 있으면 척추에 변형이 올 수 있다.

유전자 변형 농산물에는 무엇이 있을까?

'變'과 '化'를 활용한 말로 '변화무쌍'이라는 말이 있어요.

변	화	무	쌍
변할 變	될 化	없을 無	두 雙

'변화무쌍'은 세상이 변(變)하여 가는 것이 더할 수 없이 많고 심함을 말해요.

컴퓨터의 발명은 큰 변화를 가져왔어.

化
될 화

이 한자는 人(사람 인) 자와 ヒ(비수 비) 자가 결합한 글자예요. 사람이 모양을 바꿔 다른 사람이 된다는 데서 '변천하다'나 '바뀌다'라는 뜻을 가지고 있어요.

化
될 화

8주차

Day
40

정답과 해설 38쪽

● 화(化)가 들어간 낱말은 '되다'의 뜻을 지니는 경우가 많아요.

화 학	
될 化　배울 學	뜻 물질의 구조, 성분, 변화 등에 관해 연구하는 자연 과학의 한 분야. 예 음식에 화학 조미료를 넣는 것은 좋지 않다.
강 화	
강할 強　될 化	뜻 1. 세력이나 힘을 더 강하게 함. 2. 수준이나 정도를 높임. 예 과학 기술력을 강화해야 한다.
악 화	
악할 惡　될 化	뜻 일이나 상황이 나쁜 방향으로 나아감. 예 미세 먼지로 인해 어린이들의 건강이 악화되고 있다.

179

1 다음 낱말에 공통으로 쓰인 '변'의 뜻으로 알맞은 것에 ○표를 해 보세요.

변동(變動)　　　변천(變遷)　　　변화(變化)　　　변형(變形)

(1) 만들다 (　　　)　　　(2) 변하다 (　　　)　　　(3) 세우다 (　　　)

2 다음의 낱말과 뜻이 알맞도록 선으로 이어 보세요.

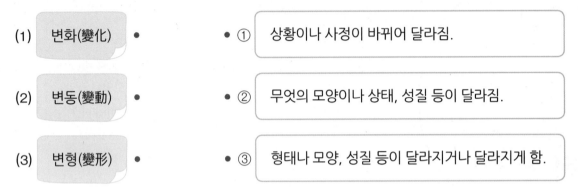

(1) 변화(變化) •　　　• ① 상황이나 사정이 바뀌어 달라짐.

(2) 변동(變動) •　　　• ② 무엇의 모양이나 상태, 성질 등이 달라짐.

(3) 변형(變形) •　　　• ③ 형태나 모양, 성질 등이 달라지거나 달라지게 함.

3 밑줄 친 '화'가 '바뀌다'의 뜻으로 쓰인 낱말을 모두 골라 ○표를 해 보세요.

강화　　　대화　　　악화

4 사다리타기를 하며 빈칸에 들어갈 낱말의 뜻을 보기 에서 찾아 번호를 써 보세요.

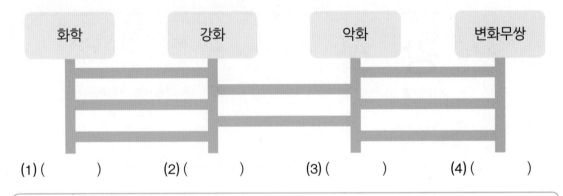

화학	강화	악화	변화무쌍

(1) (　　　)　　　(2) (　　　)　　　(3) (　　　)　　　(4) (　　　)

> 보기 ① 변하는 정도가 비할 데 없이 심함.
> ② 일이나 상황이 나쁜 방향으로 나아감.
> ③ 1. 세력이나 힘을 더 강하게 함. 2. 수준이나 정도를 높임.
> ④ 물질의 구조, 성분, 변화 등에 관해 연구하는 자연 과학의 한 분야.

5 빈칸에 들어갈 알맞은 낱말을 보기 에서 찾아 써 보세요.

> 보기   변동(變動)   변천(變遷)   화학(化學)   변화무쌍(變化無雙)

(1) 이 전시회에서는 한복의 [   ]을 한눈에 볼 수 있다.

(2) 올해는 [   ]한 날씨 때문에 벼농사가 잘되지 않았다.

(3) 돼지고기의 가격 [   ]이 심해서 소비자들이 어려움을 겪고 있다.

(4) 우리가 쓰는 플라스틱 제품에는 수십 가지의 [   ] 성분이 들어 있다.

6 두 친구의 대화 내용에 어울리는 낱말을 골라 ○표를 해 보세요.

조리 방법의 차이를 알아보아요!

우리는 다양한 재료로 음식을 만들어 먹어요. 같은 재료로도 구이, 조림, 볶음, 튀김, 찜 등 다양한 조리 방법으로 여러 가지 음식을 만들 수 있지요. 다양한 조리 방법에 대하여 알아볼까요?

고소한 고등어구이

달짝지근한 갈치조림

바삭한 새우튀김

부드러운 달걀찜

매콤한 돼지고기볶음

새콤달콤 오징어무침

(1) 고기나 생선 등을 불에 구워 만든 음식. • • ① 구이

(2) 나물이나 채소, 말린 생선, 회 등에 양념을 하여 무친 반찬. • • ② 볶음

(3) 고기나 채소에 양념을 해서 찌거나 국물을 적게 해서 삶은 음식. • • ③ 조림

(4) 고기, 생선, 채소 등을 양념해서 국물이 거의 남지 않게 바짝 끓여 만든 음식. • • ④ 찜

(5) 음식의 물기를 거의 빼고 기름을 조금 부어 불 위에 놓고 저으면서 익히는 조리법. 또는 그렇게 만든 음식. • • ⑤ 무침

정답: (1)-① (2)-⑤ (3)-④ (4)-③ (5)-②

스스로 붙임딱지

일일학습을 마친 후, 스스로 붙임딱지를 골라 본문에 붙여 보세요.

- 스스로 문제를 끝까지 풀고
  오답 확인까지 마쳐 뿌듯할 때! →

- 지문에서 새로 알게 된 점이
  있어 보람찰 때! →

- 내용에서 모르는 점을
  스스로 알려고 노력하였을 때! →

- 열심히 풀었지만 풀면서
  어려움을 느꼈을 때! →

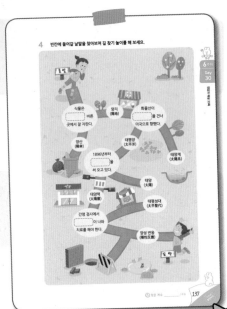

여기에 붙여요!

어휘력 쑥쑥 자람판

1. 어휘력과 독해력을 키우는 하루 15분 공부 습관,
   "어휘력 자신감"과 함께 오늘부터 시작해 보세요!

2. 일일학습을 마친 후, 오답까지 확인하면
   "어휘력 자람판"에 붙임딱지를 하나 붙여 주세요!

3. 스스로 Day40까지 채운 후
   어휘력과 독해력이 쑥쑥 자란 나를 발견해 보세요.

자람판은 뒷장에 있어용~

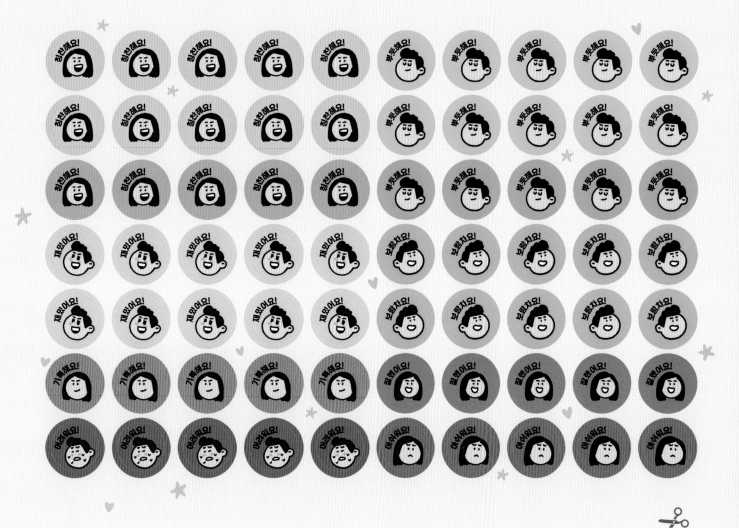

글이 술술~
자신감이
쑥쑥~

어휘력 쑥쑥
자랑판

어휘력 자신감

5 단계

주간 테스트 + 정답과 해설

지학사

어휘력 자신감

초등 국어

5 단계

주간 테스트

1 빈칸에 공통으로 들어갈 낱말로 알맞은 것은 무엇인가요? .... (   )

> • 이번 축구 대회에서 능력 있는 선수를 ☐☐하였다.
> • 국가 경쟁력을 갖추기 위해서 인재를 ☐☐해야 한다.
> • 학자들은 이 지역에서 구석기 시대의 유물을 ☐☐하였다.

① 교체   ② 발굴   ③ 유출   ④ 활약

2 밑줄 친 낱말과 서로 반대되는 뜻을 가진 낱말은 무엇인가요? .... (   )

> 대학생이 되어서도 부모에게 <u>의존하는</u> 것은 바람직하지 않다.

① 구축하는   ② 의지하는   ③ 자립하는   ④ 훼손하는

3 밑줄 친 표현이 바르지 <u>않은</u> 것은 어느 것인가요? .... (   )

① 감나무 가지에 연줄이 마구 <u>얽혀</u> 있다.
② 아침 공기가 차가워서 어깨가 <u>움츠러들었다</u>.
③ 제품마다 <u>할인률</u>이 달라서 가격을 비교하기 어렵다.
④ 야구 팀은 투수의 눈부신 <u>활약</u>으로 값진 승리를 거두었다.

4 단일어에 속하는 낱말은 무엇인가요? .... (   )

① 맨발   ② 바위   ③ 쌀값   ④ 기와집

5 빈칸에 들어갈 알맞은 낱말을 보기 에서 찾아 다음 글을 완성하세요.

보기　　　　　　　　　교훈　　　　수양　　　　실패

　‘타산지석(他山之石)’과 비슷한 뜻으로 ‘반면교사(反面教師)’라는 말이 있다. ‘타산지석’은 남의

하찮은 말이나 행동도 자신의 인격을 ☐☐ 하는 데 도움이 될 수 있다는 뜻이다. ‘반면교사’

는 남의 잘못된 일과 ☐☐를 거울삼아 ☐☐을 얻을 수 있다는 뜻이다.

[6~7] 다음 글을 읽고 물음에 답하세요.

　농사를 짓고 살았던 우리 조상들은 벼에서 낟알을 떨어내고 남은 줄기인 짚을 꼬아 짚신을 만들었
다. 짚신은 가죽신이나 꽃신 등에 비해 보잘것없는 것이었지만, 남녀노소나 계절을 구분하지 않고
누구나 즐겨 신었던 신발이다. 그런 짚신도 오른쪽과 왼쪽으로 짝 지어져 있듯이, 보잘것없는 사람
도 자기와 평생을 같이 살아가야 하는 ☐☐, 즉 제짝이 있기 마련이다.

6 이 글의 내용과 관련이 깊은 관용 표현은 무엇인가요? ················· (　　　)

① 주목을 받다　　　　　　　　　　　② 어깨를 겨루다

③ 박차를 가하다　　　　　　　　　　④ 짚신도 제짝이 있다

7 빈칸에 들어갈 낱말로 알맞은 것은 무엇인가요? ················· (　　　)

① 가문　　　　　　② 가족　　　　　　③ 배필　　　　　　④ 집안

8 밑줄 친 낱말의 발음으로 알맞은 것은 무엇인가요? ················· (　　　)

난로 안에는 장작이 빨갛게 타오르고 있었다.

① [난노]　　　　　② [난로]　　　　　③ [날노]　　　　　④ [날로]

1 빈칸에 공통으로 들어갈 낱말로 알맞은 것은 무엇인가요? ·········· (　　　)

> · 젊은이가 ☐ 하나 깜짝 안 하고 거짓말을 늘어놓았다.
> · 배고픈 농부가 밥 한 공기를 ☐ 깜짝할 사이에 먹어 치웠다.

① 귀　　　　　　② 눈　　　　　　③ 입　　　　　　④ 코

2 밑줄 친 낱말과 바꾸어 쓸 수 있는 낱말은 무엇인가요? ·········· (　　　)

> 의료 시설이 낙후되어 주민들이 어려움을 겪고 있다.

① 비싸서　　　　② 무거워서　　　　③ 복잡해서　　　　④ 뒤떨어져서

3 밑줄 친 표현이 바르지 않은 것은 어느 것인가요? ·········· (　　　)

① 세종 대왕의 가장 큰 업적은 한글 창제이다.
② 젊은이들이 배낭을 짊어진 채 우르르 몰려왔다.
③ 열심히 일한 덕분에 살림사리가 점점 나아지고 있다.
④ 그 음식점은 요리가 맛있다고 소문이 나서 손님들이 끊이지 않는다.

4 밑줄 친 부분이 '다른 것이 없는.'의 뜻을 가진 낱말은 무엇인가요? ·········· (　　　)

① 맨주먹　　　　② 덧버선　　　　③ 햇과일　　　　④ 헛수고

5 빈칸에 들어갈 알맞은 낱말을 보기 에서 찾아 다음 글을 완성하세요.

보기
노력   발전   이끼

"구르는 돌은 ☐☐가 안 낀다."와 비슷한 속담으로 "흐르는 물은 썩지 않는다."가 있다. 한 곳에 오래 고여 있는 물은 썩지만 흐르는 물은 썩지 않으므로 사람은 늘 열심히 ☐☐해야 뒤떨어지지 않는다는 뜻이다. 그러니 자신의 ☐☐을 위해서는 성실한 자세가 중요하다.

[6~7] 다음 글을 읽고 물음에 답하세요.

하준이는 이번 체육 대회에서 반 대표 이어달리기 선수로 뽑혔다. 평소에 달리기를 잘하는 하준이를 눈여겨보던 반 친구들이 적극 추천했기 때문이다. 하준이는 ㉠☐☐가 무거웠지만, 반 친구들을 실망시키지 않으려면 열심히 연습하는 ㉡길밖에 없다고 생각했다.

6 ㉠에 들어갈 낱말로 알맞은 것은 무엇인가요? ⸺⸺⸺⸺ (   )

① 고개   ② 다리   ③ 머리   ④ 어깨

7 밑줄 친 '길'이 ㉡과 같은 뜻으로 쓰인 문장은 어느 것인가요? ⸺⸺⸺ (   )

① 눈이 많이 와서 길이 미끄럽다.
② 남자아이가 길을 잃고 울고 있다.
③ 집으로 돌아가는 길에 친구를 만났다.
④ 어려운 상황을 극복하는 길은 서로 돕는 것이다.

8 밑줄 친 부분을 바르게 고친 것은 무엇인가요? ⸺⸺⸺⸺⸺ (   )

할아버지께서 된장찌개를 맛있게 <u>먹는다</u>.

① 먹다   ② 끓인다   ③ 만든다   ④ 잡수신다

1 빈칸에 공통으로 들어갈 낱말로 알맞은 것은 무엇인가요? ⋯⋯⋯⋯⋯⋯⋯⋯⋯ (   )

> • 전쟁은 인명과 재산에 막대한 ☐☐을 입힌다.
> • 오랜 장마로 농촌 지역은 큰 ☐☐을 입게 되었다.

① 고통   ② 관직   ③ 손실   ④ 피신

2 밑줄 친 낱말과 바꾸어 쓸 수 있는 낱말은 무엇인가요? ⋯⋯⋯⋯⋯⋯⋯⋯⋯ (   )

> 소현이는 할머니께 자리를 양보할 <u>기미</u>를 전혀 보이지 않는다.

① 기세   ② 낌새   ③ 사례   ④ 지위

3 밑줄 친 표현이 바르지 <u>않은</u> 것은 어느 것인가요? ⋯⋯⋯⋯⋯⋯⋯⋯⋯ (   )

① 우리 집 암소가 오늘 아침에 송아지를 <u>낳았다</u>.
② <u>밤새</u> 비가 내렸는지 운동장에 물기가 남아 있다.
③ 세계적 경제 위기로 자동차 수출에 어려움을 <u>겪고</u> 있다.
④ 성태는 여태껏 참아 왔던 불만이 <u>폭팔하여</u> 친구와 크게 싸웠다.

4 보기 의 낱말을 모두 포함하는 낱말은 무엇인가요? ⋯⋯⋯⋯⋯⋯⋯⋯⋯ (   )

> 보기   백인종   흑인종   황인종

① 개인   ② 민족   ③ 인종   ④ 인체

5 빈칸에 들어갈 알맞은 낱말을 보기 에서 찾아 다음 글을 완성하세요.

> 보기   무시   분노   지위

"지렁이도 밟으면 꿈틀한다."와 비슷한 속담으로 "굼벵이도 다치면 꿈틀한다."가 있다. 아무리 ⬜⬜가 낮거나 순하고 좋은 사람이라도 너무 업신여기면 ⬜⬜하여 가만히 있지 않는다는 말이다. 그러므로 다른 사람을 함부로 놀리거나 ⬜⬜하면 안 된다.

[6~7] 다음 글을 읽고 물음에 답하세요.

> 이순신 장군은 죽는 순간까지 "왜군과의 전투가 중요하니 내가 죽었다는 말을 삼가라." 하고 조용히 눈을 감았다. 곁에서 이 모습을 지켜보던 부하들은 ㉠눈물을삼킨채 북을 치며 앞으로 나아가 왜군과 맞서 싸울 것을 명령하였다. 군사들은 모두 기운을 내어 ⬜㉡⬜ 왜군과 맞서 싸웠고, 마침내 승리를 거두었다.

6 밑줄 친 ㉠을 바르게 띄어 쓴 것은 무엇인가요? ────────── (   )

① 눈물을∨삼킨채
② 눈물을∨삼킨∨채
③ 눈물∨을∨삼킨∨채
④ 눈∨물을∨삼킨∨채

7 ㉡에 들어갈 관용어로 알맞은 것은 무엇인가요? ────────── (   )

① 손뼉을 치고
② 가슴을 쓸어내리고
③ 물불을 가리지 않고
④ 앞뒤를 가리지 않고

8 빈칸에 들어갈 낱말의 형태로 알맞은 것은 무엇인가요? ────────── (   )

> 갑자기 몸살이 나서 끙끙 ⬜ 누웠다.

① 아라
② 알아
③ 알하
④ 앓아

1 빈칸에 공통으로 들어갈 낱말로 알맞은 것은 무엇인가요? .... ( )

> • 독립군들의 전투 장면을 영화로 보고 □□이 뜨거워졌다.
> • 왜군을 물리치고 큰 승리를 거두었다니 □□이 시원하다.
> • 어머니의 희생을 □□에 새기고 열심히 노력한 끝에 성공하였다.

① 가슴　　　　　② 손발　　　　　③ 얼굴　　　　　④ 코끝

2 밑줄 친 낱말은 얼마 동안의 기간을 나타내는 말인가요? .... ( )

> 남부 지방에서 <u>보름</u>이 넘게 가뭄이 계속되고 있다.

① 7일　　　　　② 10일　　　　　③ 15일　　　　　④ 30일

3 밑줄 친 표현이 바르지 <u>않은</u> 것은 어느 것인가요? .... ( )

① 준하는 형에게 <u>건네받은</u> 책을 읽고 있다.
② 몸이 약한 동생은 <u>걸핏하면</u> 감기에 걸린다.
③ 시민들이 민주주의를 <u>부르짖으며</u> 시위에 나섰다.
④ 누나는 <u>뒷굼치</u>를 들고 살금살금 방에서 걸어나왔다.

4 낱말의 관계가 보기 와 같지 <u>않은</u> 것은 무엇인가요? .... ( )

> | 보기 | 근심 – 걱정 |

① 목숨 – 수명　　　　　② 보배 – 보물
③ 대비 – 준비　　　　　④ 감옥 – 처벌

5 빈칸에 들어갈 알맞은 낱말을 보기 에서 찾아 다음 글을 완성하세요.

> 보기　　　　　　　　버릇　　　습관　　　조심

"제 버릇 개 줄까."라는 속담은 "제 버릇 개 못 준다."라고도 표현하는데, 한번 젖어 버린 나쁜

□□은 쉽게 고치기 힘들다는 뜻이다. 버릇을 잘못 들이면 □□으로 굳어져 고치기

어려우므로 처음부터 나쁜 버릇이 들지 않도록 □□ 해야 한다.

[6~7] 다음 글을 읽고 물음에 답하세요.

> 2005년 국가인권위원회에서는 일기 검사가 어린이의 사생활 비밀과 자유 등 헌법에 보장된 아동 인권을 ㉠□□ 한다며 교육부에 개선을 ㉡□□ 하였다. 그러나 일부 교사들은 국가인권위원회가 교사와 학부모들과 충분히 의견을 나누었더라면 이런 ㉢결정을 내리지 않았을 것이라고 아쉬움을 나타냈다.

6 ㉠, ㉡에 들어갈 낱말이 바르게 짝 지어진 것은 무엇인가요? ⌁⌁⌁⌁⌁⌁⌁⌁⌁ (　　)

　　　　㉠　　　㉡　　　　　　　　　　　　㉠　　　㉡
① 침해 – 부당　　　　　　　　② 침투 – 훼손
③ 침투 – 강요　　　　　　　　④ 침해 – 권고

7 ㉢'결정'을 소리 나는 대로 쓰세요.

[　　　　　　　　]

8 다음 문장에서 잘못 쓴 낱말은 무엇인가요? ⌁⌁⌁⌁⌁⌁⌁⌁⌁⌁⌁⌁⌁⌁⌁ (　　)

> 남자현은 늙은 몸으로 감옥에 갖힌 채 모진 고문을 당하였다.

① 늙은　　　　② 갖힌　　　　③ 모진　　　　④ 고문

1 빈칸에 공통으로 들어갈 낱말로 알맞은 것은 무엇인가요? ·········· (   )

> • 어머니는 어려운 이웃을 보면 ☐ 벗고 나서서 도와주신다.
> • 반 친구들이 모두 하나가 되어 ☐을 맞추어야 성공할 수 있다.

① 눈   ② 발   ③ 손   ④ 팔

2 보기 의 낱말을 모두 포함하는 낱말은 무엇인가요? ·········· (   )

> | 보기 | 루비   사파이어   다이아몬드 |

① 광채   ② 보석   ③ 세공   ④ 장식

3 밑줄 친 표현이 바르지 <u>않은</u> 것은 어느 것인가요? ·········· (   )

① 꽃밭에 피어 있는 꽃을 함부로 <u>꺾으면</u> 안 된다.
② 어디선가 생선 <u>썩는</u> 냄새가 고약하게 풍겨 왔다.
③ 남들 앞에서 네 동생을 그렇게 <u>깎아내려서야</u> 되겠니?
④ 엄마는 지수에게서 눈길을 <u>떼지</u> 않고 한참을 바라보았다.

4 같은 의미가 반복된 표현이 <u>아닌</u> 것은 무엇인가요? ·········· (   )

① 뜨거운 열기   ② 말린 건포도
③ 송아지 새끼   ④ 희귀한 광물

5 빈칸에 들어갈 알맞은 낱말을 보기 에서 찾아 다음 글을 완성하세요.

> 보기   봉양   은혜   효심

'반포지효(反哺之孝)'에서 반(反)은 '되돌린다'는 뜻이고, 포(哺)는 '먹인다'는 뜻이다. 반포(反哺)는 까마귀 새끼가 자라 늙은 어미에게 ☐☐을 하는 것에서 유래되었다고 한다. 이 말은 먹이를 돌려드림으로써 부모님의 ☐☐에 보답하는 것, 즉 깊은 ☐☐을 뜻한다.

[6~7] 다음 글을 읽고 물음에 답하세요.

> 세계 곳곳에서 가뭄, ㉠이상 고온, 집중 호우 등이 발생하여 심각한 피해를 ㉡☐☐ 있다. 지구 환경을 보호하기 위하여 우리 정부는 '2050 탄소 중립'을 목표로 삼았다. 탄소 중립은 태양력, 풍력 에너지를 사용함으로써 이산화 탄소 배출량을 최대한 줄이고, 숲을 가꾸어 산소를 공급함으로써 남아 있는 탄소를 흡수시켜 실질적으로 이산화 탄소 배출량을 0으로 만든다는 것이다.

6 ㉠'이상'의 뜻으로 알맞은 것은 무엇인가요? ·················· (   )

① 정상적인 것과 다름.
② 이미 그렇게 된 바에는.
③ 원래 알고 있던 것과 달라 별나거나 색다름.
④ 어떤 것에 대하여 생각할 수 있는 것 중에서 가장 나은 상태나 모습.

7 ㉡에 들어갈 낱말로 알맞은 것은 무엇인가요? ·················· (   )

① 나코   ② 낫고   ③ 낮고   ④ 낳고

8 밑줄 친 낱말을 소리 나는 대로 쓰세요.

> 아이는 장난감을 사 달라며 막무가내로 떼를 쓰고 울어 댔다.

[   ]

1 빈칸에 공통으로 들어갈 낱말로 알맞은 것은 무엇인가요? ·········· (   )

> • 일주일에 한 ☐씩 부모님께 편지를 썼다.
> • 아이스크림 한 ☐을 혼자 다 먹었더니 배탈이 났다.

① 권   ② 단   ③ 장   ④ 통

2 낱말의 관계가 보기 와 같지 <u>않은</u> 것은 무엇인가요? ·········· (   )

> **보기**   부근 - 근처

① 절 – 사찰   ② 가게 – 상점

③ 눈빛 – 눈치   ④ 고민 – 걱정거리

3 밑줄 친 부분의 호응이 알맞지 <u>않은</u> 문장은 어느 것인가요? ·········· (   )

① <u>절대로</u> 피를 한 방울도 흘려서는 <u>안 된다</u>.

② <u>설마</u> 나한테 책을 빌려 달라는 것이 <u>분명하다</u>.

③ <u>아무리</u> 공부를 열심히 <u>해도</u> 성적이 오르지 않는다.

④ <u>만약</u> 약속을 지키지 <u>않는다면</u> 너를 도와줄 수 없을 것이다.

4 ㉠, ㉡에 들어갈 낱말이 바르게 짝 지어진 것은 무엇인가요? ·········· (   )

> • 친구에게 빌린 돈을   ㉠   못하다.
> • 외국으로 수출할 제품을 배에   ㉡   못하다.

     ㉠   ㉡   ㉠   ㉡

① 걷지 – 싣지   ② 갑지 – 얹지

③ 갚지 – 실지   ④ 갚지 – 싣지

5 밑줄 친 낱말이 바르지 <u>않은</u> 것은 어느 것인가요? .... (   )

① 흥부는 <u>짚단</u>을 꼬아 허수아비를 만들었다.

② 진흙 속에 <u>무쳐</u> 있던 향로가 모습을 드러냈다.

③ 친구와 <u>툇마루</u>에 앉아 소곤소곤 대화를 나누었다.

④ 할아버지께서는 아침 일찍 <u>건넛마을</u>에 다녀오셨다.

[6~8] 다음 글을 읽고 물음에 답하세요.

> 반 고흐 전시회가 곧 열린다는 소식을 들었다. 내가 가장 좋아하는 반 고흐의 작품은 「별이 빛나는 밤」이다. 밤하늘을 수놓은 불빛을 마치 소용돌이가 치듯이 독창적으로 표현한 ㉠걸작이다. 반 고흐의 작품을 직접 볼 수 있다니 마음이 설렜다.
>
> 드디어 전시회가 열리는 날, 아침부터 서둘러 세종문화회관 미술관으로 향했다. 그런데 "㉡마른하늘에 날벼락."이라더니, 입구에 도착해 보니 전시회 입장권이 사라지고 없는 것이었다. 나는 그만 혼란에 ㉢빠지고 말았다.

6 ㉠'걸작'은 글자와 다르게 [걸짝]으로 소리 납니다. 이와 같은 방법으로 소리 나지 <u>않는</u> 낱말은 무엇인가요? .... (   )

① 심보[심뽀]   ② 멸종[멸쫑]

③ 증서[증써]   ④ 장난기[장난끼]

7 ㉡과 같은 뜻을 가진 한자 성어는 무엇인가요? .... (   )

① 대성통곡   ② 청천벽력

③ 태평성대   ④ 반신반의

8 ㉢'빠지고'의 뜻으로 알맞은 것은 무엇인가요? .... (   )

① 곤란한 상황에 놓이고

② 잠이나 혼수상태 등에 깊이 들게 되고

③ 그럴듯한 말이나 꼬임에 속아 넘어가고

④ 물이나 구덩이 등의 속으로 떨어져 잠겨 들어가고

1 빈칸에 공통으로 들어갈, '그것이 없음.'의 뜻을 더하는 말은 무엇인가요? ········· (   )

> • ☐일푼이라 당장 집에 갈 차비도 없다.
> • 많은 사건들이 사람들의 ☐관심 속에 차츰 잊혀 갔다.

① 무   ② 반   ③ 불   ④ 비

2 밑줄 친 '눈'의 뜻이 보기 와 같은 것은 무엇인가요? ──────────── (   )

> 보기   마을 사람들은 노인과 아들을 안타까운 <u>눈</u>으로 바라보았다.

① 이 책은 세계를 폭넓게 보는 <u>눈</u>을 길러 준다.
② 수연이는 겁먹은 <u>눈</u>으로 교무실 문을 열었다.
③ 국제 평화 회의에 전 세계인의 <u>눈</u>이 집중되고 있다.
④ 연희는 안경점에서 자기 <u>눈</u>에 맞는 새 안경을 맞추었다.

3 밑줄 친 표현이 바르지 <u>않은</u> 것은 어느 것인가요? ──────────── (   )

① 정신을 <u>잃고</u> 쓰러져 있는 노인을 발견했다.
② 내일 소설가와 만나 출판 계약을 <u>맺기로</u> 하였다.
③ 말을 <u>마굿간</u>에 넣고 고삐가 풀리지 않도록 단단히 묶었다.
④ 달리기를 마친 아이들이 <u>가쁜</u> 숨을 몰아쉬며 교실로 들어왔다.

4 다음 낱말을 보기 와 같이 뜻을 가진 두 개의 부분으로 바르게 나누지 <u>못한</u> 것은 어느 것인가요? ──────────── (   )

> 보기   쥐구멍 → 쥐 + 구멍

① 손수건 → 손 + 수건   ② 전쟁터 → 전쟁 + 터
③ 보조금 → 보 + 조금   ④ 역사가 → 역사 + 가

5 빈칸에 들어갈 알맞은 낱말을 보기 에서 찾아 다음 글을 완성하세요.

보기	불행	비유	서리

'엎친 데 덮치다'와 뜻이 비슷한 한자 성어로 '설상가상(雪上加霜)'이 있다. 이 말은 눈 위에 다시 ☐☐가 내려 쌓인다는 뜻으로, 곤란한 일이나 ☐☐이 겹쳐서 일어남을 ☐☐ 적으로 이르는 말이다.

[6~8] 다음 글을 읽고 물음에 답하세요.

　고속 국도를 한참 달리고 있을 때였다. 앞에서 가던 자동차가 갑자기 멈추는 바람에 뒤따라오던 자동차들이 줄줄이 속력을 낮추었다. 다행히 안전거리를 유지한 덕분에 ☐ ㉠ ☐을 피할 수 있었고, 모두 안전띠를 ☐ ㉡ ☐ 있어서 다친 사람도 없었다. 고속 국도에서는 ㉢자동차들이빠른속도로달리는만큼 교통사고가 일어나지 않도록 좀 더 주의를 기울여야겠다고 생각했다.

6 ㉠에 들어갈, 다음의 뜻을 가진 낱말은 무엇인가요? ·· (　　)

서로 세게 맞부딪치거나 맞섬.

① 갈등　　　　　② 분쟁　　　　　③ 충돌　　　　　④ 파탄

7 ㉡에 들어갈 낱말로 알맞은 것은 무엇인가요? ·· (　　)

① 매고　　　　　② 메고　　　　　③ 얹고　　　　　④ 감싸고

8 밑줄 친 ㉢을 바르게 띄어 쓴 것은 어느 것인가요? ································· (　　)

① 자동차들이∨빠른속도로∨달리는만큼
② 자동차∨들이∨빠른∨속도로∨달리는만큼
③ 자동차들이∨빠른∨속도로∨달리는∨만큼
④ 자동차∨들이∨빠른∨속도로∨달리는∨만큼

1 빈칸에 공통으로 들어갈 낱말로 알맞은 것은 무엇인가요? ⋯⋯⋯⋯⋯⋯ (　　　)

> • ☐ 볶은 땅콩에서 구수한 냄새가 풍겼다.
> • 알에서 ☐ 깨어난 참새 새끼들이 둥지 안에서 옴질거린다.

① 갓　　　　② 곧　　　　③ 쏙　　　　④ 약

2 밑줄 친 낱말이 보기 와 같은 뜻으로 쓰인 것은 무엇인가요? ⋯⋯⋯⋯ (　　　)

> 보기　　　　우리나라는 이번 정상 회담을 성공적으로 개최했다.

① 인공위성이 정상 궤도에서 벗어났다.
② 한라산 정상에 올라 목청껏 소리를 질렀다.
③ 우리나라의 양궁 종목은 오랫동안 정상의 자리를 지켰다.
④ 각국의 정상들이 지구 온난화 문제를 토의하기 위하여 모였다.

3 밑줄 친 표현이 바르지 않은 것은 어느 것인가요? ⋯⋯⋯⋯⋯⋯⋯⋯ (　　　)

① 엄마는 밥상을 차리러 부엌에 들어가셨다.
② 겨울이 되면 이 늪으로 황새들이 찾아온다.
③ 그녀는 가는 곳마다 화제의 주인공이 되었다.
④ 아버지는 분노를 삭히며 두 눈을 감아 버렸다.

4 다음과 같은 뜻을 가진 낱말은 무엇인가요? ⋯⋯⋯⋯⋯⋯⋯⋯⋯⋯ (　　　)

> 1. 한집에서 사는 가족.
> 2. 성이 같고 혈연관계에 있는 사람들.

① 가정　　　　② 형제　　　　③ 일가　　　　④ 민족

5 다음 낱말의 뜻이 바르지 <u>않은</u> 것은 무엇인가요? ·· (   )

① 탄압: 힘으로 억지로 눌러 꼼짝 못 하게 함.

② 대응: 어떤 일이나 상황에 알맞게 행동을 함.

③ 악화: 힘이나 기능 등이 약해짐. 또는 그렇게 되게 함.

④ 위생: 건강에 이롭거나 도움이 되도록 조건을 갖추거나 대책을 세우는 일.

[6~7] 다음 글을 읽고 물음에 답하세요.

국내 완구 제조업체인 ○○○에서 독립군을 소재로 한 정밀 모형 상품을 내놓아 눈길을 끌고 있다. 안중근 의사, 윤봉길 의사, 유관순 열사를 비롯하여 김구 선생과 윤동주 시인에 이르기까지 조국의 독립을 위해 목숨을 바친 독립운동가들의 모습이 실감 나게 표현되어 있다. 이 상품은 역사 교육용 선물로 인기를 끌고 있을 뿐만 아니라, 어른들에게도 독립운동의 정신을 되새기는 등 ☐☐을/를 일으키고 있다.

6 이 글에 쓰인 낱말의 발음으로 바르지 <u>않은</u> 것은 무엇인가요? ······················· (   )

① 목숨[목쑴]   ② 눈길[눈낄]

③ 독립[독닙]   ④ 인기[인끼]

7 빈칸에 들어갈 낱말로 알맞은 것은 무엇인가요? ··· (   )

① 감정   ② 먼지   ③ 바람   ④ 번개

8 빈칸에 공통으로 들어갈 글자는 무엇인가요? ··· (   )

☐천   ☐동   ☐형   ☐화무쌍

① 국(國)   ② 민(民)   ③ 변(變)   ④ 산(山)

어휘력 자신감

초등 국어

5 단계

정답과 해설

1 (1) ○ (2) ○ (3) ×

2 (1) - ② (2) - ③ (3) - ①

3 원인, 원인, 결과, 원인, 결과

독해력을 키우는 어휘와 어법

4 (1) - ① (2) - ② (3) - ③

5 (3) ○

6 바다, 하늘, 고구마, 살며시

7 찬미

8 생일에∨케이크를∨두∨조각∨먹고,∨놀이터에서
∨세∨시간∨동안∨놀았다.

9 (1) 휩쓸려서 (2) 떠밀려

---

1 (3) 청년은 자신에게 복이 없는 이유를 듣고 나서 신에게 "네, 잘 알겠습니다."라고 대답하며 순순히 받아들였습니다.

2 (1) 청년은 몸이 편하면 일찍 죽는 운명이라 오래 살 수 있도록 신이 복을 내리지 않았습니다. (2) 여인의 짝은 여의주를 가진 사내인데, 아직 그런 사내를 만나지 못했기 때문에 여인은 오랜 시간 동안 혼자 지내고 있는 것입니다. (3) 이무기는 욕심이 많아 여의주를 두 개나 가졌기 때문에 승천하지 못하고 있는 것입니다.

3 "아니 땐 굴뚝에 연기 날까."라는 속담은 원인이 없으면 결과가 있을 수 없음을 비유적으로 이르는 말입니다.

독해력을 키우는 어휘와 어법

4 (1) '고즈넉하다'는 '분위기 등이 조용하고 편안하다.', (2) '떠밀리다'는 '힘껏 힘이 주어져 앞으로 나아가게 되다.', (3) '수양하다'는 '몸과 마음을 갈고닦아 품성이나 지식, 도덕심 등을 기르다.'라는 뜻입니다.

5 '이유 – 까닭', '수양 – 수련'은 뜻이 서로 비슷한 관계(유의 관계)입니다. '얼굴 – 눈'은 전체와 부분의 관계(상하 관계)이고, '창조 – 모방'은 뜻이 서로 반대인 관계(반의 관계)입니다.

6 '무지개다리'는 '무지개'와 '다리', '비구름'은 '비'와 '구름', '산딸기'는 '산'과 '딸기', '책가방'은 '책'과 '가방'을 합쳐 만든 복합어입니다.

7 찬미가 한 말에서 "아니 땐 굴뚝에 연기 날까."라는 속담은 '실제 어떤 일이 있기 때문에 말이 남을 비유적으로 이르는 말.'입니다. 태수는 '내 사정이 급하고 어려워서 남을 돌볼 여유가 없다는 말.'인 '내 코가 석 자.'라는 속담을 활용하는 것이 알맞습니다.

8 '두 조각', '세 시간'과 같이 단위를 나타내는 낱말은 앞말과 띄어 씁니다.

9 (1) '휩쓸리다'를 '휩쓸려서', (2) '떠밀리다'를 '떠밀려'라고 바꾸어야 문장에 어울리는 형태가 됩니다.

---

1 (3) ○

2 (2) ×

3 (1) 범위, 강국 (2) 분야, 열풍

4 (2) ○

독해력을 키우는 어휘와 어법

5 (1) - ① (2) - ②

6 (1) ㉃ (2) ㉠

7 (2) ○

8 (1) ② (2) ①

9 (1) 꼿꼿이 (2) 굳건히

10 (1) ② (2) ②

11 (1) 믿을∨만한 (2) 따를∨수밖에

---

1 이 글은 K-컬처의 시작과 분야의 확장, 세계 속의 영향력에 대하여 설명한 글입니다.

2 K-컬처의 분야는 대중문화를 넘어서 의복, 음식, 한글, 순수 문화 예술로 확대되고 있습니다.

4 친구들의 대화에서 '어깨를 나란히 하다'는 둘 이상의 대상이 서로 비슷한 힘이나 실력 등을 가지고 있다는 의미로 쓰였습니다.

독해력을 키우는 어휘와 어법

5 '각광'은 사회적 관심이나 흥미, 인기를 뜻합니다. '산실'은 '분만실'이라는 뜻도 있지만, '우리 학교는 기술 인재의 산실이었다.'라는 표현에서처럼 어떤 일을 처음 시작하거나 이루어 내는 곳을 뜻하기도 합니다.

7 '박차'는 어떤 일을 빨리 되어 나가도록 더하는 힘을 뜻하며, 주로 '박차를 가하다.'라는 표현으로 사용됩니다.

8 보기 의 낱말은 형태는 같지만 뜻이 서로 다릅니다. 이와 같은 낱말을 '동형어'라고 합니다.

9 '꼿꼿이'는 '어려움에도 불구하고 마음이나 뜻, 태도가 굳세고 곧게.'라는 뜻이고, '굳건히'는 '굳세고 튼튼하게.'라는 뜻입니다.

10 'ㄴ'이 'ㄹ'의 앞이나 뒤에서 [ㄹ]로 소리 나는 현상입니다. '한류'는 우리나라의 대중문화가 외국에서 유행하는 현상을 이르는 말이고, '도읍지'는 한 나라의 서울로 삼은 곳을 뜻하는 낱말입니다.

11 (1)의 '믿을만한'은 믿을 수 있을 정도로 가치가 있다는 뜻이므로 '믿을 만한'이라고 띄어 써야 합니다. (2)의 '따를수밖에'에서 '밖에'는 '그것 말고는', '그것 이외에는', '기꺼이 받아들이는', '피할 수 없는'의 뜻을 나타내므로 '따를 수밖에'처럼 앞말과 붙여 써야 합니다.

1 (3) ×

2 (3) ○

3 (1) 보조금 (2) 농산물, 농산물

4 (1) 필리핀의 농업 (2) 우리나라의 농업

독해력을 키우는 어휘와 어법

5 (1) – ① (2) – ③ (3) – ②

6 (1) 생존 (2) 의존 (3) 자급

7 (1) ① (2) ③

8 (1) 늘리고 (2) 경쟁률

9 (1) 불가하다 → 불과하다 (2) 제배하여 → 재배하여

10 (1) 모자라시 (2) 흔들려

1 (1) ○ (2) ○ (3) ×

2 (3) ○

3 (3) ×

4 얼음, 바위, 전도, 단열, 대류, 훼손, 지구 온난화

독해력을 키우는 어휘와 어법

5 (1) – ① (2) – ② (3) – ③

6 (1) 산기슭 (2) 영향 (3) 환경

7 (1) ② (2) ①

8 (1) 냉기 (2) 암석

9 (1) 깊숙히 → 깊숙이 (2) 겹겹히 → 겹겹이

10 (1) 뒤덮고 (2) 받지

1 우리나라는 밀 소비량의 거의 대부분을 수입에 의존하고 있습니다.

2 필리핀 정부는 바나나, 파인애플, 망고, 사탕수수 같은 작물이 경제적으로 큰 이익을 얻자, 쌀농사 대신 이들 작물의 생산을 적극 장려했습니다. 그에 따라 쌀 생산량도 줄어들었습니다.

3 글쓴이는 농민들이 자연재해로 인해 손해를 입더라도 벼농사를 포기하지 않도록 보조금을 늘리고, 우리 스스로가 우리 농산물을 사 먹어 농촌에 힘을 실어 주어야 한다고 주장했습니다.

4 우리나라의 농업을 장려하기 위해서는 필리핀의 실패 경험을 본보기로 삼아야 합니다. 따라서 '다른 산에서 나는 거칠고 나쁜 돌'은 필리핀의 농업, '자신의 옥돌'은 우리나라의 농업을 의미합니다.

독해력을 키우는 어휘와 어법

5 '북새통'은 많은 사람이 야단스럽게 부산을 떨며 법석이는 상황을 이르는 낱말입니다. 뜻이 비슷한 말로 '북새틈'이나 '북새판'이 있습니다.

7 (1) '장려하다'는 좋은 일을 하도록 권한다는 뜻으로 '어떤 일을 권하고 장려하다.'라는 뜻의 '권장하다'와 바꾸어 쓸 수 있습니다. (2) '구축하다'는 '어떤 일을 하기 위한 기초 또는 체계를 만든다.'라는 뜻입니다.

8 (1) 좌석 수를 원래보다 많게 한다는 뜻이므로 '늘리고'가 올바른 표현입니다. (2) 모음이나 'ㄴ' 받침으로 끝나는 말 뒤에는 '-율'이라고 쓰고, 나머지 받침으로 끝나는 말 뒤에는 '-률'이라고 씁니다.

9 (1)에서는 '그 수준을 넘지 못한 상태이다.'라는 뜻의 '불과하다'라고 써야 올바른 표현입니다. (2)에서는 '식물을 심어 가꾸어.'라는 뜻의 '재배하여'라고 써야 올바른 표현입니다.

1 밀양 얼음골은 산기슭에 바위가 쌓여서 이루어진 독특한 지형이지만, 지형이 독특하여 햇볕이 내리쬐지 않는다는 것은 잘못된 내용입니다.

2 난로 주변의 따뜻한 공기가 가벼워져서 위로 올라가고 차가운 공기는 따뜻한 공기에 밀려 다른 곳으로 이동하거나 아래로 내려와 열을 전달하는 과정이 바로 '대류'입니다.

3 밀양 얼음골에서 무더운 여름에도 얼음이 녹지 않고 찬 공기가 계속 뿜어져 나오는 것은 산기슭에 바위가 쌓여 이루어진 독특한 지형, 열의 전도가 매우 낮은 암석과 그로 인한 단열 현상, 기체의 대류 현상 등과 관련이 깊습니다.

독해력을 키우는 어휘와 어법

6 문장이 자연스럽게 이어지도록 빈칸에 들어갈 가장 알맞은 낱말을 보기 에서 찾아 써 봅니다. '영향'은 어떤 것의 효과나 작용이 다른 것에 미치는 것, '환경'은 생물에게 직접·간접으로 영향을 주는 자연적 조건이나 사회적 상황, '산기슭'은 산비탈이 끝나는 아랫부분을 뜻합니다.

7 문장의 의미에 알맞은 낱말의 뜻을 찾아야 합니다. (1)에서 쓰인 '조각'은 재료를 새기거나 깎아서 모양을 만든 것이나 그런 미술 분야를 뜻하고, (2)에서 쓰인 '조각'은 한 물건에서 따로 떼어 내거나 떨어져 나온 작은 부분을 뜻합니다.

8 뜻이 비슷한 낱말은 서로 바꾸어 써도 문장의 의미가 달라지지 않습니다. (1)은 찬 공기를 뜻하는 '냉기', (2)는 아주 큰 바위를 뜻하는 '암석'과 바꾸어 써도 뜻이 통합니다.

9 (1)에서 '위에서 밑바닥까지, 또는 겉에서 속까지의 거리가 멀고 으슥하게.'의 뜻을 가진 낱말은 '깊숙히'가 아니라 '깊숙이'라고 써야 합니다. (2)에서 '여러 겹으로.'의 뜻을 가진 낱말은 '겹겹히'가 아니라 '겹겹이'라고 써야 합니다.

10 사람이나 사물의 움직임을 나타내는 낱말, 사람이나 사물의 성질이나 상태를 나타내는 낱말은 상황에 따라 모양이 바뀌므로 주의해야 합니다.

1 (2) ○

2 (1) - ① (2) - ③ (3) - ②

3 (1) 표류 (2) 외교 (3) 교통

4 (2) ○

5 광주, 대전, 인천

---

1 '교류(交流), 교체(交替), 교통(交通), 외교(外交)'에 공통으로 쓰인 '교(交)'는 모두 '사귀다'는 뜻을 가지고 있습니다.

2 '유통(流通)'은 '화폐나 물품 등이 널리 쓰임.'이라는 뜻, '유출(流出)'은 '귀한 물건이나 정보 등이 불법적으로 외부로 나가 버림. 또는 그것을 내보냄.'이라는 뜻, '문물 교류(文物交流)'는 '문화의 모든 산물이 서로 오고 감.'이라는 뜻입니다.

3 '교통(交通)'은 '자동차, 기차, 배, 비행기 등의 탈것을 이용하여 사람이나 짐이 오고 가는 일.'이라는 뜻, '외교(外交)'는 '다른 나라와 정치적, 경제적, 문화적 관계를 맺는 일.'이라는 뜻, '표류(漂流)'는 '물 위에 떠서 이리저리 흘러감.'이라는 뜻입니다.

4 축구 경기에서 감독이 선수를 다른 사람으로 바꾸어 우승을 한 것이므로 빈칸에는 '특정한 역할을 하던 사람이나 사물, 제도 등을 다른 사람, 사물, 제도 등으로 바꿈.'이라는 뜻의 '교체(交替)'가 들어가야 알맞습니다.

5 주어진 문장에서 ①에는 '교체', ②에는 '유출', ③에는 '유통', ④에는 '교류', ⑤에는 '교통', ⑥에는 '표류'가 들어가야 합니다. 그러므로 지욱이가 여행한 경로는 '원주 → 부산 → 광주 → 대구 → 대전 → 인천'입니다.

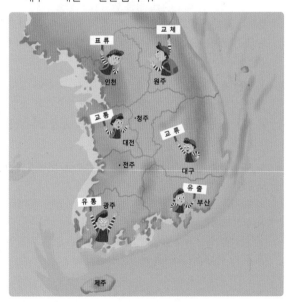

1 (1) ○ (2) × (3) ○

2 ②

3 (3) ○

4 노력, 발전

독해력을 키우는 어휘와 어법

5 (1) - ③ (2) - ① (3) - ②

6 (2) ○

7 손수

8 (3) ○

9 (1) 엎드려 (2) 덮고 (3) 새벽에

10 (1) ② (2) ① (3) ①

11 (1) 켜져 (2) 기여할 (3) 흡족하게

---

1 세종은 책을 읽다 새벽이 되어서야 책상에 엎드려 잠든 신숙주에게 자신이 입고 있던 옷을 벗어 손수 덮어 주었습니다.

2 세종이 자신이 입고 있던 옷을 벗어 신숙주에게 손수 덮어 준 이유는 노력하는 신하의 모습에 감동했기 때문입니다.

3 "신숙주와 세종처럼 발전해 나가기 위해 끊임없이 노력하는 사람을 '구르는 돌'이라고 할 수 있겠지요."라는 문장을 통해 '세종'과 '신숙주'를 '구르는 돌'에 비유했다는 것을 알 수 있습니다.

4 "구르는 돌은 이끼가 안 낀다."라는 속담은 부지런하게 노력하는 사람은 계속 발전한다는 뜻입니다.

독해력을 키우는 어휘와 어법

5 (1) '몰두하다'는 '다른 일에 관심을 가지지 않고 한 가지 일에만 집중하다.'라는 뜻입니다. (2) '기여하다'는 '도움이 되다.'라는 뜻입니다. (3) '정진하다'는 '힘쓰고 노력하여 나아가다.'라는 뜻입니다.

6 '불신'은 '믿지 않음.'이라는 뜻으로, '신뢰'와 뜻이 서로 반대되는 낱말입니다.

7 '손수'는 '남의 힘을 빌리지 않고 자기 손으로 직접.'이라는 뜻입니다.

8 (1) '식은 죽 먹기'는 아주 쉽게 할 수 있는 일을 뜻하는 관용어입니다. (2) "꼬리가 길면 밟힌다."라는 속담은 비밀스러운 일을 오랫동안 계속하면 결국 들키게 되어 있다는 뜻입니다. (3) "흐르는 물은 썩지 않는다."라는 속담은 노력하고 단련해야 뒤떨어지지 않고 발전할 수 있다는 뜻입니다.

10 (1) 내가 동생을 놀라게 한다는 뜻이므로 '놀래'가 알맞은 표현입니다. (2) 지우가 벌레를 보고 놀란 상황이므로 '놀라'가 알맞은 표현입니다. (3) 천둥 치는 소리를 듣고 놀란 상황이므로 '놀랐다'가 알맞은 표현입니다.

1 (1) × (2) ○ (3) ×
2 정벌, 설득, 계승
3 서아

독해력을 키우는 어휘와 어법

4 (1) – ② (2) – ① (3) – ③
5 (1) 요충지 (2) 담판
6 (1) 눈엣가시, 배척 (2) 우호, 수교
7 (1) ② (2) ①
8 (1) 짓도록 (2) 빼앗는 (3) 맺기로
9 (1) 잡았다 (2) 갈 것이다 (3) 반드시

1 (1) 고려 조정에서는 거란에 항복하자는 의견이 많았지만, 서희가 직접 담판을 짓겠다고 나섰고 결국 성종을 설득시켰습니다. (3) 소손녕 장군이 서희에게 강동 6주를 선물한 것이 아니라 서희가 군사를 이끌고 가서 여진족을 몰아내고 강동 6주를 차지한 것입니다.

2 '정벌'은 '적이나 나쁜 무리를 힘으로 물리침.', '설득'은 '상대방이 그 말을 따르거나 이해하도록 잘 설명하거나 타이름.', '계승'은 '조상의 전통이나 문화, 업적 등을 물려받아 계속 이어 나감.'이라는 뜻입니다.

3 '어깨가 무겁다'는 힘겹고 중대한 일을 맡아 책임감을 느끼고 마음의 부담이 크다는 뜻의 관용어입니다.

독해력을 키우는 어휘와 어법

6 '눈엣가시, 배척하다, 몰아내다'는 좋지 않은 관계로 인하여 멀리하거나 싫어하는 것을 의미합니다. '우호를 다지다, 수교를 맺다, 가까이 지내다'는 좋은 관계를 만들어 원만히 지내는 것을 의미합니다.

7 (1)에서 '손을 잡다'는 서로 도와서 함께 일을 한다는 뜻의 관용어이고, (2)에서 '손을 떼다'는 하던 일을 그만둔다는 뜻의 관용어입니다.

8 (1) '짖다'는 개가 크게 소리를 내거나 새가 시끄럽게 지저귄다는 뜻입니다. (2) '빼앗다'는 다른 사람이 가진 것을 강제로 없애거나 자기 것으로 한다는 뜻입니다. (3) '맺다'는 사람 사이의 관계를 만든다는 뜻입니다.

9 (1)에서 고양이가 생쥐를 잡는 것이므로 '잡았다'가 알맞은 표현입니다. '잡혔다'는 '생쥐가 고양이에게 잡혔다.'로 쓰일 때 어울립니다. (2)에서 '내일'은 미래를 나타내므로 서술어로 '갈 것이다'가 어울립니다. (3)에서 '~할 것이다'와 어울리는 말은 '반드시'입니다. '절대로'는 '~하지 않겠다'와 어울리는 표현입니다.

1 (3) ○
2 (1) ○
3 (1) – ②, ③ (2) – ①, ④
4 (1) ○

독해력을 키우는 어휘와 어법

5 (1) – ③ (2) – ① (3) – ② (4) – ④
6 (1) 명분 (2) 선구자 (3) 사절단
7 (2) ○
8 (1) 허례허식 (2) 이용후생
9 (1) 얽매여 (2) 보따리 (3) 머물러
10 (1) ⑩ 어렵지 않다 (2) ⑩ 좋아하지 않는다

1 박지원은 당시 조선보다 문명이 발달한 청나라를 배우는 것이야말로 가난하고 힘이 약한 조선이 '정저지와'와 같은 신세에서 벗어날 수 있는 길이라고 생각했습니다.

2 넓은 길 위로 수레들이 바삐 오갔고 사람들에게서 궁핍함을 찾아볼 수 없었던 것은 청나라의 모습입니다. 당시 조선에도 수레가 있었지만, 바퀴가 완벽하게 둥글지 않았고 길도 험하여 여간 불편한 게 아니었습니다.

4 박지원은 당시 조선보다 문명이 발달한 청나라를 오랑캐로 여기고 무시하며 선진 문물을 받아들이지 못하는 조선의 선비들을 비판하였습니다.

독해력을 키우는 어휘와 어법

7 (1) '개밥에 도토리'는 따돌림을 받아서 사람들 사이에 끼지 못하는 사람을 뜻하는 말이고, (3) '꿀 먹은 벙어리'는 하고 싶은 말이나 자신의 생각을 말하지 못하고 있는 사람을 이르는 말입니다.

8 (1) 형편에 맞지 않게 겉만 화려하게 꾸미는 것이나 그런 예절을 '허례허식'이라고 합니다. (2) 기구를 편리하게 쓰고 먹을 것과 입을 것을 넉넉하게 하여, 국민의 생활을 나아지게 하는 것을 '이용후생'이라고 합니다.

9 (1) '얽매이어'가 줄어든 말이므로 '얽매여'라고 써야 올바른 표현입니다.
(2) '보자기에 물건을 싸 놓은 것.'을 뜻하는 말은 '봇다리'가 아니라 '보따리'라고 써야 올바른 표현입니다.
(3) '일정한 수준이나 범위에 그쳐.'를 뜻하는 말은 '머물어'가 아니라 '머물러'라고 써야 올바른 표현입니다.

10 '여간'은 주로 '~지 않다', '~이 아니다'와 같은 말과 함께 쓰여서 '그 상태가 보통이 아니라 대단하다.'라는 뜻을 나타내는 말입니다.

1 (1)× (2)○ (3)×
2 횃불, 다도해, 양식장
3 (1)-③ (2)-② (3)-①
4 ③ → ① → ④ → ②

독해력을 키우는 어휘와 어법

5 (1)-③ (2)-② (3)-①
6 (1)해안 (2)선착장 (3)다도해
7 (1)×
8 (1)① (2)① (3)②
9 (1)돗 → 돛 (2)장간 → 장관 (3)끈이지 → 끊이지
10 (1)맺혀 (2)부딪히는 (3)올라

1 행정 구역상 전라남도 해남군 송지면에 속하는 해남 땅끝 마을은 한반도(우리나라가 속해 있는 반도)의 남쪽 끝으로, 다도해의 아름다운 풍경을 즐기려는 관광객의 발길이 일 년 내내 끊이지 않는다고 하였습니다.

3 기행문의 3요소는 '여정, 견문, 감상'입니다. '여정'은 여행지에서 글쓴이가 거쳐 간 장소, '견문'은 여행지에서 글쓴이가 보고 들은 내용, '감상'은 여행지에서 보고 들은 내용에 대한 글쓴이의 생각이나 느낌을 말합니다.

독해력을 키우는 어휘와 어법

5 국토의 형태나 위치를 나타내는 낱말의 정확한 뜻을 알아봅니다.

6 문장의 의미가 자연스럽게 이어지도록 빈칸에 들어갈 가장 알맞은 낱말을 보기 에서 찾아 써 봅니다.

7 '언덕길, 내리막길, 골목길, 시골길'에서 '-길'은 '사람이나 동물 또는 자동차 따위가 지나갈 수 있게 땅 위에 낸 일정한 너비의 공간.'을 뜻합니다. '꿈길'은 '꿈에서 이루어지는 일의 과정. 또는 꿈을 꾸는 과정.'이라는 뜻으로, '-길'은 일부 낱말 뒤에 붙어 '과정', '도중', '중간'의 뜻을 나타냅니다.

8 (1)에서 '오랜만에'는 '어떤 일이 있은 때로부터 긴 시간이 지난 뒤.'라는 뜻을 가진 '오래간만에'의 준말이고, '오랫만에'는 잘못된 표현입니다. (2)에서 '설레다'는 '마음이 가라앉지 아니하고 들떠서 두근거리다.'라는 뜻이고, '설레이다'는 잘못된 표현입니다. (3)에서 '흩뿌리다'는 '마구 흩어지게 뿌리다.'라는 뜻이고, '흐뿌리다'는 잘못된 표현입니다.

9 (1)에서 '배 바닥에 세운 기둥에 매어 펴 올리고 내리고 할 수 있도록 만든 넓은 천.'이라는 뜻을 가진 낱말은 '돗'이 아니라 '돛'이라고 써야 합니다. (2)에서 '훌륭하고 대단한 광경.'이라는 뜻을 가진 낱말은 '장간'이 아니라 '장관'이라고 써야 합니다. (3)에서 '계속하거나 이어져 있던 것이 끊어지게 되지.'라는 뜻을 가진 낱말은 '끈이지'가 아니라 '끊이지'라고 써야 합니다.

1 (1)○
2 (1)-① (2)-③ (3)-②
3 (1)② (2)①
4 (1)제도 (2)난이도 (3)정도
5 ❶ 난이도 ❷ 속도 ❸ 정도 ❹ 제도 ❺ 졸속
　❻ 속전속결

1 '속도(速度), 고속(高速), 졸속(拙速), 속전속결(速戰速決)'에 공통으로 쓰인 '속(速)'은 모두 '빠르다'는 뜻을 가지고 있습니다.

2 '고속(高速)'은 '매우 빠른 속도.'라는 뜻, '졸속(拙速)'은 '허술하고 어설프며 빠름. 또는 그런 태도.'라는 뜻, '속전속결(速戰速決)'은 '어떤 일을 빨리 진행하여 빨리 끝냄.'이라는 뜻입니다.

3 (1)에서 '정도(程度)'는 '사물의 성질이나 가치를 좋고 나쁨이나 더하고 덜한 정도로 나타내는 분량이나 수준.'이라는 뜻입니다. '사람이 따라야 할 올바른 길이나 정당한 도리.'는 '정도(正道)'의 뜻입니다. (2)에서 '난이도(難易度)'는 '어려움과 쉬움의 정도.'라는 뜻입니다. '같은 일이나 현상이 나타나는 횟수.'는 '빈도(頻度)'의 뜻입니다.

5 주어진 문장에서 ❶에는 '난이도(難易度)', ❷에는 '속도(速度)', ❸에는 '정도(程度)', ❹에는 '제도(制度)', ❺에는 '졸속(拙速)', ❻에는 '속전속결(速戰速決)'이 들어가야 합니다.

Day 11   본문 52쪽

1 (2) ○ (3) ○

2 (3) ○

3 문신, 무신

4 (1) – ② (2) – ① (3) – ③

독해력을 키우는 어휘와 어법

5 (1) – ③ (2) – ① (3) – ②

6 (1) 무시 (2) 호소 (3) 우대

7 (1) ③ (2) ① (3) ②

8 (1) ○

9 (1) 모르는 채 (2) 거른 채

10 맨손, 나무꾼, 햇곡식

---

1 의종은 문신들과 함께 잔치를 자주 열었고, 의종이 문신들과 잔치를 즐길 때에 무신들은 끼니를 거르며 보초를 서야 했습니다.

2 '업신여기다'는 '남을 낮추어 보거나 하찮게 여기다.'라는 뜻입니다. '공경하다'는 '윗사람을 공손히 받들어 모시다.', '존중하다'는 '의견이나 사람을 높이어 귀중하게 여기다.'라는 뜻입니다.

3 고려는 나라가 세워질 때부터 문신을 중심으로 정치를 했습니다. 그런데 차별과 무시가 점점 심해지자 결국 무신들의 분노가 폭발했습니다.

4 "지렁이도 밟으면 꿈틀한다."라는 속담은 '아무리 지위가 낮거나 순하고 좋은 사람이라도 너무 업신여기면 가만히 있지 않는다.'라는 뜻입니다.

독해력을 키우는 어휘와 어법

5 (1) '거르다'는 '차례대로 나아가다가 중간의 어느 순서나 자리를 빼고 넘기다.'라는 뜻입니다. (2) '핍박하다'는 '강하게 억눌러서 몹시 괴롭게 하다.'라는 뜻입니다. (3) '빈정거리다'는 '은근히 비웃으며 자꾸 비꼬는 말을 하거나 놀리다.'라는 뜻입니다.

6 (1) '무시하다'는 '얕보거나 하찮게 여기다.'라는 뜻입니다. (2) '호소하다'는 '어렵거나 억울한 사정을 알려 도움을 청하다.'라는 뜻입니다. (3) '우대하다'는 '특별히 잘 대우하다.'라는 뜻입니다.

8 (2)에 어울리는 속담 표현은 "백지장도 맞들면 낫다."입니다.

9 '~은/는' 뒤에 붙어 '이미 있는 그대로의 상태.'를 나타내는 '채'는 앞말과 띄어 씁니다.

10 '맨손'은 '맨– + 손', '나무꾼'은 '나무 + –꾼', '햇곡식'은 '햇– + 곡식'으로 나눌 수 있습니다. '가방, 구름, 바늘'은 나누면 본디의 뜻이 없어져 더는 나눌 수 없는 낱말입니다.

Day 12   본문 56쪽

1 (1) ○ (2) × (3) ×

2 민석

3 차별, 양보, 저항

독해력을 키우는 어휘와 어법

4 (1) 정당 (2) 참가 (3) 요구

5 (1) ○

6 위험

7 (1) ○

8 (1) 않고 (2) 앉고 (3) 안고

9 (1) 몇몇 (2) 수차례 (3) 의미 있는

---

1 (2) 몽고메리에서 일어난 '버스 안 타기 운동'은 로자 파크스 사건을 계기로 하여 흑인들이 적극적으로 동참하였습니다. (3) 1956년 11월 13일, 미국의 연방 대법원은 인종 분리 버스가 위헌(법률, 명령, 규칙 등의 내용이나 절차가 헌법을 어김.)이라는 판결을 내렸습니다.

2 미국의 인종 차별은 백인이 우월하고 흑인은 더럽고 천하다고 여기는 편견에서부터 비롯되었습니다. 이런 편견을 바탕으로 하여 생각해 보면 흑인들이 백인들에 비해서 낮은 대우를 받는 억울하고 불평등한 상황이었음을 짐작할 수 있습니다.

3 '양보'는 '다른 사람을 위해 자리나 물건 등을 내주거나 넘겨 줌.', '저항'은 '어떤 힘이나 조건에 굽히지 않고 거역하거나 견딤.', '차별'은 '둘 이상의 대상을 각각 등급이나 수준 따위의 차이를 두어서 구별함.'이라는 뜻입니다.

독해력을 키우는 어휘와 어법

4 '부당하다'는 '도리에 어긋나서 정당하지 않다.', '동참하다'는 '어떤 일이나 모임에 같이 참가하다.', '강요하다'는 '어떤 일을 강제로 요구하다.'라는 뜻입니다.

5 (2)는 '개발하다'의 뜻, (3)은 '출발하다'의 뜻입니다.

7 '물불을 가리지 않다'의 의미에 맞게 어떤 어려움이나 위험이 있어도 신경 쓰지 않고 적극적으로 행동하는 것을 보여 주는 상황은 (1)입니다.

8 '않다'는 '어떤 행동을 하지 않다.', '앉다'는 '윗몸을 바로 한 상태에서 엉덩이에 몸무게를 실어 다른 물건이나 바닥에 몸을 올려놓다.', '안다'는 '두 팔을 벌려 가슴 쪽으로 끌어당기거나 품 안에 있게 하다.'라는 뜻입니다. 각 낱말을 소리 나는 대로 쓰지 않도록 주의합니다.

9 (1) '몇몇'은 '몇'을 강조하여 이르는 말이며 붙여 씁니다.
(2) '수차례', '수개월', '수백만' 등에서 '수(數)–'는 '약간'을 의미하며 뒤에 오는 글자와 붙여 씁니다.
(3) '의미(가) 있다', '보람(이) 있다', '가치(가) 있다'는 띄어 씁니다.

1 (1) ○ (2) ○ (3) ×

2 시언

3 그릇, 시간, 노력

4 (예) 노력

독해력을 키우는 어휘와 어법

5 (1) – ③ (2) – ① (3) – ②

6 (1) 독학 (2) 낙제 (3) 전공

7 (3) ○

8 (1) ○

9 (1) 만년필 (2) 계기 (3) 단계

10 (1) ① (2) ③ (3) ②

1 아인슈타인은 대학 졸업 후, 원하는 일을 구하지 못하여 생활고를 겪었고 주변의 도움으로 겨우 스위스 특허청에 취직하게 되었습니다.

2 아인슈타인은 자신의 관심 분야 외에는 흥미를 갖지 못했고 수학, 과학 외에는 낙제 수준이었지만 끊임없는 노력으로 연구를 거듭했습니다. 그리고 아이디어가 떠오를 때마다 메모를 하며 의문을 갖고 생각하려는 마음도 가졌습니다.

4 문제를 더 오래 연구한다거나 평생 노력해서 지혜를 얻는다는 것, 계속 움직여야 한다는 말을 통해 아인슈타인이 '노력'을 중요하게 생각했음을 짐작할 수 있습니다.

독해력을 키우는 어휘와 어법

7 '첨단'은 시대나 학문, 유행 등의 가장 앞서는 자리를 뜻하는 낱말로, '첨단을 걷다.', '첨단을 달리다.' 등의 표현으로 자주 사용됩니다.

8 (1)에는 크게 될 사람은 늦게라도 성공한다는 말인 '대기만성'이 들어가기에 알맞습니다. (2)에는 지난날의 잘못을 뉘우치고 착한 사람이 되었다는 말인 '개과천선'이 들어가기에 알맞습니다.

9 (1) '펜의 몸통에 잉크를 넣어 글씨를 쓸 수 있게 만든 필기도구.'는 '만연필'이 아니라 '만년필'입니다.
(2) '어떤 일이 일어나거나 결정되도록 하는 원인이나 기회.'를 뜻하는 낱말은 '개기'가 아니라 '계기'입니다.
(3) '일이 변화해 나가는 각 과정.'을 뜻하는 낱말은 '단개'가 아니라 '단계'입니다.

10 보기 와 같이 '낳다'는 한 낱말이 여러 가지 뜻을 가진 '다의어'에 속합니다.

1 (1) ○ (2) × (3) ×

2 저온 살균법

3 (1) ② (2) ③ (3) ① (4) ④

4 면역력, 백신, 감염병

독해력을 키우는 어휘와 어법

5 (1) – ① (2) – ③ (3) – ②

6 (1) 부패 (2) 세균 (3) 면역력

7 (3) ○

8 (1) ① (2) ①

9 (1) 위험 → 위협 (2) 시험 → 실험

10 (1) 몰두하여 (2) 깨닫고

1 어려서부터 관찰력이 뛰어났고 그림 그리기를 좋아했던 파스퇴르는 파리 고등사범학교에서 화학과 물리학을 공부했습니다. 파스퇴르가 어릴 때부터 부모님을 도와 포도밭에서 일했다는 내용은 이 글에 나오지 않습니다.

2 주어진 내용은 파스퇴르가 개발한 '저온 살균법'에 대하여 설명한 것입니다.

3 전기문을 구성하는 네 가지 요소는 '인물, 사건, 배경, 평가'입니다. '인물'은 인물의 출생, 성장, 죽음 등, '사건'은 인물의 활동과 업적, '배경'은 인물이 살았던 시대 상황과 인물의 개인적인 환경, '평가'는 인물에 대한 글쓴이의 생각이나 느낌을 말합니다.

4 파스퇴르는 백신을 만들고 예방 접종법을 개발하여 감염병의 위협에서 수많은 생명을 구해 냈습니다.

독해력을 키우는 어휘와 어법

6 '부패'는 단백질이나 지방 등이 미생물의 작용에 의하여 썩는 것, '세균'은 크기가 매우 작고 생김새가 단순한 생물, '면역력'은 몸 밖에서 들어온 병균을 이겨 내는 힘을 뜻합니다.

7 낱말의 포함 관계(상의어, 하의어)에 대하여 알아봅니다. '질병'은 '감기, 폐렴, 홍역, 심장병, 소아마비'를 포함하는 낱말이고, '감기, 폐렴, 홍역, 심장병, 소아마비'는 '질병'에 포함되는 낱말입니다.

8 (1)에서 '겪다'는 '어렵거나 경험될 만한 일을 당하여 치르다.'라는 뜻으로, '격다'는 잘못된 표현입니다. (2)에서 '개발하다'는 '새로운 물건을 만들거나 새로운 생각을 내어놓다.'라는 뜻으로, '계발하다'는 잘못된 표현입니다.

9 (1)에서는 '위험'이 아니라 '무서운 말이나 행동으로 상대방이 두려움을 느끼도록 함.'이라는 뜻을 가진 '위협'이라고 써야 합니다. (2)에서는 '시험'이 아니라 '과학에서, 이론이나 현상을 관찰하고 측정함.'이라는 뜻을 가진 '실험'이라고 써야 합니다.

Day 15

1 (3) ○
2 (1) – ② (2) – ① (3) – ③
3 (2) ×
4 (1) 별개 (2) 특성 (3) 별도
5 ❶ 특별 ❷ 특징 ❸ 차별화 ❹ 대서특필

---

1 '특별(特別), 특성(特性), 특징(特徵), 대서특필(大書特筆)'에 공통으로 쓰인 '특(特)'은 모두 '특별하다'는 뜻을 가지고 있습니다.

2 '특징(特徵)'은 '다른 것에 비해 특별히 달라 눈에 띄는 점.'이라는 뜻, '특별(特別)'은 '보통과 차이가 나게 다름.'이라는 뜻, '특성(特性)'은 '일정한 사물에만 있는 보통과 매우 차이가 나게 다른 성질.'이라는 뜻입니다.

3 '별도(別途)'와 '차별화(差別化)'에 쓰인 '별(別)'은 '나누다'의 뜻을 가지고 있습니다. '별주부'의 '별(鼈)'은 '자라'라는 뜻을 가지고 있습니다.

4 '별개(別個)'는 '서로 달라 관련되는 것이 없음.'이라는 뜻, '별도(別途)'는 '원래의 것에 덧붙여 추가되거나 따로 마련된 것.'이라는 뜻, '특성(特性)'은 '일정한 사물에만 있는 보통과 매우 차이가 나게 다른 성질.'이라는 뜻입니다.

5 주어진 내용에서 ❶에는 '특별(特別)', ❷에는 '특징(特徵)', ❸에는 '차별화(差別化)', ❹에는 '대서특필(大書特筆)'이 들어가야 알맞습니다. '대서특필(大書特筆)'은 특별히 두드러지게 보이도록 글자를 크게 쓴다는 뜻으로, 신문 따위의 출판물에서 어떤 사건을 특별히 중요한 기사로 알리는 것을 말합니다.

Day 16

1 (1) ○ (2) ○ (3) ×
2 ③ → ⑤ → ② → ①
3 (3) ○
4 나쁜, 고치기

독해력을 키우는 어휘와 어법

5 (1) – ① (2) – ③ (3) – ②
6 (1) ① (2) ②
7 (1) 거칠 (2) 손
8 (1) ○
9 (1) 만만치 (2) 익숙지 (3) 서슴지
10 (1) 비공개 (2) 불공평

---

1 (3) 손오공은 부처님에게 잡혀 500년 동안 바위산에 갇히는 벌을 받았습니다.

2 손오공은 용궁에 가서 여의봉을 손에 넣었고, 요괴들과 의형제를 맺은 뒤 저승에 가서 수명 기록을 지웠습니다. 하늘나라에서 직책을 얻은 뒤에도 자신이 돌보던 복숭아를 허락 없이 모두 따 먹고, 걸핏하면 연회를 망쳐 놓았으며, 늙지 않고 오래 살게 해 준다는 약도 몰래 훔쳐 먹었습니다.

3 손오공은 힘이 세고 담력이 뛰어날 뿐만 아니라 다양한 도술을 익혀 거칠 것 없이 자기 하고 싶은 대로 행동하는 성격입니다.

독해력을 키우는 어휘와 어법

5 (1) '담력'은 '겁이 없고 용감한 기운.', (2) '서슴다'는 '어떤 행동을 선뜻 하지 못하고 망설이다.', (3) '제압하다'는 '강한 힘이나 기세로 상대를 누르다.'라는 뜻입니다.

6 (1) '비범하다'는 '수준이 보통을 넘어 아주 뛰어나다.'라는 뜻으로 '뛰어나다'와 바꾸어 쓸 수 있습니다. (2) '으름장'은 '말과 행동으로 으르고 협박하는 짓.'이라는 뜻으로 '협박'과 바꾸어 쓸 수 있습니다.

7 '거칠 것 없다'는 '사람을 대하거나 행동을 할 때 조심하거나 두려워하지 않다.'라는 뜻입니다. '손에 넣다'는 '완전히 자신의 것으로 만들다.'라는 뜻입니다.

8 "제 버릇 개 줄까."라는 속담은 '나쁜 습관은 고치기 어렵다.'라는 뜻입니다. 따라서 자주 지각을 하던 민수가 나쁜 습관을 고치지 못하고 다시 지각하게 된다는 내용이 이어져야 어울립니다.

9 (1), (2)는 '만만하지, 익숙하지'가 줄어든 말로, '–하지' 앞에 'ㄴ, ㄹ, ㅁ, ㅇ' 받침이 오는 경우에는 '–치'라고 쓰고, 그렇지 않으면 '–지'라고 씁니다. (3) '서슴지'는 '서슴하다'가 아닌 '서슴다'가 기본형이기 때문에 '서슴지'라고 쓰는 것이 올바른 표현입니다.

10 '공개'의 앞에는 '비–'를 붙이고, '공평'의 앞에는 '불–'을 붙여 '아님'의 뜻을 더할 수 있습니다.

1 (1) ○ (2) ○ (3) ×

2 (1) 희생 (2) 독립 (3) 축복

3 ② → ④ → ① → ③

4 아쉬움

독해력을 키우는 어휘와 어법

5 (1) - ② (2) - ① (3) - ④ (4) - ③

6 (1) ① (2) ②

7 (1) ○

8 (2) ○

9 (1) 스러져 (2) 걸치고

10 (1) [축뽁] (2) [국빱]

1 (1) × (2) ○ (3) ○

2 (1) 증언, 정황, 예견 (2) 전함 (3) 학익진, 유인

3 ②

4 준비

독해력을 키우는 어휘와 어법

5 (1) - ② (2) - ③ (3) - ①

6 (1) 유인 (2) 증언 (3) 주둔 (4) 공략

7 (2) ○ (3) ○

8 민준

9 ①

10 (1) 핑계 (2) 바닷길 (3) 무릅쓰고

---

1 남자현은 하얼빈에서 과일 상자에 들어 있는 무기를 건네받기로 하였지만, 무기를 손에 넣기도 전에 일본 경찰에 의해 체포되었습니다.

2 '희생'은 '어떤 사람이나 목적을 위해 자신의 목숨, 재산, 명예, 이익 등을 바치거나 버림. 또는 그것을 빼앗김.', '독립'은 '한 나라가 완전한 주권을 가짐.', '축복'은 '행복을 빎. 또는 그 행복.'을 뜻합니다.

3 남자현은 독립군 동지 공서를 만난 뒤에 죽은 남편의 군복을 입고 거사를 치르러 집을 나섰습니다. 그러나 일본 경찰에게 체포되어 감옥에서 보름 동안이나 식음을 전폐하다가 쇠약해진 몸으로 감옥에서 풀려났습니다.

4 '그리움'은 어떤 대상을 몹시 보고 싶어 하는 마음, '아쉬움'은 미련이 남아 안타깝고 서운한 마음, '부끄러움'은 볼 낯이 없거나 떳떳하지 못한 느낌이나 마음을 뜻합니다.

독해력을 키우는 어휘와 어법

6 (1) '저항하다'는 '어떤 힘이나 조건에 굽히지 않고 거역하거나 견디다.'라는 뜻으로 '대항하다'와 바꾸어 쓸 수 있습니다. '투항하다'는 '적에게 항복하다.'라는 뜻입니다. (2) '쇠약하다'는 '힘이 없고 약하다.'라는 뜻으로 '병약하다'와 바꾸어 쓸 수 있습니다. '유약하다'는 '성격이나 태도 등이 부드럽고 약하다.'라는 뜻입니다.

7 '가슴에 새기다'는 '잊지 않게 단단히 마음에 기억하다.'라는 뜻입니다. (2) '마음속 깊이 상처를 주다.'라는 뜻은 '가슴에 못을 박다'로 표현할 수 있습니다.

9 (1) '쓰러져'는 '서 있던 것이 한쪽으로 쏠리어 넘어져.'라는 뜻입니다. '무엇이 죽거나 망해.'라는 뜻의 '스러져'라고 써야 올바른 표현입니다. (2) '옷이나 장신구를 가볍게 입거나 걸고.'라는 뜻을 가진 낱말은 '거치고'가 아니라 '걸치고'입니다.

10 앞 글자의 끝소리 'ㄱ'의 영향을 받아서 뒷 글자의 첫소리가 [ㅃ]으로 소리 납니다.

---

1 일본의 전함은 속도는 빠르지만 튼튼하지 못했고, 화포의 힘도 강하지 않았습니다.

3 이 글에서는 이순신 장군의 철저한 준비 정신을 엿볼 수 있으므로 '유비무환'이 가장 잘 어울립니다.
① 대기만성(大器晚成): 크게 될 사람은 끊임없는 노력을 한 끝에 늦게 성공함.
② 유비무환(有備無患): 미리 준비를 해 놓으면 걱정할 것이 없음.
③ 정저지와(井底之蛙): 넓은 세상의 형편을 모르고 저만 잘난 줄 아는 사람을 비유적으로 이르는 말.
④ 타산지석(他山之石): 다른 사람의 좋지 않은 태도나 행동도 자신을 바로잡는 데에 도움이 될 수 있음.

독해력을 키우는 어휘와 어법

7 '군사'와 '병사'는 뜻이 서로 비슷한 낱말입니다. (1) '화포'는 화약의 힘으로 탄환을 쏘는 무기로, '무기'라는 낱말에 포함되는 낱말입니다. (2) '전함'과 '군함'은 전투할 때 쓰는 배로, 뜻이 서로 비슷한 낱말입니다. (3) '침략'과 '침공'은 모두 다른 나라에 쳐들어가는 것을 뜻하는 낱말입니다.

9 ① '소 잃고 외양간 고친다.'는 일이 이미 잘못된 뒤에는 손을 써도 소용이 없다는 뜻으로, '유비무환'과 반대 의미를 가진 속담입니다. ② '발 없는 말이 천 리 간다.'는 말은 금방 쉽게 퍼지니 말조심하라는 뜻이고, ③ '사공이 많으면 배가 산으로 간다.'는 이래라저래라 참견하는 사람이 많으면 일이 제대로 되지 않는다는 뜻입니다.

10 (1) '하고 싶지 않은 일을 피하거나 사실을 감추려고 다른 일을 내세움.'이라는 뜻을 가진 낱말은 '핑개'가 아니라 '핑계'라고 써야 올바른 표현입니다. (2) '배를 타고 바다를 건너서 가는 길.'이라는 뜻을 가진 낱말은 '바다길'이 아니라 '바닷길'이라고 써야 올바른 표현입니다. (3) '힘들고 어려운 일이나 상황을 참아 견디고.'라는 뜻을 가진 낱말은 '무릎쓰고'가 아니라 '무릅쓰고'라고 써야 올바른 표현입니다.

1 국가인권위원회

2 (1) – ③ (2) – ① (3) – ②

3 인권 침해, 지시, 헌법, 자유, 권위, 복종, 비자발적, 대책

독해력을 키우는 어휘와 어법

4 (1) – ② (2) – ① (3) – ③

5 (1) 권위 (2) 침해 (3) 권고

6 (1) 지난해 (2) 마음씨

7 (1) 비 (2) 비

8 (1) 새워야 → 세워야 (2) 뒤정리 → 뒷정리

9 (1) 부당한 (2) 중단하고

1 국가인권위원회는 모든 개인의 기본적 인권을 보호하고 인간으로서의 존엄과 가치를 실현하기 위해 만든 독립적인 국가 기관입니다.

2 이 글은 신문 기사로, 여러 사람에게 알릴 만한 가치가 있는 사건이나 사실을 신속하고 정확하게 전달하기 위해 쓴 글입니다. 이 밖에도 기사문은 누구나 알기 쉽고 분명하게 써야 하고(평이성), 동시에 많은 사람들에게 알려야 한다(보도성)는 특성이 있습니다.

3 주어진 신문 기사를 읽고 중심 내용에 따라 세부 내용을 간추려 빈칸에 알맞은 낱말을 찾아 써 봅니다.

독해력을 키우는 어휘와 어법

5 문장의 의미가 자연스럽게 이어지도록 빈칸에 들어갈 가장 알맞은 낱말을 보기 에서 찾아 써 봅니다. '권고'는 '어떤 일을 하도록 동의를 구하며 충고함. 또는 그런 말.'이라는 뜻, '권위'는 '특별한 능력, 자격, 지위로 남을 이끌어서 따르게 하는 힘.'이라는 뜻, '침해'는 '남의 땅이나 권리, 재산 등을 범하여 해를 끼침.'이라는 뜻입니다.

6 떠올린 낱말로 바꾸어 써도 문장의 의미가 달라지지 않는지 살펴봅니다. (1)에서 '작년'은 '이번 해의 바로 전 해.'라는 뜻으로 '지난해'와 바꾸어 쓸 수 있습니다. (2)에서 '심성'은 '타고난 마음씨.'라는 뜻으로 '마음씨'와 바꾸어 쓸 수 있습니다.

7 보기 의 '반–'은 '반대되는'의 뜻을 더하는 말입니다. '부–'나 '불–'은 '아님', '아니함', '어긋남'의 뜻을 더하는 말입니다. '비–'는 '아님'의 뜻을 더하는 말입니다. '인간적인, 자발적인'의 앞에는 '비–'가 붙어서 '아님'의 뜻을 더해 줍니다.

8 (1)에서 '계획이나 결심을 확실히 정하다.'라는 뜻을 가진 낱말은 '새우다'가 아니라 '세우다'라고 써야 합니다. (2)에서 '일의 끝부분을 마무리 짓거나 일이 끝난 후 어지러운 것을 바르게 함.'이라는 뜻을 가진 낱말은 '뒤정리'가 아니라 '뒷정리'라고 써야 합니다.

1 (2) ○

2 (1) 자본 (2) 기본 (3) 본질

3 (1) 기초 (2) 기준 (3) 기반

4 (2) ○

5 ❶ 자본 ❷ 본질 ❸ 기반 ❹ 기준 ❺ 기본 ❻ 기초

1 '기반(基盤), 기본(基本), 기준(基準)'에 공통으로 쓰인 '기(基)'는 모두 '기초'라는 뜻을 가지고 있습니다.

2 (1) '장사나 사업 등을 하는 데에 바탕이 되는 돈.'이라는 뜻을 가진 낱말은 '자본', (2) '무엇을 이루는 데 가장 중심이 되고 중요한 것.'이라는 뜻을 가진 낱말은 '기본', (3) '어떤 사물이 그 사물 자체가 되게 하는 원래의 특성.'이라는 뜻을 가진 낱말은 '본질'입니다.

3 '기초(基礎)'는 '사물이나 일 등의 기본이 되는 바탕.'이라는 뜻, '기준(基準)'은 '구별하거나 정도를 판단하기 위하여 그것과 비교하도록 정한 대상이나 잣대.'라는 뜻, '기반(基盤)'은 '무엇을 하기 위해 기초가 되는 것.'이라는 뜻을 가지고 있습니다.

4 대화 내용으로 보아, 나리는 내일부터 본격적으로 학급 회장 선거 운동을 할 계획입니다. '본격적(本格的)'은 '모습을 제대로 갖추고 적극적으로 이루어지는 것.'이라는 뜻입니다.

5 주어진 문장에서 ❶에는 '자본(資本)', ❷에는 '본질(本質)', ❸에는 '기반(基盤)', ❹에는 '기준(基準)', ❺에는 '기본(基本)', ❻에는 '기초(基礎)'가 들어가야 알맞습니다.

1 (3) ○
2 보석, 가치, 세공, 원석, 가치, 세공
3 훌륭하고 좋은, 쓸모, 가치

독해력을 키우는 어휘와 어법

4 (1) - ③ (2) - ② (3) - ①
5 장신구
6 (1) ○
7 (2) ○
8 (1) 빛나다 (2) 세공하다
9 (1) [막따] (2) [북따] (3) [물께] (4) [발끼도]
10 (1) 희귀한 (2) 발휘하여 (3) 부여하고

1 보석은 물렁하지 않고 단단한 특징이 있으며, 희귀한 광물입니다.

3 보석과 구슬의 공통점에서 알 수 있듯이 구슬은 아름답고 귀한 것이므로 '거칠고 하찮은' 것이 아니라 '훌륭하고 좋은' 것입니다. 보석과 구슬의 차이점에 '구슬을 꿰어 장신구를 만들면 가치가 드러난다.'라는 표현이 있는데, 여기에서 장신구를 만드는 행위는 '쓸모' 있게 만드는 행위를 말하며, 그렇게 하면 '가치'가 드러난다는 뜻이 담겨 있습니다.

독해력을 키우는 어휘와 어법

5 '반지, 귀걸이, 팔찌, 목걸이'는 모두 몸치장을 하는 데 쓰는 장신구의 한 종류입니다.

6 '영롱한'은 '광채가 찬란한.'이라는 뜻입니다. 따라서 '영롱한 광채'라는 표현은 '광채가 찬란한 광채.'라는 뜻이 되므로 같은 의미가 두 번 쓰인 표현입니다.

7 "오르지 못할 나무는 쳐다보지도 마라."라는 속담은 자신에게 불가능한 일은 처음부터 욕심내지 않는 것이 좋다는 뜻입니다. "자라 보고 놀란 가슴 솥뚜껑 보고 놀란다."라는 속담은 어떤 것에 크게 놀란 사람은 비슷한 물건만 보아도 겁을 낸다는 뜻입니다.

8 (1) 모양이 바뀌지 않는 부분 '빛나-'에 '-다'를 붙인 '빛나다'가 기본형입니다. (2) 모양이 바뀌지 않는 부분 '세공하-'에 '-다'를 붙인 '세공하다'가 기본형입니다.

9 (1), (2) 겹받침 'ㄺ' 뒤에 'ㄱ'이 아닌 'ㄷ'이 왔으므로 'ㄺ'을 [ㄱ]으로 발음합니다.
(3), (4) 겹받침 'ㄺ' 뒤에 'ㄱ'이 왔으므로 'ㄺ'을 [ㄹ]로 발음합니다.

10 (1) '그 생물은 매우 희귀한 것이다.', (2) '글쓰기 재능을 발휘하여 작가가 되었다.', (3) '나는 졸업 여행에 큰 의미를 부여하고 있다.'라고 해야 문장이 자연스럽게 이어집니다.

1 (1) ○ (2) ○ (3) ×
2 믿음, 발전
3 (1) 진행 (2) 개선 (3) 자만, 봉사
4 (2) ○

독해력을 키우는 어휘와 어법

5 (1) - ③ (2) - ① (3) - ②
6 ②
7 (1) ③ (2) ② (3) ①
8 (3) ○
9 (1) 못∨먹는∨감∨찔러나∨보자.
　(2) 더∨나아가∨한∨달에∨한∨번씩
10 (1) [구펴] (2) [이켜]

1 정우는 전교 학생 회장은 가만히 앉아 있는 것이 아니라 부지런히 발로 뛰어야 하며, 학생들의 의견을 경청하여 이를 실천하려고 노력하는 자세가 중요하다고 생각했습니다.

3 정우는 '매일 아침 음악 방송 진행하기, 소리함을 설치하여 건의 사항을 받아 개선하고 반영하기, 자만하지 않고 학생들을 위해 적극적으로 봉사하기'라는 세 가지 공약을 내세웠습니다.

4 '발 벗고 나서다'는 '학급의 일에 발 벗고 나서다.', '환경 보전 운동에 발 벗고 나서다.'처럼 어떤 일에 적극적으로 나서는 것을 의미합니다.

독해력을 키우는 어휘와 어법

6 ①과 ③은 비슷한 뜻을 가진 낱말끼리 짝 지어진 것이고, ②는 서로 반대되는 뜻을 가진 낱말끼리 짝 지어진 것입니다.

7 (1)에서 '발'은 '걸음.'을 뜻합니다. (2)에서 '발'은 '가구 등의 밑을 받쳐 균형을 잡고 있는, 짧게 튀어나온 부분.'을 뜻합니다. (3)에서 '발'은 '사람이나 동물의 다리 맨 끝부분.'을 뜻합니다.

8 '발 벗고 나서다'처럼 '어떤 일에 적극적으로 나서다.'라는 의미를 가진 관용어는 '팔을 걷어붙이다'입니다. '손을 씻다'는 '부정적인 일을 그만두고 관계를 끊다.', '발이 넓다'는 '친하게 지내거나 아는 사람이 많다.'라는 의미를 가진 관용어입니다.

9 '못', '더'와 같이 뒤에 오는 말의 뜻을 더욱 분명하게 해 주는 말은 띄어 씁니다. 또한 '집 한 채', '열두 명'과 같이 단위를 나타내는 말도 앞말과 띄어 씁니다.

10 (1) '굽혀'는 '굽'의 'ㅂ'이 'ㅎ'과 만나 [ㅍ]으로 소리 납니다. → 굽혀[구펴]
(2) '익혀'는 '익'의 'ㄱ'이 'ㅎ'과 만나 [ㅋ]으로 소리 납니다. → 익혀[이켜]

1 (1) ○ (2) × (3) ○

2 (1) 삼족오 (2) 구애 (3) 오작교 (4) 봉양

3 안갚음

독해력을 키우는 어휘와 어법

4 (1) – ② (2) – ④ (3) – ① (4) – ③

5 (1) 봉양 (2) 구애 (3) 징조 (4) 경계

6 (1) 앙갚음 (2) 안갚음

7 (1) 후손 (2) 승낙 (3) 흉조

8 (1) 않을래 (2) 안 (3) 않았다

9 (1) 어떻게 (2) 어떡해

---

1 (1) × (2) ○ (3) ○

2 (1) – ③ (2) – ① (3) – ②

3 온실가스, 지구 온난화, 저탄소, 일회용품, 재활용, 플러그

독해력을 키우는 어휘와 어법

4 (1) – ③ (2) – ① (3) – ②

5 (1) 평형 (2) 생존 (3) 생태계 (4) 일석이조

6 (1) ① (2) ②

7 (1) ① (2) ②

8 (1) 배출양 → 배출량 (2) 소금량 → 소금양

9 (1) 소모히지 (2) 태워

---

1 이밀은 늙으신 할머니를 봉양하기 위해서 관직을 거절했습니다.

2 '삼족오'는 고대 신화에 나오는, 태양 안에서 산다는 세 발 달린 까마귀로, 고구려를 상징합니다. '구애'는 이성에게 사랑을 구한다는 뜻입니다. '오작교'는 까마귀와 까치가 은하수에 놓는다는 다리로, 칠월 칠석날 저녁에 견우와 직녀를 만나게 하기 위해 이 다리를 놓는다고 합니다. '봉양'은 아랫사람이 부모나 조부모와 같은 웃어른을 받들어 모시고 섬긴다는 뜻입니다.

독해력을 키우는 어휘와 어법

5 '경계'는 '뜻밖의 사고나 위험이 생기지 않도록 살피고 조심함.', '구애'는 '이성에게 사랑을 구함.', '봉양'은 '아랫사람이 부모나 조부모와 같은 웃어른을 받들어 모시고 섬김.', '징조'는 '어떤 일이 일어날 것 같은 분위기나 느낌.'이라는 뜻입니다.

6 부모에게 효도하는 것은 '안갚음'이고, 누군가에게 복수하는 것은 '앙갚음'입니다.

7 (1) '조상'은 자신이 살고 있는 세대 이전의 모든 세대이고, '후손'은 자신의 세대에서 여러 세대가 지난 뒤의 자녀를 통틀어 이르는 말입니다. (2) '거절'은 다른 사람의 부탁, 제안을 받아들이지 않는 것이고, '승낙'은 남이 부탁하는 것을 들어주는 것입니다. (3) '길조'는 좋은 일을 가져온다고 여기는 새이고, '흉조'는 나쁜 징조를 알린다고 생각하여 흉악하게 여기는 새입니다.

8 '안'은 '아니'가 줄어든 말로 '점심을 <u>안</u> 먹었다.' 또는 '도서관에 <u>안</u> 갔다.'와 같이 쓰입니다. '않'은 '아니하다'가 줄어든 말로 '점심을 먹지 <u>않았다</u>.' 또는 '도서관에 가지 <u>않았다</u>.'와 같이 쓰입니다.

9 '어떻게'는 '어떠하다'가 줄어든 '어떻다'에 '-게'가 붙은 말입니다. '어떡해'는 '어떻게 해'가 줄어든 말로 문장 끝에 위치해 서술어로 쓰입니다.

---

1 전기, 교통, 냉난방, 자원 재활용 등 생활 속 작은 실천을 통해 온실가스 배출량을 줄이자는 저탄소 생활은 전 지구인이 참여하는 세계적 캠페인으로, 온실가스 배출량을 줄이는 것은 기후 변화로 인한 피해를 막는 최선의 방법입니다.

2 이상 기후로 인한 피해를 막고 지구 환경을 보전하기 위해서는 정부와 기업, 소비자들이 온실가스 배출량을 줄이기 위해다 함께 노력해야 합니다.

독해력을 키우는 어휘와 어법

5 '생존'은 '살아 있거나 살아남음.', '평형'은 '사물이나 생각 등이 한쪽으로 기울거나 치우치지 않음.', '생태계'는 '일정한 지역이나 환경에서 여러 생물들이 서로 적응하고 관계를 맺으며 어우러진 자연의 세계.'라는 뜻입니다. '일석이조'는 '돌 한 개를 던져 새 두 마리를 잡는다.'라는 뜻으로, 동시에 두 가지 이득을 봄을 이르는 말입니다.

6 보기 의 '물건을 담는 그릇.'을 뜻하는 용기(容器)와 '겁이 없고 씩씩한 기운.'을 뜻하는 용기(勇氣)는 형태만 같을 뿐이지 뜻이 다른 낱말입니다.

7 (1)에서 '썩다'는 '음식물이나 자연물이 세균에 의해 분해되어 나쁜 냄새가 나고 형체가 뭉개지는 상태가 되다.'라는 뜻으로, ②에서는 '두 가지 이상의 것을 한데 합치다.'라는 뜻의 '섞지'라고 해야 올바른 표현입니다. (2)에서 '꽂다'는 '날카롭거나 뾰족한 것을 박아 세우다.'라는 뜻으로, ①에서는 '수나 날짜를 세려고 손가락을 하나씩 헤아리다.'라는 뜻의 '꼽아'라고 해야 올바른 표현입니다.

8 '배출(排出)'은 한자어이므로 '-량'이 붙어 '배출량'이라고 써야 합니다. '소금'은 고유어이므로 '-양'이 붙어 '소금양'이라고 써야 합니다.

1 (1)-② (2)-① (3)-③

2 (2)○

3 (1)-① (2)-② (3)-③

4 (1) 통보 (2) 통과 (3) 통화 (4) 통과 의례

5 (1층부터) 과유불급, 과정, 과열

---

1 '과정(過程)'은 '어떤 일이나 현상이 계속 진행되는 동안 혹은 그 사이에 일어난 일.'이라는 뜻, '과열(過熱)'은 '지나치게 뜨거워짐.'이라는 뜻, '통과 의례(通過儀禮)'는 '출생, 성년, 결혼, 죽음 등 사람이 살면서 새로운 상태로 넘어갈 때 겪어야 하는 의식.'이라는 뜻입니다.

2 빈칸에는 '지나치다'의 의미를 지닌 '지날 과(過)'가 들어가는 것이 알맞습니다.

3 '통과(通過)'는 '어떤 장소나 때를 거쳐서 지나감.'이라는 뜻, '통보(通報)'는 '어떤 명령이나 소식 등을 말이나 글로 알림.'이라는 뜻, '일맥상통(一脈相通)'은 '생각, 상태, 성질 등이 서로 통하거나 비슷해짐.'이라는 뜻입니다.

4 '통과(通過)'는 '어떤 장소나 때를 거쳐서 지나감.'이라는 뜻, '통보(通報)'는 '어떤 명령이나 소식 등을 말이나 글로 알림.'이라는 뜻, '통화(通貨)'는 '한 사회에서 사용하는 화폐.'라는 뜻, '통과 의례(通過儀禮)'는 '출생, 성년, 결혼, 죽음 등 사람이 살면서 새로운 상태로 넘어갈 때 겪어야 하는 의식.'이라는 뜻입니다.

5 1층에는 '무엇이든 지나친 것은 좋지 않다.'라는 뜻의 '과유불급(過猶不及)'이 들어가야 하고, 2층에는 '어떤 일이나 현상이 계속 진행되는 동안 혹은 그 사이에 일어난 일.'이라는 뜻의 '과정(過程)'이 들어가야 합니다. 3층에는 '지나치게 뜨거워짐.'이라는 뜻의 '과열(過熱)'이 들어가야 합니다.

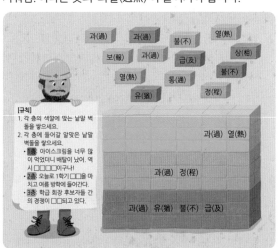

1 (1)× (2)○ (3)×

2 잔인하다, 무자비하다

3 (3)○

4 예상, 재난

독해력을 키우는 어휘와 어법

5 (1)-① (2)-③ (3)-②

6 (1)○

7 (1)○

8 (1)○

9 (1)② (2)①

10 (1) 베어 (2) 계약 (3) 몰수

---

1 (1) 안토니오의 배는 베니스에 도착하지 못하고 난파되었습니다. (3) 샤일록이 증서에 적힌 내용을 집행하려 할 때, 법관은 피를 한 방울도 흘려서는 안 된다는 불가능한 조건을 덧붙였습니다. 그래서 샤일록은 계약대로 집행하지 못하고 망연자실한 표정을 지었습니다.

2 샤일록은 안토니오에게 '만약 제날짜에 빌린 돈을 갚지 못하면 심장 근처의 살 1파운드를 베어 내겠다.'는 내용의 증서를 써 달라고 하고, 이를 실행하려고 했습니다. 이를 통해 샤일록의 성격은 '인정이 없이 매섭고 독하다.'라는 뜻인 '잔인하다'와 '동정심이나 인정이 없어 마음씨가 몹시 쌀쌀하고 모질다.'라는 뜻인 '무자비하다'가 어울립니다.

3 이 글에서 '마른하늘에 날벼락 같은 소식'은 바사니오가 받은 편지에 적힌 내용을 말합니다. 편지에는 안토니오가 법정에 서게 되었다고 적혀 있었습니다.

독해력을 키우는 어휘와 어법

6 '망연자실하다'는 '정신이 나간 것처럼 멍하다.'라는 뜻입니다. '넋이 나가다'는 '아무런 생각이 없거나 정신이 나가다.'라는 뜻으로, '망연자실하다'와 뜻이 비슷한 표현입니다.

7 '법정-재판정'과 '가끔-이따금'은 뜻이 서로 비슷한 관계(유의 관계)입니다. '진실-거짓'은 뜻이 서로 반대인 관계(반의 관계)이고, '과일-바나나'는 전체와 부분의 관계(상하 관계)입니다.

8 "마른하늘에 날벼락."은 '뜻하지 않은 상황에서 뜻밖에 재난을 입다.'라는 뜻으로, 예기치 않게 곤란한 상황이 닥쳤을 때 사용하는 속담입니다.

10 (1) '날이 있는 물건으로 몸에 상처를 내거나 몸의 일부를 잘라.'라는 뜻을 가진 낱말은 '베어'입니다. (2) '돈을 주고받는 거래에서 서로 지켜야 할 의무나 책임을 문서에 적어 약속함.'이라는 뜻을 가진 낱말은 '계약'입니다. (3) '죄를 지은 사람에게서 범죄 행위에 제공하거나 범죄 행위의 결과로 얻은 재산을 강제로 빼앗는 일.'이라는 뜻을 가진 낱말은 '몰수'입니다.

1 (1) × (2) × (3) ○

2 볼기, 도술, 툇마루, 대성통곡

3 (1) ○

독해력을 키우는 어휘와 어법

4 (1) 심보 (2) 방자한 (3) 탄식

5 (2) ×

6 (1) ○

7 (1) 왠지 (2) 웬일로 (3) 말로써

8 (1) [안꼬] (2) [안께] (3) [안즌]

9 (1) 먹듯이 (2) 이유 없이 (3) 틀림없이

---

2 옹고집의 집에 간 학 대사가 볼기를 맞고 내쫓기자, 도술을 부려 가짜 옹고집을 만들어 보냈습니다. 서로 똑같이 생긴 두 옹고집을 보고 옹고집 부인은 대성통곡을 하였습니다.

3 (2)는 '눈 뜨고 못 보다'의 뜻입니다.

독해력을 키우는 어휘와 어법

5 '괴기한'은 '무서운 생각이 들 만큼 괴상하고 기이한.'이라는 뜻으로, '기분이 나쁠 정도로 아주 이상한.'이라는 뜻의 '괴상한'이나 '모양이나 분위기가 놀라울 만큼 이상한.'이라는 뜻의 '기괴한'과 바꾸어 쓸 수 있습니다. '괴팍한'은 '사람의 성격이 매우 이상할 정도로 까다로운.'이라는 뜻입니다.

6 '눈을 의심하다'는 달걀값이 세 배나 치솟은 것을 보고 놀랍고 믿기지 않은 상황에서 쓸 수 있습니다.

7 (1) '왜 그런지 모르게.'를 뜻하는 말은 '왠지'입니다. '웬지'는 잘못된 표현입니다.
(2) '어찌 된 일. 또는 어떠한 일.'을 뜻하는 말은 '웬일'입니다. '왠일'은 잘못된 표현입니다.
(3) '-로서'는 '부모로서, 대통령으로서'와 같이 자격이나 지위 뒤에 붙여 사용하고, '-로써'는 '법으로써, 쌀로써'와 같이 수단이나 방법, 원료나 재료 뒤에 붙여 사용합니다.

8 겹받침 'ㄵ'은 [ㄴ]으로 소리 납니다. 이때 뒤에 오는 첫소리 'ㄱ'은 [ㄲ]으로 소리 납니다. 겹받침 'ㄵ'이 뒤에 오는 'ㅇ'을 만나면 'ㅈ'이 뒷말 첫소리로 이어져 소리 납니다.

9 (1) '먹듯이, 오듯이, 하듯이, 다르듯이'처럼 모양이 바뀌는 낱말 뒤에 '-듯이'를 쓸 때에는 띄어 쓰지 않고 붙여 씁니다.
(2) '이유 없이, 소리 없이'는 '이유, 소리'라는 낱말 뒤에 '없이'가 붙은 것으로, 띄어 씁니다.
(3) '틀림없이, 상관없이, 정신없이'는 '틀림없다, 상관없다, 정신없다'라는 낱말에 '-이'가 붙어서 만들어진 낱말로, 띄어 쓰지 않고 붙여 씁니다.

1 (1) ×

2 (1) 고가, 사례 (2) 강탈

3 나쁘다 → 안타깝다

4 의심

독해력을 키우는 어휘와 어법

5 (1) - ③ (2) - ② (3) - ①

6 (1) 조치 (2) 멸종 (3) 인위적

7 서연

8 (1) 오는데 (2) 잃어버렸대

9 (1) 원숭이가, 여자아이들이, 부모님께서
(2) 비니니를, 노래를, 장미꽃을
(3) 먹는다, 부른다, 좋아하신다

10 (1) 떡볶이를 (2) 새들이 (3) 달려간다

---

1 '원숭이의 개체 수를 인위적으로 줄이면 언젠가 원숭이가 멸종되는 건 아닐까?'라는 이건이의 생각만 나와 있을 뿐, 실제로 원숭이가 멸종 위기에 처해 있다는 내용은 나오지 않았습니다.

2 원숭이로 인한 주민과 관광객의 피해가 날로 커지자, 그 피해를 막기 위한 조치가 나왔습니다.

3 처음에 이건이는 사람을 공격하고 고가의 물건을 강탈하는 원숭이들이 나쁘다고 생각했지만, 그런 원숭이들의 행동이 먹이 때문이라는 것을 알고 난 뒤에는 안타까운 마음이 들었습니다.

4 '반신반의(半信半疑)'는 어느 정도 믿기는 하지만 확실히 믿지 못하고 의심한다는 뜻입니다.

독해력을 키우는 어휘와 어법

7 백신의 안전성을 어느 정도 믿기는 하지만 한편으로는 의심하는 사람들이 많다고 한 서연이의 말에 '반신반의'가 어울립니다.

8 (1)의 '오는데'에서 '-ㄴ데'는 뒤의 말을 하기 위하여 그 대상과 관련이 있는 상황을 미리 말할 때에 쓰는 표현입니다. (2)의 '잃어버렸대'에서 '-대'는 다른 사람이 말한 내용을 간접적으로 전할 때 쓰는 표현입니다.

9 '주어'는 '누가', '무엇이'에 해당하는 말, '목적어'는 '누구를', '무엇을'에 해당하는 말, '서술어'는 '무엇이다', '어찌하다', '어떠하다'에 해당하는 말입니다.

10 문장이 자연스럽게 이어지도록 빈칸에 들어갈 '주어, 목적어, 서술어'를 찾아 써 봅니다.

1 (1) - ① (2) - ③ (3) - ④ (4) - ②

2 (2) ×

3 백제, 향로, 높이, 연꽃, 걸작

독해력을 키우는 어휘와 어법

4 (1) - ③ (2) - ① (3) - ②

5 (1) 교류 (2) 유물 (3) 표면

6 (1) ② (2) ①

7 (1) ① (2) ②

8 (1) 들어내자 → 드러내자 (2) 둘러쌓인 → 둘러싸인

9 (1) 배치되어 (2) 정교하게

1 백제 금동 대향로를 '꼭대기, 뚜껑, 몸체, 받침대'의 네 부분으로 나누어 보고, 각 부분의 특징을 정리해 봅니다.

2 백제 금동 대향로의 아름답고 정교한 모습을 통해 백제 시대의 수준 높은 금속 공예 기술을 짐작할 수 있고, 백제 금동 대향로의 뚜껑 표면에 우리나라에서 살지 않는 코끼리나 원숭이가 새겨져 있는 것을 통해 백제 시대에도 외국과의 교류가 활발했음을 짐작할 수 있습니다.

3 백제 금동 대향로는 백제 시대의 문화와 예술을 대표하는 최고의 걸작입니다.

독해력을 키우는 어휘와 어법

4 옛사람들의 삶이나 문화와 관련된 낱말의 뜻을 알아봅니다.

5 '교류'는 '문화나 사상 등이 서로 오감.', '유물'은 '앞선 시대에 살았던 사람들이 후대에 남긴 물건.', '표면'은 '사물의 가장 바깥쪽. 또는 가장 윗부분.'이라는 뜻입니다.

6 '지구(地區)'는 일정한 목적 때문에 특별히 지정된 지역을 말하고, '지구(地球)'는 태양계의 행성 중 하나로 인류가 살고 있는 천체를 말합니다.

7 (1) '발견'은 '아직 찾아내지 못했거나 세상에 알려지지 않은 것을 처음으로 찾아냄.'이라는 뜻입니다. ②에서는 '발명되었다'가 아니라 '발견되었다'가 올바른 표현입니다. (2) '망울만 맺히고 아직 피지 아니한 꽃.'이라는 뜻의 낱말은 '봉오리'입니다. '봉우리'는 '산에서 뾰족하게 높이 솟은 부분.'을 뜻하는 낱말입니다. ①에서는 '봉우리'가 아니라 '봉오리'가 올바른 표현입니다.

8 (1) '가려 있거나 보이지 않던 것을 보이게 하자.'라는 뜻을 가진 낱말은 '들어내자'가 아니라 '드러내자'라고 써야 합니다. (2) '둥글게 에워싸인.'이라는 뜻을 가진 낱말은 '둘러쌓인'이 아니라 '둘러싸인'이라고 써야 합니다.

1 (3) ○

2 태(太)

3 (1) 양지 (2) 양산 (3) 양성 반응

4 양지 → 태평양 → 태양력 → 양성 반응

1 '태양(太陽), 태양력(太陽曆), 태평양(太平洋)'에 공통으로 쓰인 '태(太)'는 모두 '크다'라는 뜻을 가지고 있습니다.

2 '태양계의 중심에 있으며 온도가 매우 높고 스스로 빛을 내는 항성.'은 '태양(太陽)'이고, '아시아 대륙과 오세아니아 대륙, 남아메리카 대륙과 북아메리카 대륙에 둘러싸여 있는 바다.'는 '태평양(太平洋)'입니다. '어진 임금이 잘 다스려 아무 걱정이나 탈이 없는 세상이나 시대.'를 '태평성대(太平聖代)'라고 합니다.

3 '양지(陽地)'는 '볕이 들어 밝고 따뜻한 곳.'이라는 뜻, '양산(陽傘)'은 '주로 여자들이 햇볕을 가리기 위해 쓰는 우산 모양의 물건.'이라는 뜻, '양성 반응(陽性反應)'은 '병을 진단하기 위하여 화학적·생물학적 검사를 한 결과 특정한 반응이 나타나는 일.'이라는 뜻입니다.

4 주어진 문장 속 빈칸에 들어갈 알맞은 낱말을 찾으며 길 찾기 놀이를 해 봅니다. 빈칸에 들어갈 낱말을 차례대로 늘어놓으면 '양지(陽地) → 태평양(太平洋) → 태양력(太陽曆) → 양성 반응(陽性反應)'입니다.

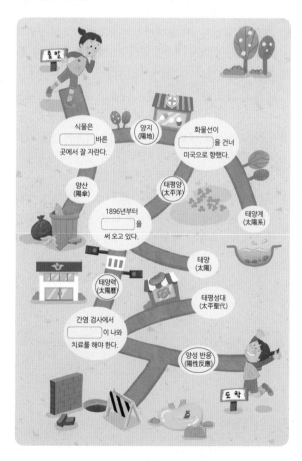

1 (1) ○ (2) × (3) ○

2 해고, 무일푼, 거절

3 고생, 좋은

독해력을 키우는 어휘와 어법

4 (1) – ② (2) – ① (3) – ③

5 (1) 결심 (2) 요청

6 (1) 명성 (2) 경험

7 (1) ○

8 (1) 제작 (2) 엎친 데 덮친

9 (1) 잠 (2) 싸움

---

1 〈해리 포터〉 시리즈는 어린이들뿐만 아니라 어른들의 마음도 사로잡았습니다.

2 조앤 롤링에게 일어난 일을 차례대로 정리한 뒤, 일이 일어난 상황에 알맞은 낱말을 보기 에서 찾아 써 봅니다.

3 "쥐구멍에도 볕 들 날 있다."라는 속담은 몹시 고생을 하는 삶에도 좋은 운수가 터질 날이 있다는 뜻입니다.

독해력을 키우는 어휘와 어법

5 (1) '마음을 먹다'는 '결심을 하다.'라는 뜻입니다. (2) '문을 두드리다'는 '원하는 곳에 들어가거나 원하는 것을 얻기 위해 요청하다.'라는 뜻입니다.

6 '명예'와 '명성'은 사람들에게 높은 평가를 받아 널리 알려진 이름이라는 점에서 비슷한 의미가 있습니다. '체험'과 '경험'은 실제로 겪어 본다는 점에서 비슷한 의미가 있습니다.

7 (1)은 걸 그룹 ○○이 고생을 하다 좋은 날이 왔다는 내용이므로 속담 "쥐구멍에도 볕 들 날 있다."와 어울립니다.

8 (1) '재료가 쓰여 새로운 물건이나 예술 작품이 만들어지다.'라는 뜻의 낱말은 '제작되다'입니다. (2) '엎친 데 덮치다'라는 표현에서는 글자의 받침에 주의해야 합니다.

9 '자다'에서 모양이 바뀌지 않는 부분인 '자–'에 '–ㅁ'을 더하면 '자고 있는 상태.'라는 뜻의 '잠'이 되고, '싸우다'에서 모양이 바뀌지 않는 부분인 '싸우–'에 '–ㅁ'을 더하면 '이기려고 다투는 일.'이라는 뜻의 '싸움'이 됩니다.

1 (1) ○ (2) × (3) ×

2 손수건, 법정, 중노동, 극진한

3 어려움

독해력을 키우는 어휘와 어법

4 (1) – ② (2) – ①

5 (1) ○

6 (2) ×

7 (1) 판결은 (2) 판결을 (3) 판결하였다

8 (2) ○

9 (1) 며칠 (2) 붉으락푸르락

10 (1) 잊어버렸다 → 잃어버렸다 (2) 기픈 → 기쁜
    (3) 썩인 → 섞인

---

1 브라운로우의 손수건을 몰래 훔친 사람은 찰리와 잭입니다. 소매치기로 몰린 올리버는 법정에서 정신을 잃고 쓰러졌고 석 달 동안 중노동을 하라는 판결을 받았지만 책방 주인 덕분에 무죄로 석방될 수 있었습니다.

3 '뜨거운 맛을 보다'는 심한 고통이나 어려움을 겪는 것을 의미합니다.

독해력을 키우는 어휘와 어법

5 (2)에서 '틈'은 '벌어져서 사이가 생긴 자리.'라는 뜻입니다.

6 '태만한'은 '열심히 하지 않고 게으른.'이라는 뜻입니다.

7 주어는 문장에서 동작이나 상태의 주체가 되는 말로 '은/는, 이/가'가 붙습니다. 목적어는 문장에서 동작의 대상이 되는 말로 '을/를'이 붙습니다. 서술어는 주어의 움직임, 상태, 성질 따위를 풀이하는 말입니다.

8 '뜨거운 맛을 보다'는 심한 고통이나 어려움을 겪는 것을 뜻하므로 2단 줄넘기를 배우는 과정에서 힘들었던 경험을 말한 (2)의 상황에서 쓸 수 있습니다.

9 (1) '몇 월, 몇 년'과는 다르게 '몇 날, 몇째 날'을 의미하는 말은 '며칠'이라고 씁니다. '몇일'은 잘못된 표현입니다.
   (2) 몹시 화가 나거나 흥분하여 얼굴빛이 변하는 모양을 뜻하는 말은 '붉으락푸르락'입니다. '울그락붉으락, 울그락불그락'은 잘못된 표현입니다.

10 (1) 물건이 없어지는 것은 '잃다'라고 표현합니다. '잊다'는 기억하지 못하는 것을 말합니다.
   (2) 숨 쉬기 어려울 정도로 숨 쉬는 속도가 몹시 빠른 것을 표현하는 말은 '가쁜'입니다.
   (3) 어떤 말이나 행동에 다른 말이나 행동을 함께 나타내는 것은 '섞다'입니다. '썩다'는 음식물 같은 것이 상하는 것을 뜻합니다.

1 (3) ○

2 윤아

3 방심, 자만

독해력을 키우는 어휘와 어법

4 (1) - ③ (2) - ① (3) - ②

5 (1) 방심 (2) 태연 (3) 기색

6 (1) ② (2) ①

7 (2) ○

8 (3) ○

9 (1) 도리어 (2) 도무지

---

1 아들은 사라져 버린 말을 찾으려고 애썼지만, 이 일이 도리어 좋은 일을 가져다줄지도 모른다는 아버지의 말씀처럼 몇 달이 지난 뒤에 도망갔던 말이 뛰어난 말 세 마리를 데리고 돌아왔습니다.

2 '새옹지마'는 세상 일의 좋고 나쁨은 예측하기 어려워 좋은 일이 생기면 언젠가 나쁜 일도 생길 수 있다는 의미입니다. 그러나 나쁜 일이 생기면 곧이어 좋은 일이 반드시 생기는 것이라고 할 수는 없습니다,

3 '새옹지마'는 좋은 일이 다시 나쁜 일이 될 수도 있고 나쁜 일이 다시 좋은 일이 될 수도 있어 인생은 예측하기 어려우니, 좋은 일이 생겼다고 방심하거나 자만하면 안 된다는 교훈을 주는 말입니다.

독해력을 키우는 어휘와 어법

5 (1) '방심하다'는 '긴장하거나 조심하지 않고 마음을 놓다.'라는 뜻입니다. (2) '태연하다'는 '마땅히 머뭇거리거나 두려워할 상황에서 태도나 기색이 아무렇지도 않은 듯이 예사롭다.'라는 뜻입니다. (3) '기색'은 '마음의 작용으로 얼굴에 드러나는 빛.'이라는 뜻입니다.

7 천막 주문이 취소된 일로 인해 리바이는 청바지 사업을 하여 큰돈을 벌었습니다. 이 일에 어울리는 한자 성어는 '나쁜 일이 바뀌어 오히려 좋은 일이 된다.'라는 의미를 가진 '새옹지마(塞翁之馬)'입니다.
(1) '대기만성(大器晩成)'은 크게 될 사람은 끊임없는 노력을 한 끝에 늦게 성공한다는 뜻의 한자 성어입니다.
(3) '유비무환(有備無患)'은 미리 준비를 해 놓으면 걱정할 것이 없다는 뜻의 한자 성어입니다.

8 '복덩이, 걱정덩이, 심술덩이' 등에 쓰이는 '덩이'는 일부 낱말의 뒤에 붙어 그러한 성질을 가지거나 그런 일을 일으키는 사람이나 사물을 나타냅니다.

9 '도리어'는 '기대했던 것이나 일반적인 것과 반대되거나 다르게.'라는 뜻입니다. '도무지'는 '아무리 해도.'라는 뜻으로, 주로 부정을 나타내는 말과 함께 쓰입니다.

---

1 (1) ○ (2) ○ (3) ×

2 ①

3 (1) - ② (2) - ① (3) - ③

4 속력, 속력, 안전, 안전 속도, 교통사고

독해력을 키우는 어휘와 어법

5 (1) - ② (2) - ③ (3) - ①

6 (1) 제한 (2) 통행 (3) 정책

7 불

8 (1) ② (2) ①

9 (1) ① (2) ① (3) ①

10 (1) 실재로 → 실제로 (2) 나추면 → 낮추면
(3) 사망율 → 사망률

---

1 안전 속도 5030은 자동차가 전국 도시 지역 일반 도로에서는 시속 50킬로미터 이상, 어린이 보호 구역이나 주택가 등에서는 시속 30킬로미터 이상의 속력으로 달릴 수 없도록 속도를 제한하는 정책입니다.

3 자동차의 속력이 클수록 제동 거리가 길어져서 교통사고가 발생할 확률이 높아집니다. 그러므로 자동차의 속력을 낮추면 제동 거리가 짧아져서 교통사고가 발생할 확률도 낮아지고 보행자 사망률도 감소하게 됩니다.

4 글쓴이는 자동차의 제한 속도를 낮추어 보행자의 안전을 지키기 위한 안전 속도 5030 정책에 적극적으로 참여하여 교통사고를 예방하자고 주장했습니다.

독해력을 키우는 어휘와 어법

7 '불(不)-'은 일부 낱말의 앞에 붙어 '아님, 아니함, 어긋남.'의 뜻을 더해 주는 말입니다.

9 (1) ①에서 '확대하다'는 모양이나 규모 등을 원래보다 더 크게 한다는 뜻입니다. ②에서는 정신적으로나 육체적으로 몹시 괴롭히고 못살게 군다는 뜻이므로 '학대하면'이 올바른 표현입니다. (2) ①에서 '제한하다'는 일정한 정도나 범위를 정하거나, 그 정도나 범위를 넘지 못하게 막는다는 뜻입니다. ②에서는 의견이나 안건으로 내놓는다는 뜻이므로 '제안하고'가 올바른 표현입니다. (3) ①에서 '시행하다'는 법률이나 명령 등을 일반 대중에게 알린 뒤에 실제로 그 효력을 나타낸다는 뜻입니다. ②에서는 일을 생각하거나 계획한 대로 해낸다는 뜻이므로 '수행하고'가 올바른 표현입니다.

10 (1)에서 '거짓이나 상상이 아니고 현실적으로.'라는 뜻을 가진 낱말은 '실재로'가 아니라 '실제로'입니다. (2)에서 '수치를 기준에 미치지 못하게 하다.'라는 뜻을 가진 낱말은 '나추다'가 아니라 '낮추다'입니다. (3)에서 '어느 특정 인구에 대한 일정 기간의 사망자 수의 비율.'이라는 뜻을 가진 낱말은 '사망율'이 아니라 '사망률'입니다.

1 (3) ○

2 (1) 경력 (2) 이력서 (3) 사극

3 변호사

4 (3) ○

5 (1) ① (2) ④ (3) ② (4) ⑤ (5) ③

1 '사극(史劇), 사적(史蹟), 한국사(韓國史)'에 공통으로 쓰인 '사(史)'는 모두 '역사'라는 뜻을 가지고 있습니다.

2 '경력(經歷)'은 '이제까지 가진 학업, 직업, 업무와 관련된 경험.'이라는 뜻, '사극(史劇)'은 '역사에 있던 일이나 사람을 바탕으로 하여 만든 연극이나 영화나 드라마.'라는 뜻, '이력서(履歷書)'는 '자신이 거쳐 온 학업이나 직업, 경험 등의 발자취를 적은 문서.'라는 뜻입니다.

3 '역사가(歷史家)'는 '역사를 전문적으로 연구하는 사람.'이라는 뜻, '한국사(韓國史)'는 '한국의 역사.'라는 뜻입니다. '변호사(辯護士)'는 '일정 자격을 갖추고 법률에 관한 일을 전문적으로 하는 사람.'이라는 뜻으로, 이 낱말에는 역사를 뜻하는 사(史)가 아니라 직업의 뜻을 더하는 말인 '사(士)'가 들어갑니다.

4 주어진 대화 내용으로 보아 빈칸에 들어갈 낱말은 '인간 사회가 시간이 지남에 따라 흥하고 망하면서 변해 온 과정 또는 그 기록.'을 뜻하는 '역사(歷史)'입니다.

5 주어진 문장에서 '한국사(韓國史), 사극(史劇), 역사가(歷史家), 삼국사기(三國史記), 사적(史蹟)'의 정확한 뜻을 보기 에서 찾아 그림 속 표지판에 번호를 알맞게 써 봅니다.

---

1 (3) ○

2 ③ → ① → ② → ④ → ⑤

3 재앙, 화난

독해력을 키우는 **어휘와 어법**

4 (1) - ① (2) - ③ (3) - ②

5 (1) 빼꼼히 (2) 후다닥 (3) 우물쭈물

6 (1) 병 (2) 소리 (3) 손

7 (1) ○

8 (1) 꽁꽁 (2) 꼭꼭

9 (1) 돋우는 (2) 야단법석 (3) 뜨였다

1 이 글의 종류는 일기입니다. 일기는 그날 겪은 일과 그 일에 대한 글쓴이의 생각이나 느낌을 쓴 글입니다. (1)은 설명문, (2)는 편지, (4)는 기사문에 대한 내용입니다.

2 이 글에서 일어난 일을 시간의 흐름에 따라 순서대로 정리하여 봅니다.

3 "불난 집에 부채질한다."라는 속담은 남의 재앙을 더 커지게 만들거나 화난 사람을 더욱 화나게 한다는 뜻입니다.

독해력을 키우는 **어휘와 어법**

4 '소품'은 '작은 가구나 장식품.', '돋우다'는 '의욕이나 감정을 부추기거나 일으키다.', '삭이다'는 '긴장이나 화를 풀리게 하다.'라는 뜻입니다.

5 '빼꼼히'는 '문 등을 살며시 아주 조금 여는 모양.', '후다닥'은 '일을 서둘러 빨리 해치우는 모양.', '우물쭈물'은 '말이나 행동을 분명하게 하지 못하고 자꾸 망설이는 모양.'을 흉내 내는 말입니다.

6 '들리다¹', '들리다²', '들리다³'은 형태는 같지만 '병에 걸리다.', '소리가 귀를 통해 알아차려지다.', '물건이 손에 잡히다.' 등 서로 다른 뜻을 가진 동형어입니다.

7 "불난 집에 부채질한다."라는 속담은 '남의 재앙을 점점 더 커지도록 만들거나 화난 사람을 더욱 화나게 한다.'라는 뜻입니다. (2)는 바로 옆에 있던 스마트폰을 찾고 있는 상황이므로 이에 어울리는 속담은 "등잔 밑이 어둡다."입니다.

8 (1)에서는 다친 손가락을 붕대로 묶은 것이기 때문에 '꽁꽁'을 쓰고, (2)에서는 방문을 잠그고 방에서 나오지 않는 상황이므로 '꼭꼭'을 씁니다.

9 (1) '의욕이나 감정을 부추기거나 일으키다.'는 '돋우다', (2) '시끄럽고 어수선하게 행동함.'은 '야단법석', (3) '눈에 보이다.'는 '뜨이다'가 올바른 표현입니다.

Day 37

본문 166쪽

1 ②

2 (1) 요청, 동참 (2) 연설, 경각심

3 (3) ○

독해력을 키우는 어휘와 어법

4 (1) ① (2) ② (3) ③

5 (3) ×

6 대응, 태양광, 실천

7 (2) ○

8 (1) [차며] (2) [포겸]

9 (1) 개수 (2) 팻말

---

1 그레타 툰베리는 2018년 여름에 스웨덴에서 발생한 폭염과 산불을 보고 충격을 받았고, 그것을 계기로 기후 위기 대응을 촉구하는 1인 시위를 하였습니다.

2 그레타 툰베리는 비록 어린 나이지만 기후 위기에 대응하는 1인 시위로 시작하여 전 세계에 기후 위기 대응의 바람을 일으켰습니다.

3 '바람을 일으키다'는 '사회적으로 많은 사람에게 영향을 미치다.'라는 뜻의 관용어입니다.

독해력을 키우는 어휘와 어법

4 '비참하고 끔찍한 일.'이라는 뜻을 가진 낱말은 '참사', '어려운 처지에 놓인 사람을 도와주다.'라는 뜻을 가진 낱말은 '구제하다', '어떤 일을 급하게 빨리하도록 청하다.'라는 뜻을 가진 낱말은 '촉구하다'입니다.

5 '자금'과 '자본', '직면하다'와 '당면하다'는 뜻이 서로 비슷한 낱말로, 바꾸어 써도 문장의 뜻이 달라지지 않습니다. (3)에서 '경각심'은 '정신을 차리고 주의하며 경계하는 마음.'을 뜻하는 반면에, '경외심'은 '어떤 대상을 두려워하며 우러러보는 마음.'을 뜻하므로 서로 다른 뜻을 가진 낱말입니다.

6 '어떤 일이나 상황에 알맞게 행동을 함.'이라는 뜻을 가진 낱말은 '대응', '태양의 빛.'이라는 뜻을 가진 낱말은 '태양광', '이론이나 계획, 생각한 것을 실제 행동으로 옮김.'이라는 뜻을 가진 낱말은 '실천'입니다.

7 '사회적으로 많은 사람에게 영향을 미치다.'라는 의미를 지닌 표현은 (2)입니다.

8 앞 글자의 받침이 뒤에 있는 글자의 첫소리 'ㅇ'으로 이어져 각각 [차며], [포겸]으로 소리 납니다.

9 한 개씩 낱으로 셀 수 있는 물건의 수효를 뜻하는 낱말은 '개수', 패를 단 말뚝을 뜻하는 낱말은 '팻말'이 올바른 표현입니다.

Day 38

본문 170쪽

1 (1) ○ (2) ○ (3) ○ (4) ×

2 수민

3 (1) 콜레라, 원인 (2) 안개, 방향

독해력을 키우는 어휘와 어법

4 (1) - ③ (2) - ① (3) - ④ (4) - ②

5 (1) 둔감 (2) 탈수 (3) 풍토병

6 (1) ○

7 (1) ○

8 (1) 반장으로서 (2) 가시로써

9 (1) 맑은∨물을∨마실∨수∨있다.
(2) 놀이동산에∨갈∨수∨있을까?

---

1 콜레라는 인도 벵골 지방의 풍토병이었고, 1800년대에 유럽을 비롯한 전 세계로 퍼져 나갔다고 했습니다.

2 콜레라는 오염된 공기 때문이 아니라, 오염된 물로 전염되는 수인성 감염병입니다.

3 도시 전체에 콜레라가 퍼졌지만 원인을 찾지 못하고 있는 상황은 마치 안개 속에서 앞이 잘 보이지 않아 방향이나 갈피를 잡지 못하는 상황과 비슷합니다.

독해력을 키우는 어휘와 어법

6 '이제까지는 아니던 것이 어떤 일이 있고 난 다음이 되어서야.'라는 뜻의 '비로소'가 들어가야 자연스러운 문장이 됩니다. (2) '오히려'는 '일반적인 예상이나 기대와는 전혀 다르거나 반대가 되게.'라는 뜻이고, (3) '절대로'는 '어떠한 경우에도 반드시.'라는 뜻입니다.

7 (2)에서 준희가 앉자마자 의자가 부서진 상황은 '아무 관계도 없이 한 일이 공교롭게도 때가 같아 억울하게 의심을 받거나 난처한 위치에 서게 됨.'을 이르는 한자 성어인 '오비이락(烏飛梨落)'과 어울립니다. '오비이락'은 '까마귀 날자 배 떨어진다.'라는 말입니다.

8 (1)에서는 '반장'이라는 자격이나 지위를 나타내므로 '-으로서'를 써서 '반장으로서'라고 해야 올바른 표현입니다. (2)에서는 '가시'라는 도구나 수단을 나타내므로 '-으로써'를 써서 '가시로써'라고 해야 올바른 표현입니다.

9 (1) 맑은물을마실수있다.

맑	은		물	을		마	실		수		있	다	.

(2) 놀이동산에갈수있을까?

놀	이	동	산	에		갈		수		있	을	까	?

1 (1) ○ (2) ○ (3) × (4) ○

2 ⑤ → ② → ④ → ①

3 (1) - ② (2) - ①

4 광복절, 독립운동가, 독립, 숭고

독해력을 키우는 어휘와 어법

5 (1) - ② (2) - ① (3) - ③

6 (1) 탄압 (2) 폐교 (3) 국권

7 (1) ○

8 (1) ① (2) ② (3) ①

9 (1) 훈날 → 훗날 (2) 쏘다부으며 → 쏟아부으며
  (3) 고치하기 → 고취하기

---

1 일제에 맞서 독립을 이루는 데 헌신한 이회영 선생의 공로를 인정하여, 우리나라 정부는 1962년에 선생에게 건국 훈장 독립장을 수여했습니다.

3 이회영 선생을 중심으로 설립된 신흥 무관 학교에서는 항일 무장 독립운동을 펼치기 위한 목적으로 군사 교육과 함께 민족 교육을 실시하였습니다.

4 견학 기록문에는 견학 장소, 견학 목적, 보고 들은 것, 견학하면서 생각하거나 느낀 점이 나타나 있습니다.

독해력을 키우는 어휘와 어법

6 문장이 자연스럽게 이어지도록 빈칸에 알맞은 낱말을 〈보기〉에서 찾아 써 봅니다. '국권'은 '나라가 행사하는 독립적이고 절대적인 권력.', '탄압'은 '힘으로 억지로 눌러 꼼짝 못 하게 함.', '폐교'는 '학교의 운영을 그만둠.'이라는 뜻입니다.

7 '목숨을 바치다'는 '어떤 대상을 위하여 생명을 걸고 일하다.'라는 뜻이고, '세상을 떠나다'는 '죽다.'라는 뜻입니다. (2)에서는 '매우 깊게 잠이 들어 아무것도 의식하지 못하다.'라는 뜻의 '세상 모르다'를 활용하는 것이 알맞습니다.

8 (1)에서 '세우다'는 '나라나 기관 따위를 처음으로 생기게 하다.'라는 뜻으로, ②에서는 '한숨도 자지 아니하고 밤을 지내다.'라는 뜻의 '새운'이 올바른 표현입니다. (2)에서 '수여하다'는 '증서, 상장, 훈장 따위를 주다.'라는 뜻으로, ①에서는 '빼어나게 아름답다.'라는 뜻의 '수려한'이 올바른 표현입니다. (3)에서 '숭고하다'는 '뜻이 높고 훌륭하다.'라는 뜻으로, ②에서는 '몹시 미안하여 마음이 편하지 않다.'라는 뜻의 '송구한'이 올바른 표현입니다.

9 (1)에서 '시간이 지나 뒤에 올 날.'이라는 뜻을 가진 낱말은 '훗날'이라고 써야 합니다. (2)에서 '애정, 열정, 노력, 물자 따위를 아낌없이 많이 보내거나 바치며.'라는 뜻을 가진 낱말은 '쏟아부으며'라고 써야 합니다. (3)에서 '생각이나 마음, 의욕 등이 강해지도록 하기.'라는 뜻을 가진 낱말은 '고취하기'라고 써야 합니다.

---

1 (2) ○

2 (1) - ② (2) - ① (3) - ③

3 강화, 악화

4 (1) ② (2) ① (3) ④ (4) ③

5 (1) 변천 (2) 변화무쌍 (3) 변동 (4) 화학

6 변화, 강화

---

1 '변동(變動), 변천(變遷), 변화(變化), 변형(變形)'에 공통으로 쓰인 '변(變)'은 모두 '변하다'라는 뜻을 가지고 있습니다.

2 '변화(變化)'는 '무엇의 모양이나 상태, 성질 등이 달라짐.'이라는 뜻, '변동(變動)'은 '상황이나 사정이 바뀌어 달라짐.'이라는 뜻, '변형(變形)'은 '형태나 모양, 성질 등이 달라지거나 달라지게 함.'이라는 뜻입니다.

3 '강화(強化)'는 '세력이나 힘을 더 강하게 함.' 또는 '수준이나 정도를 높임.'이라는 뜻, '악화(惡化)'는 '일이나 상황이 나쁜 방향으로 나아감.'이라는 뜻입니다. '대화(對話)'는 '마주 대하여 이야기를 주고받음. 또는 그 이야기.'라는 뜻으로, 이 낱말에 쓰인 '화(話)'는 '말하다'라는 뜻입니다.

4 '화학(化學)'은 '물질의 구조, 성분, 변화 등에 관해 연구하는 자연 과학의 한 분야.'라는 뜻, '강화(強化)'는 '세력이나 힘을 더 강하게 함.' 또는 '수준이나 정도를 높임.'이라는 뜻, '악화(惡化)'는 '일이나 상황이 나쁜 방향으로 나아감.'이라는 뜻, '변화무쌍(變化無雙)'은 '변하는 정도가 비할 데 없이 심함.'이라는 뜻입니다.

5 '변동(變動)'은 '상황이나 사정이 바뀌어 달라짐.'이라는 뜻, '변천(變遷)'은 '시간이 지남에 따라 바뀌고 변함.'이라는 뜻, '화학(化學)'은 '물질의 구조, 성분, 변화 등에 관해 연구하는 자연 과학의 한 분야.'라는 뜻, '변화무쌍(變化無雙)'은 '변하는 정도가 비할 데 없이 심함.'이라는 뜻입니다.

6 주어진 대화 내용으로 보아 '무엇의 모양이나 상태, 성질 등이 달라짐.'이라는 뜻의 '변화(變化)'와 '세력이나 힘을 더 강하게 함.'이라는 뜻의 '강화(強化)'가 어울리는 낱말입니다.

1주차
정답과 해설 2쪽

1 ②	2 ③	3 ③
4 ②	5 수양, 실패, 교훈	
6 ④	7 ③	8 ④

3 '비율'의 뜻을 나타낼 때 모음이나 'ㄴ' 받침으로 끝나는 말 뒤에서는 '–율'로 적고, 나머지 받침 뒤에서는 '–률'로 적습니다. 그러므로 '할인률'이 아니라 '할인율'이라고 써야 올바른 표현입니다.

4 '맨발'은 '맨– + 발', '쌀값'은 '쌀 + 값', '기와집'은 '기와 + 집'으로 나눌 수 있는 낱말, 즉 복합어입니다. '바위'를 '바'와 '위'로 나누면 본디의 뜻이 없어지므로 단일어입니다.

5 '반면교사(反面敎師)'는 잘못을 통하여 교훈을 얻게 하는 사람이나 사물을 뜻합니다.

7 빈칸에는 '부부로서의 짝.'이라는 뜻의 '배필'이 들어가야 알맞습니다.

8 'ㄴ' 받침은 'ㄹ'의 앞에서 [ㄹ]로 소리 나므로 [날로]라고 발음해야 알맞습니다.

3주차
정답과 해설 6쪽

1 ③	2 ②	3 ④
4 ③	5 지위, 분노, 무시	
6 ②	7 ③	8 ④

3 '속에 쌓여 있던 감정 등이 한꺼번에 거세게 쏟아져 나오다.'라는 뜻의 낱말은 '폭팔하다'가 아니라 '폭발하다'입니다.

4 '인종'은 '백인종, 황인종, 흑인종처럼 피부, 머리색, 골격 등의 신체적 특징에 따라 나눈 사람의 종류.'를 뜻하는 낱말입니다.

6 '을/를'은 앞말에 붙여 쓰고, '이미 있는 그대로의 상태.'를 뜻하는 '채'는 앞말과 띄어 써야 합니다.

7 '물불을 가리지 않다'는 '위험이나 곤란을 고려하지 않고 막무가내로 행동하다.'라는 뜻의 관용어입니다. '손뼉을 치다'는 '어떤 일에 찬성하거나 좋아하다.'라는 뜻, '가슴을 쓸어내리다'는 '곤란한 일이나 걱정이 없어져 안심을 하다.'라는 뜻, '앞뒤를 가리지 않다'는 '일 등을 신중히 생각하지 않고 마구 행동하다.'라는 뜻입니다.

2주차
정답과 해설 4쪽

1 ②	2 ④	3 ③
4 ①	5 이끼, 노력, 발전	
6 ④	7 ④	8 ④

1 '눈 하나 깜짝 안 하다'는 '태도나 눈치 등이 아무렇지도 않은 듯이 보통 때와 같이 행동하거나 대하다.'라는 뜻의 관용어이고, '눈 깜짝할 사이'는 '매우 짧은 순간.'이라는 뜻의 관용어입니다.

3 '가정이나 국가의 경제적 형편.'을 뜻하는 낱말은 '살림사리'가 아니라 '살림살이'라고 써야 올바른 표현입니다.

4 '덧버선'에서 '덧–'은 '겹쳐 신거나 입는.'이라는 뜻, '햇과일'에서 '햇–'은 '그해에 난.'이라는 뜻, '헛수고'에서 '헛–'은 '보람 없는.'이라는 뜻을 더해 주는 말입니다.

6 '어깨가 무겁다'는 '힘겹고 중대한 일을 맡아 책임감을 느끼고 마음의 부담이 크다.'라는 뜻의 관용어입니다.

7 ①의 '길'은 '사람이나 차 등이 지나다닐 수 있게 땅 위에 일정한 너비로 낸 공간.', ②의 '길'은 '목적지에 이르기 위해 거쳐 가는 공간.', ③의 '길'은 '어떤 곳으로 이동하는 도중.'이라는 뜻입니다. ④와 ㉡의 '길'은 '무엇을 하기 위한 방법.'이라는 뜻입니다.

4주차
정답과 해설 8쪽

1 ①	2 ③	3 ④
4 ④	5 버릇, 습관, 조심	
6 ④	7 [결쩡]	8 ②

1 '가슴이 뜨거워지다'는 '감정이 심해져 감동이 생기다.'라는 뜻, '가슴이 시원하다'는 '기분이 매우 좋고 가뿐하다.'라는 뜻, '가슴에 새기다'는 '잊지 않게 단단히 마음에 기억하다.'라는 뜻의 관용어입니다.

2 '보름'은 '십오 일 동안.'을 말합니다. '정월 대보름에는 마을에서 축제가 열린다.'에서 '보름'은 '음력으로 그달의 십오 일이 되는 날.'을 말합니다.

3 '발의 뒤쪽 발바닥과 발목 사이의 불룩한 부분.'이라는 뜻의 낱말은 '뒷굼치'가 아니라 '뒤꿈치'라고 써야 합니다.

4 ①, ②, ③은 보기 의 '근심 - 걱정'과 같이 뜻이 비슷한 낱말로, 서로 바꾸어 쓸 수 있습니다. '감옥'과 '처벌'은 뜻이 비슷한 낱말이 아니므로 서로 바꾸어 쓸 수 없습니다.

7 '결정'은 'ㅈ'이 'ㅉ'으로 바뀌어 [결쩡]으로 소리 납니다.

8 남자현이 감옥에서 나가지 못하게 된 상황이므로 '갇히다'라는 낱말을 사용하여 '갇힌'이라고 써야 올바른 표현입니다.

1 ②	2 ②	3 ②
4 ④	5 봉양, 은혜, 효심	
6 ①	7 ④	8 [망무가내]

1 '발 벗고 나서다'는 '어떤 일에 적극적으로 나서다.'라는 뜻, '발을 맞추다'는 '여러 사람이 각자의 행동이나 말 따위를 하나의 목표나 방향을 향하여 일치시키다.'라는 뜻입니다.

3 '음식물이나 자연물이 세균에 의해 분해되어 상하거나 나쁘게 변하다.'의 뜻을 가진 낱말은 '썪는'이 아니라 '썩는'이라고 써야 올바른 표현입니다.

4 '열기'는 '뜨거운 기운.', '건포도'는 '말린 포도.', '송아지'는 '어린 소.'라는 뜻입니다. '희귀하다'는 '많이 없거나 쉽게 만날 수 없어서 매우 특이하거나 귀하다.'라는 뜻으로, ④는 같은 의미가 반복되지 않습니다.

6 ①~④는 모두 '이상'이라는 낱말의 뜻입니다. ①은 '이상 한파', ②는 '시작한 이상 돌이킬 수 없다.', ③은 '이상 행동', '이상 반응', ④는 '이상을 추구하다.' 등과 같이 쓰입니다.

1 ①	2 ②	3 ③
4 ③	5 서리, 불행, 비유	
6 ③	7 ①	8 ③

1 '무일푼'은 '가진 돈이 전혀 없음.'이라는 뜻이고, '무관심'은 '흥미나 관심이 없음.'이라는 뜻입니다.

2 ①에서는 '사물을 보고 판단하는 힘.'이라는 뜻, ②와 보기 에서는 '무엇을 보는 표정이나 태도.'라는 뜻, ③에서는 '사람들의 눈이 가는 길이나 방향.'이라는 뜻, ④에서는 '사물의 존재나 형태를 구별하여 알 수 있는 눈의 능력.'이라는 뜻입니다.

3 '마굿간'이 아니라 '마구간'이라고 써야 올바른 표현입니다.

4 '보조금'은 '보조 + 금'으로 나눌 수 있습니다.

7 '(사람이 띠를) 몸에 알맞게 조이도록 두르다.'라는 뜻을 가진 낱말은 '매다'입니다.

8 ⓒ에서 (주로 '-은, -는, -을' 뒤에 쓰여) 앞의 내용에 상당한 수량이나 정도임을 나타내는 말인 '만큼'은 앞말과 띄어 써야 합니다.

1 ④	2 ③	3 ②
4 ④	5 ②	6 ③
7 ②	8 ①	

3 '설마'는 '그럴 리는 없겠지만 혹시나.'라는 뜻으로, 주로 부정적인 추측을 강조할 때 씁니다.

4 ㉠에는 '빌린 것을 도로 돌려주지.'라는 뜻의 '갚지'가 들어가야 하고, ㉡에는 '무엇을 운반하기 위하여 차, 배, 비행기 등에 올려놓지.'라는 뜻의 '싣지'가 들어가야 합니다.

5 '무쳐'는 '나물 등에 양념을 넣고 골고루 섞이게 하여.'라는 뜻이므로 ②에서는 '어디에 놓여 다른 물질로 덮여 가려져.'라는 뜻의 '묻혀'를 써야 알맞습니다.

6 '증서'는 글자 그대로 [증서]라고 소리 납니다.

7 '대성통곡'은 '큰 소리를 내며 매우 슬프게 우는 것.', '청천벽력'은 '(비유적으로) 맑은 하늘에서 갑자기 치는 벼락이라는 뜻으로, 뜻밖에 일어난 큰 재앙이나 사고.', '태평성대'는 '어진 임금이 잘 다스려 아무 걱정이나 탈이 없는 세상이나 시대.', '반신반의'는 '어느 정도 믿기는 하지만 확실히 믿지 못하고 의심함.'이라는 뜻의 한자 성어입니다.

1 ①	2 ④	3 ④
4 ③	5 ③	6 ③
7 ③	8 ③	

1 '갓'은 '이제 막.'이라는 뜻으로, '금방', '방금' 등과 뜻이 비슷한 낱말입니다.

2 ①에서 '정상'은 '특별히 바뀌어 달라진 것이나 탈이 없이 제대로인 상태.'라는 뜻, ②에서 '정상'은 '산의 맨 꼭대기.'라는 뜻, ③에서 '정상'은 '그 이상 더없는 최고의 상태.'라는 뜻, ④와 보기 에서 '정상'은 '한 나라의 가장 중요한 자리의 인물.'이라는 뜻입니다.

3 '긴장이나 화를 풀어 마음을 가라앉히며.'라는 뜻의 낱말은 '삭히며'가 아니라 '삭이며'입니다.

6 '한 나라가 완전한 주권을 가짐.'이라는 뜻의 '독립'은 [동닙]으로 소리 납니다.

7 '바람을 일으키다'는 '사회적으로 많은 사람에게 영향을 미치다.'라는 뜻의 관용어입니다.

8 빈칸에는 '변하다'라는 뜻을 지닌 '변(變)'이 들어가야 알맞습니다.

어휘력
자신감

5 단계

중학생을 위한
비문학 독해 연습

전과목 학습의 기초가 되는 **독해력**은 선택이 아닌 **필수!**
어휘력, 글에 대한 이해력, 해결력이 종합된
독해력은 중학교부터 탄탄히 다져야 합니다.

✔ 독해 기술 - 어휘 학습 - 수능형 지문 구성
✔ 독해 연습에 최적화된 인문, 사회, 과학, 기술, 예술 등 수능 영역별 지문 구성
✔ 시각적 지문 정리 - 주제 파악 - 문제 풀이의 3단계 실전 연습 반복
✔ 매일 2지문씩 2개월 집중 훈련

교재 선택 가이드

중학 비문학 독해 연습 시리즈는 〈중학 독해 훈련서〉로 예비중부터 중1, 2, 3까지 모든 학생을
대상으로 합니다. 학생들의 수준에 따라 선택적으로 공부할 수도 있고, 입문편 학습을
마친 학생은 기본편, 실력편 학습을 단계별로 할 수 있도록 구성하였습니다.

| **입문편** |
| 예비중 | 중1 | 중2 | 중3 |

초등 고학년부터 중1까지, 비문학 독해력의 기초를 다지고 싶은 학생에게 권장합니다.

| **기본편** |
| 예비중 | 중1 | 중2 | 중3 |

중1부터 중2까지, 비문학 독해력의 실력을 기르고 싶은 학생에게 권장합니다.

| **실력편** |
| 예비중 | 중1 | 중2 | 중3 |

중2부터 중3까지, 심화된 제재로 비문학 독해의 실력을 완성하고 싶은 학생에게 권장합니다.

지학사

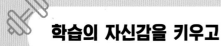